3e édition

Économie globale

Les principes fondamentaux

Dominic Roy
Cégep régional de Lanaudière à Terrebonne

Raymond Munger
Collège de Maisonneuve

Avec la collaboration de

Douglas Blanchet
Cégep régional de Lanaudière à Terrebonne

MODULO

Nous reconnaissons l'aide financière du gouvernement du Canada par l'entremise du Fonds du livre du Canada (FLC) pour nos activités d'édition.

Catalogage avant publication de Bibliothèque et Archives nationales du Québec et Bibliothèque et Archives Canada

Roy, Dominic, 1969-

Économie globale : les principes fondamentaux

3e éd.

Comprend des réf. bibliogr. et un index.
Pour les étudiants du niveau collégial.

ISBN 978-2-89650-464-0

1. Macroéconomie. 2. Relations économiques internationales. 3. Politique économique. 4. Macroéconomie – Simulation, Méthodes de. 5. Macroéconomie – Problèmes et exercices. I. Munger, Raymond, 1961- . II. Titre.

HB173.R73 2011   339   C2011-940514-8

Équipe de production

Éditeur : Sylvain Garneau
Chargée de projet : Suzanne Champagne
Révision linguistique : Monique Tanguay
Correction d'épreuves : Marie Théorêt
Montage : Pige communication
Coordination de la mise en pages : Nathalie Ménard
Maquette et couverture : Marguerite Gouin
Recherche photos : Esther Ste-Croix
Gestion des droits : Corine Archambault

Groupe Modulo est membre de l'Association nationale des éditeurs de livres.

**Économie globale. Les principes fondamentaux
(1re édition : 2004 ; 2e édition : 2008)**

© Groupe Modulo inc., 2012
5800, rue Saint-Denis, bureau 1102
Montréal (Québec) H2S 3L5
CANADA
Téléphone : 514 738-9818 / 1 888 738-9818
Télécopieur : 514 738-5838 / 1 888 273-5247
Site Internet : www.groupemodulo.com

Dépôt légal — Bibliothèque et Archives nationales du Québec, 2011
Bibliothèque et Archives Canada, 2011
ISBN 978-2-89650-464-0

Imprimé aux États-Unis
4 5   14 13

AVANT-PROPOS

L'attention de plus en plus soutenue qui est portée au chômage, à l'inflation, aux taux d'intérêt, aux déficits et à la mondialisation a rendu omniprésents les concepts de l'analyse économique. Bien que ces phénomènes fassent partie des informations quotidiennes, cela ne suffit pas à faire comprendre les raisonnements et les mécanismes qui les régissent. Dès lors, il est essentiel que tout individu puisse saisir les rouages de l'économie afin de prendre les meilleures décisions, celles qui maximisent son bien-être et celui de la société.

Dans cette troisième édition, les auteurs répondent encore mieux aux besoins des étudiants pour qui la science économique constitue une nouveauté. Tout d'abord, ils mettent l'accent sur les éléments essentiels au moyen d'exemples concrets. Ensuite, afin de maintenir le fil conducteur d'un chapitre à un autre, ils établissent des liens entre les différentes parties du livre, en effectuant des retours sur des notions déjà vues. Cette présentation en spirale est mise en valeur dans les nouvelles questions d'intégration qui figurent à la fin de chaque chapitre.

En plus de présenter les principes fondamentaux de l'économie et les nouvelles théories, telle la théorie des jeux, les auteurs ont procédé à une révision importante du contenu, notamment en ce qui touche les indicateurs économiques – un nouveau chapitre est consacré exclusivement à la comptabilité nationale. Ils ont également fait la mise à jour des statistiques, et ce, tant dans le texte que dans les figures et les tableaux. Ils ont de plus revu une vingtaine de rubriques « Liens entre la théorie et la réalité économiques », « Actualité économique », « Évolution de la pensée économique » et « Appendice mathématique », dont plusieurs abordent la crise et les enjeux d'une reprise économique. Enfin, il faut mentionner que, pour correspondre davantage au contexte actuel, certains laboratoires informatiques ont été modifiés ainsi qu'un bon nombre de questions des sections « Mettez vos connaissances en pratique » et « Testez vos connaissances ».

À LA DÉCOUVERTE DE L'OUVRAGE
Pour un apprentissage dynamique par une approche active !

Économie globale. Les principes fondamentaux, 3e édition comprend neuf chapitres répartis en quatre parties.

Structure des chapitres

Texte de sensibilisation

Chaque partie s'ouvre sur un texte d'auteur qui vise à piquer la curiosité des étudiants en suscitant une réflexion avant d'entreprendre l'étude des chapitres.

Sommaire et objectifs

Chaque chapitre commence par un sommaire et une présentation des habiletés à développer. Les étudiants savent ainsi d'entrée de jeu quels sont les objectifs à atteindre et peuvent dès lors suivre leur apprentissage en s'y reportant régulièrement.

Texte d'introduction

Les textes d'introduction visent à attirer l'attention des étudiants en soulevant des questions qui seront abordées dans le chapitre.

Théorie

Tous les chapitres sont rédigés dans un style simple et direct. De nombreux tableaux et figures enrichissent et complètent les explications. Les mots qui font l'objet d'une définition sont mis en évidence à leur première occurrence dans le texte et immédiatement définis en bas de page. Les définitions sont rassemblées, par ordre alphabétique, dans un glossaire à la fin de l'ouvrage.

Rubriques

Trois grandes rubriques, qui aident les étudiants à maîtriser différents éléments de compétence, apportent un complément d'information qui se traduit par un enrichissement de la matière.

Liens entre la théorie et la réalité économiques • Cette rubrique, suivie de quelques questions dans la section « Mettez vos connaissances en pratique », amène les étudiants à observer la réalité et à établir des liens avec les théories étudiées.

Actualité économique • Cette rubrique, également suivie de quelques questions dans la section « Mettez vos connaissances en pratique », présente des articles sur l'actualité économique illustrant de manière concrète les concepts vus en classe.

Évolution de la pensée économique • Cette rubrique trace l'historique ou l'évolution des principales théories et des économistes importants.

Chapitre en un clin d'œil

Ces synthèses visuelles présentent schématiquement les notions et les concepts abordés dans les chapitres. Les étudiants peuvent s'en servir avant d'entreprendre l'étude d'un chapitre, pour se faire une image précise de ce qu'ils y trouveront, ou après l'avoir lu, pour revoir leurs nouveaux acquis.

Testez vos connaissances

Cette section regroupe des activités d'apprentissage variées qui amènent les étudiants, d'une part, à vérifier leurs connaissances et, d'autre part, à faire le lien entre la théorie et la pratique. On y trouve :

- des questions à court développement liées à des concepts clés ;
- des problèmes allant de simples calculs à des applications de l'analyse économique.

Question d'intégration

À la fin de chaque chapitre figure une question d'intégration qui aide les étudiants à établir des liens avec des notions déjà vues. Cette rétroaction donne une meilleure cohérence à l'ensemble de la matière et facilite sa compréhension.

Laboratoires informatiques

Le but des laboratoires informatiques est d'amener les étudiants, à partir d'un traitement de données incorporé dans le site de Statistique Canada, à utiliser de façon relativement simple des outils statistiques (tableaux, graphiques, mesures relatives) pour décrire et expliquer la conjoncture économique canadienne et mondiale.

Bien qu'il existe d'impressionnantes séries de données, nous n'en utilisons que quelques-unes dans l'ouvrage. Pour simplifier la recherche, nous indiquons parfois le numéro du tableau dans lequel se trouvent les séries. Dans ces cas, voici la marche à suivre.

1 Vous entrez dans le didacticiel de Statistique Canada à http://estat.statcan.ca, puis, une fois dans le site, vous acceptez la licence (assurez-vous que votre établissement est inscrit).

2 À partir de là, la recherche se fait par la table des matières, ou alors vous pouvez choisir l'option « Recherche dans CANSIM sur E-STAT » située à la gauche de l'écran. Cette option vous permet de trouver les données dont vous avez besoin en indiquant un mot, une expression ou un numéro de tableau (si vous connaissez celui-ci). Par exemple, si vous voulez recueillir des données sur l'indice des prix à la consommation (IPC) au Canada, vous cliquez sur « Recherche dans CANSIM sur E-STAT », vous inscrivez le numéro 326-0021, puis vous cliquez sur « Recherche ».

3 Ensuite, vous sélectionnez, dans les menus proposés, l'option que vous désirez et vous cliquez sur le bouton « Extraire tableau » ou « Extraire séries chronologiques » pour avoir la ou les séries désirées. Ainsi, si on vous demande de tracer un graphique de l'IPC canadien pour la période allant de 1980 à 2009, vous sélectionnez « Canada », « Ensemble », de « 1980 » à « 2009 » et « Extraire séries chronologiques ».

4 Il est à noter que le format de sortie permet de choisir le type de graphique. L'option par défaut « **Diagramme** à ligne brisée » (en haut de l'écran) présente graphiquement les données au moyen d'un chronogramme. Comme son nom l'indique, ce type de figure décrit l'évolution d'une ou de plusieurs variables dans le temps.

5 Ainsi, si vous cliquez sur le bouton « Extraire maintenant », vous obtenez le graphique en question. Il est à noter que, avec l'option « Manipuler les données » se trouvant à la droite du bouton « Extraire maintenant », il est possible de modifier la fréquence des données, d'utiliser des mesures relatives comme « La variation en pourcentage » ou d'ajouter une autre série. Bien entendu, les deux séries peuvent donc être visionnées ensemble.

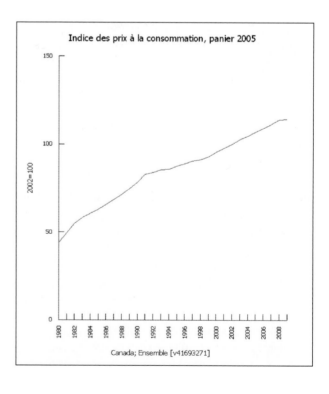

Simulation de l'économie globale

Cette section comprend des exercices que les étudiants pourront réaliser sur Modulo en ligne (www.groupemodulo.com) au moyen du jeu *Simulation de l'économie globale*. Apparaissant dans les chapitres 4, 5, 6 et 7, ces exercices permettent l'utilisation graduelle de la simulation en fonction de notions précises vues dans ces chapitres.

Appendice mathématique

Cette rubrique a pour but de restreindre l'emploi des mathématiques dans l'ouvrage tout en préservant une certaine rigueur scientifique dans la présentation des phénomènes économiques. Cette rubrique amène également les étudiants à utiliser les mesures descriptives les plus courantes en économie.

À la fin de l'ouvrage

Glossaire

Le glossaire reprend dans l'ordre alphabétique toutes les définitions que l'on retrouve au fil des pages. Il permet ainsi d'en faire aisément une révision.

Bibliographie

La bibliographie fournit une liste d'ouvrages de référence. Les étudiants sont invités à la consulter, car elle pourra les guider pour approfondir un sujet ou trouver de la documentation pour un travail de session.

Index

L'index permet aux étudiants de trouver facilement les pages où sont traités un terme ou une notion économiques.

Matériel complémentaire

Vous trouverez sur Modulo en ligne (www.groupemodulo.com) du matériel pour le professeur. Ce matériel contient un plan de cours, les figures et les tableaux du manuel en format PDF et en format JPEG, les réponses aux divers types d'évaluation («Mettez vos connaissances en pratique», «Testez vos connaissances» et «Laboratoires informatiques») ainsi qu'une liste de sites Internet relatifs à l'économie.

Vous trouverez également du matériel pour les étudiants qui comprend des exercices interactifs ainsi que le jeu *Simulation de l'économie globale*. Les exercices permettent aux étudiants de vérifier leurs connaissances de façon interactive. On trouve pour chacun des chapitres des questions «vrai ou faux», des questions à choix multiples et des questions ouvertes. Pour sa part, le jeu est un outil pédagogique qui amène les étudiants à mettre en pratique les principales notions d'économie selon une vision globale et à intégrer l'informatique de façon amusante dans leur cours.

REMERCIEMENTS

Un manuel comme celui-ci est le fruit du travail de toute une équipe. Je tiens donc à remercier tous ceux et toutes celles qui ont contribué à la réalisation de ce projet, plus particulièrement Raymond Munger, coauteur de l'ouvrage, mon ami Douglas Blanchet, collaborateur et réviseur scientifique, l'équipe de Groupe Modulo, notamment Sylvain Garneau, Suzanne Champagne et Corine Archambault, ainsi que mes étudiants pour leurs remarques et leurs commentaires pertinents.

Les auteurs et l'éditeur tiennent également à remercier très sincèrement les nombreux professeurs des divers collèges qui ont été consultés pour les trois éditions afin que le manuel réponde toujours mieux à leurs besoins. Enfin, les auteurs et l'éditeur aimeraient aussi remercier le concepteur de la version originale américaine de la simulation *The Global Economics Game*, Ronald W. Schuelke, pour leur avoir donné l'autorisation d'utiliser certains éléments de son site Internet (www.globaleconomicsgame.com).

TABLE DES MATIÈRES

LA FABLE DU PÊCHEUR :
une vision mexicaine de l'efficacité

Alain Gras

Dans un petit village côtier mexicain, un Américain avise un pêcheur en train de faire la sieste et lui demande :
— Pourquoi ne restez-vous pas en mer plus longtemps ?

Le Mexicain répond que sa pêche quotidienne suffit à subvenir aux besoins de sa famille.

L'Américain demande alors :
— Que faites-vous le reste du temps ?
— Je fais la sieste avec ma femme, le soir je vais voir mes amis. Nous buvons du vin et jouons de la guitare. J'ai une vie bien remplie.

L'Américain l'interrompt :
— Suivez mon conseil : commencez par pêcher plus longtemps. Avec les bénéfices, vous achèterez un gros bateau, vous ouvrirez votre propre usine. Vous quitterez votre village pour Mexico, puis New York, d'où vous dirigerez toutes vos affaires.
— Et après ? interroge le Mexicain.
— Après, dit l'Américain, vous introduirez votre société en Bourse et vous gagnerez des millions.
— Des millions ! Mais après ? réplique le pêcheur.
— Après, vous pourrez prendre votre retraite, habiter un petit village côtier, faire la grasse matinée, jouer avec vos enfants, pêcher un peu, faire la sieste avec votre femme, passer vos soirées à boire et à jouer de la guitare avec vos amis.

Source : *La fragilité de la puissance*, Paris, Librairie Arthème Fayard, 2003.

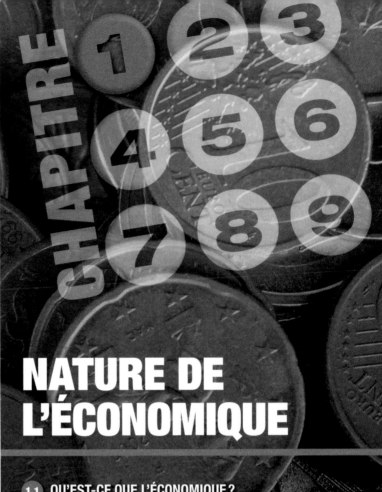

NATURE DE L'ÉCONOMIQUE

Si vous pensez que l'éducation ne paie pas, essayez donc l'ignorance pour voir.

Derek Bok, ancien président de l'université Harvard

OBJECTIFS

Après avoir lu ce chapitre, vous pourrez :

- situer l'apport spécifique de l'économique à la compréhension de l'organisation sociale ;
- saisir les concepts de rareté, de choix et de coût d'option ;
- utiliser le modèle d'analyse de la limite des possibilités de production ;
- distinguer les trois modèles d'organisation économique ;
- identifier les grands courants de la pensée économique.

Se laisser séduire ou pas par le dernier jeans à la mode, dont le prix s'élève à plus de 100 $? Travailler quelques heures de plus ou aller au cinéma avec des amis ? Acheter une voiture neuve ou usagée ? Dépenser maintenant ou épargner pour l'avenir ? Suivre un cours d'économie ou travailler au restaurant du coin ? De tels dilemmes de nature économique se posent à nous chaque jour et sont même souvent au centre de nos préoccupations. La science économique s'intéresse donc à de nombreux aspects de la vie quotidienne : notre travail, nos études, nos revenus, nos dépenses, notre lieu de résidence, nos déplacements, notre destination de vacances…

Arrêtons-nous un moment dans un centre commercial ou devant un supermarché. Comment se fait-il que nous ayons toutes ces marchandises à portée de la main ? Qui nous assure cette abondance et comment expliquer que d'autres pays n'arrivent même pas à satisfaire les besoins les plus élémentaires de leur population ? Pourquoi, dans certaines sociétés, l'eau potable et la scolarisation de base sont-elles accessibles à tous, alors que dans bien d'autres ce n'est pas le cas ? Notre société a-t-elle été contrainte de faire des choix pour nous offrir le mode de vie que nous connaissons, et si oui, lesquels ? C'est justement à ces questions que tente de répondre la science économique.

Les décisions que nous prenons en tant que consommateurs quand nous achetons un bien ou un service, ou comme membres de la société lorsque nous allons voter, par exemple, ou encore les décisions que prennent les entreprises et les gouvernements ont toutes des répercussions sur l'activité économique.

Ce premier chapitre vous permettra de mieux saisir la nature de l'économique, grâce à l'étude de quelques concepts fondamentaux, tels que le problème de la rareté et la limite des possibilités de production. Une fois ces principes économiques bien définis, nous pourrons aborder l'étude des différents modèles d'organisation économique. Finalement, pour bien comprendre les différentes approches, souvent complémentaires, parfois contradictoires, qui portent sur des questions fondamentales de la science économique, nous parcourrons les chemins de la pensée économique.

1.1 QU'EST-CE QUE L'ÉCONOMIQUE ?

L'économiste anglais Alfred Marshall (1842-1924) a défini, tout au début de son principal ouvrage, *Principes d'économie politique* (publié en 1890 et traduit en français pour la première fois en 1906), la science économique comme l'étude de l'humanité dans les affaires ordinaires de la vie. À première vue, cette définition peut sembler étrange. Pourtant, demandez à un de vos proches ce qu'est l'économique, et il vous parlera sans doute des « affaires » ou de l'« argent ». Pas étonnant puisque, dès l'enfance, on apprend qu'il faut avoir de l'argent pour pouvoir se procurer les gâteries que l'on convoite. L'argent, on l'aura vite compris, est une rareté, tout comme les biens et les ressources. Il n'y a des problèmes économiques que parce qu'il y a de la rareté, ce qui nous pousse à prendre des décisions « dans les affaires ordinaires de la vie ».

L'économique naît donc de la nécessité d'étudier cette rareté, c'est-à-dire cette inadéquation entre la quantité limitée des ressources et les besoins illimités des **agents économiques** (les individus ou groupes d'individus qui prennent des décisions de nature économique). Par exemple, les ménages font des choix de consommation en fonction de leur revenu limité, tout comme les entreprises font des choix de production et les États font des choix de distribution. En définitive, l'**économique** est l'étude de l'utilisation des ressources rares pour satisfaire des besoins illimités ; elle s'attache donc à comprendre la façon dont les êtres humains effectuent des choix économiques à partir de biens existant en quantité limitée.

L'OBJECTIF DE LA SCIENCE ÉCONOMIQUE

L'objectif de l'analyse économique consiste à comprendre les phénomènes économiques, tels le chômage ou l'inflation. Pour y parvenir, l'économiste procède en deux étapes. Dans un premier temps, il observe de façon rigoureuse et systématique les phénomènes économiques et essaie de les mesurer. Dans un second temps, il tente de les expliquer.

Par exemple, pour comprendre le phénomène du chômage, l'économiste doit d'abord déterminer les caractéristiques du chômeur. Ensuite, il peut étudier l'évolution du chômage dans le temps, ou d'une région à l'autre, à l'aide de mesures comme le taux de chômage. Lorsque c'est fait, l'économiste tente d'expliquer le phénomène. N'oublions pas que le but ultime de la science économique est l'amélioration du bien-être des individus et de la collectivité. Or, pour contrôler le chômage et en atténuer les effets pervers, il faut d'abord en connaître les causes. Par la suite, l'étude économique s'attardera à proposer des solutions pour obtenir potentiellement de meilleurs résultats.

LES DÉMARCHES EN SCIENCE ÉCONOMIQUE

L'observation des faits économiques amène à s'interroger sur les relations entre les variables économiques, afin de comprendre, par exemple, de quelle façon le chômage est lié au niveau des salaires, ou en quoi la consommation est fonction du revenu. C'est pourquoi la démarche empruntée lors de l'analyse économique consiste à formuler des lois – ou des théories – susceptibles d'expliquer la réalité. Une **théorie** est un ensemble de généralisations destiné à expliquer et à prédire des phénomènes. Pour élaborer une théorie, les économistes ont souvent recours aux modèles économiques.

Un **modèle** est une représentation théorique de la réalité basée sur des hypothèses restrictives ; il vise à simplifier une réalité trop complexe pour être examinée en un seul bloc. Par exemple, pour analyser le comportement du consommateur, on peut partir de l'hypothèse selon laquelle les individus

---

Agents économiques Individus ou groupes d'individus qui prennent des décisions de nature économique.

Économique Étude de l'utilisation des ressources rares pour satisfaire des besoins illimités.

Théorie Ensemble de généralisations destiné à expliquer et à prédire, au moyen d'un lien de causalité, des phénomènes.

Modèle Représentation théorique de la réalité basée sur des hypothèses restrictives.

sont rationnels, c'est-à-dire qu'ils recherchent uniquement la maximisation de leur satisfaction. Même si cela n'est pas toujours vrai, l'important est que le modèle explique bien les décisions des consommateurs.

On trouvera ces théories et ces modèles tout au long de ce livre. La théorie des choix économiques se fonde sur le modèle de la limite des possibilités de production (chapitre 1). L'explication de la gestion des ressources dans une économie de marché s'appuie sur le modèle de l'offre et de la demande (chapitres 2 et 5). Pour expliquer les échanges commerciaux, on utilise la théorie des avantages comparatifs (chapitre 8).

Notons que les mots « loi », « théorie » et « modèle » peuvent être interchangeables et qu'il devient alors difficile de les distinguer. Disons tout de même qu'habituellement les lois ou les théories constituent les explications générales, alors que les modèles utilisent le langage mathématique.

Cependant, comme dans toute démarche scientifique, les théories et les modèles sont confrontés aux faits. Ainsi, avant d'adopter une théorie, il faut d'abord s'assurer que les prédictions du modèle correspondent à la réalité économique. Si ce n'est pas le cas, on modifie la théorie ou on la rejette pour en adopter une autre.

L'ÉCONOMIQUE : UNE SCIENCE HUMAINE

La science économique fait partie des sciences humaines parce que son objet d'étude porte directement sur l'être humain. Le chômage, par exemple, est un problème économique, mais il comporte aussi une dimension psychologique (perte de l'estime de soi), sociologique (exclusion, marginalité) et politique (sous-représentation au sein des institutions). L'économique ne peut prétendre donner une explication complète du chômage et encore moins y apporter seule des solutions. Il s'agit donc d'une science non homogène, en raison de sa complémentarité avec les autres sciences. Cependant,

compte tenu des particularités de sa démarche et de sa fréquente utilisation de modèles mathématiques, l'économique se distingue souvent des autres sciences humaines. Elle est d'ailleurs toujours la seule de ces sciences pour laquelle un prix Nobel est décerné (en fait, il s'agit du prix de la Banque de Suède en sciences économiques en mémoire d'Alfred Nobel, aussi appelé prix Nobel d'économie).

LA MICROÉCONOMIE ET LA MACROÉCONOMIE

La complexité des événements économiques a conduit les scientifiques à fragmenter la science économique en deux grands champs d'application étroitement liés et se soutenant mutuellement : la microéconomie et la macroéconomie. Cette spécialisation des connaissances permet d'analyser le même phénomène selon des points de vue différents.

La **microéconomie** est la branche de l'économique qui étudie les comportements individuels des agents économiques. Ainsi, elle s'intéresse aux comportements des entreprises et des consommateurs afin d'aboutir aux fonctions d'offre et de demande qui serviront à comprendre comment se forment les prix dans un marché donné.

La **macroéconomie** étudie les comportements collectifs et la relation entre les grandeurs globales. Alors que la microéconomie s'intéresse à l'offre et à la demande d'un bien ou d'un service en particulier, la macroéconomie s'intéresse plutôt à l'offre et à la demande globales d'un pays. La macroéconomie cherche donc à comprendre et à expliquer les phénomènes globaux comme l'inflation et le chômage.

Microéconomie Branche de l'économique qui étudie les comportements individuels des agents économiques. Elle s'intéresse à l'offre et à la demande d'un bien ou d'un service en particulier.

Macroéconomie Branche de l'économique qui étudie les comportements collectifs et la relation entre les grandeurs globales. Elle s'intéresse à l'offre et à la demande globales d'un pays.

Liens entre la **théorie** et la **réalité** économiques

HYPOTHÈSES ET THÉORIES

La science économique regorge de théories les plus diverses. Certaines font consensus parmi les experts, alors que d'autres sont plus contestées. Alors, au-delà de la traditionnelle théorie de l'offre et de la demande, en voici quelques-unes moins connues.

La prophétie autoréalisatrice

Lorsque les acteurs économiques s'attendent à ce que certains types d'événements se produisent, cette théorie suppose qu'ils changeront leurs comportements, de sorte que ces événements finiront effectivement par se produire. Par exemple, si les consommateurs s'attendent à une reprise économique, ils recommenceront à consommer, ce qui se traduira par une hausse de la production, une reprise de l'embauche… et une reprise économique !

Le paradoxe de l'épargne

Imaginez qu'à la suite de la crise financière que nous venons de traverser, les ménages décident tous en même temps d'augmenter leur épargne. Ce sera une bonne chose, diront plusieurs, mais cette situation pourrait avoir un effet pervers. Plus d'épargne veut dire moins de dépenses, donc moins de ventes pour les entreprises, moins de production et des mises à pied. Ces nouveaux chômeurs ne pourront plus épargner. À la fin de ce cycle infernal, selon cette théorie, l'épargne totale de l'ensemble de la population sera plus faible qu'avant ce mouvement collectif d'épargne. En théorie…

La théorie du ruissellement

Donner aux riches pour aider les pauvres, c'est un peu ce que prétend cette théorie, fortement contestée. L'idée est simple : en mettant en place des mesures favorables aux mieux nantis (des baisses d'impôts, par exemple), l'économie globale s'en portera mieux. Il y aura une hausse de la demande et de la production, les usines embaucheront plus d'employés, etc. Dans la réalité, l'écart entre les riches et les pauvres n'a cessé de s'accroître aux cours des trois dernières décennies.

La destruction créative

L'arrivée de l'automobile a mis au chômage les livreurs à cheval. Les machines à coudre ont remplacé les couturières. L'histoire du capitalisme est faite de sauts technologiques qui ont changé nos vies, mais aussi coûté cher à des millions de travailleurs. Cette destruction d'industries crée cependant de nouvelles possibilités. Les machines qui remplacent des travailleurs sont conçues par des ingénieurs, elles doivent être entretenues par des techniciens qualifiés, etc. Il y a aujourd'hui plus d'emplois qu'il y a 50 ans, mais les travailleurs doivent être plus qualifiés pour espérer trouver un emploi bien payé. La destruction créative est brutale, mais cette théorie a beaucoup d'adeptes.

Joseph Schumpeter (1883-1950), économiste américain d'origine autrichienne, est classé parmi les hétérodoxes : économistes empruntant à la fois des éléments libéraux, keynésiens et marxistes dans leurs analyses économiques.

> ### Mettez vos connaissances en pratique
>
> **1** Quelle théorie est associée à la notion d'« innovation » ?
>
> **2** Quelle théorie permet de comprendre comment les consommateurs peuvent provoquer ou accentuer une récession économique ?
>
> **3** Pourquoi la théorie du ruissellement semble-t-elle contestée ?

Source : © RADIO-CANADA.CA, *RDI économie en semaine* animé par Gérald Fillion, dans *La Presse Affaires*, 20 avril 2010.

1.2 PROBLÈME DE RARETÉ, CHOIX ET COÛT D'OPTION

Nous avons vu précédemment que c'est le phénomène de la rareté des ressources qui procure à la science économique son objet d'étude et qui contraint les individus et les sociétés à choisir le plus efficacement possible ce qu'ils consomment ou produisent. Le problème de la rareté, illustré à la figure 1.1, repose donc sur deux prémisses : des besoins illimités et des ressources limitées.

LES BESOINS

L'étude de l'économique repose sur la reconnaissance du fait que les individus et les groupes qui composent la société ont divers types de besoins à satisfaire. Ces besoins peuvent être d'ordre physiologique, psychologique ou social.

Certains besoins qu'on peut qualifier de vitaux, comme se nourrir, se vêtir et se loger, doivent être comblés quotidiennement. Lorsqu'ils sont satisfaits, d'autres besoins apparaissent. Soulignons que ces besoins sont en constante évolution et peuvent différer selon les individus et les sociétés. C'est parce que les besoins sont si variés et qu'ils peuvent être satisfaits continuellement qu'on les dit illimités.

LES RESSOURCES

Afin de répondre aux besoins exprimés par les individus, les sociétés produisent des biens et des services à l'aide des ressources disponibles. Celles-ci peuvent être classées en quatre catégories.

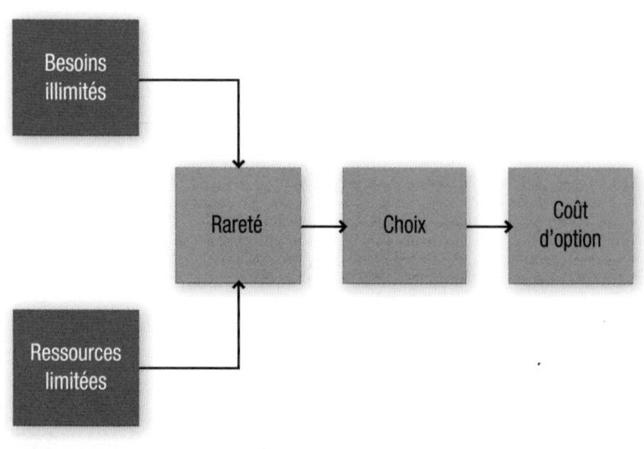

- Les **ressources naturelles**, qui comprennent la terre, l'eau, les forêts, les minéraux ainsi que le pétrole.

- Les **ressources humaines**, qui incluent toutes les activités humaines, qu'elles soient physiques ou intellectuelles. Ces ressources sont elles aussi limitées, pour des raisons tant quantitatives que qualitatives.

- Le **capital physique**, qui regroupe tout ce qui est fabriqué par les individus pour favoriser la production d'autres biens et services. Par exemple, les outils, la machinerie, l'équipement, les bâtiments, les moyens de communication, etc., constituent du capital physique qu'il ne faut pas confondre avec les biens et les services non finis.

- La **technologie**, c'est-à-dire le savoir-faire (individuel ou collectif), la connaissance et l'innovation (acte par lequel les entreprises conçoivent de nouvelles fonctions technologiques incorporées dans des produits ou des processus).

Les **ressources** sont aussi appelées « facteurs de production », car elles servent à produire des biens et des services. Les **biens** sont des produits tangibles (une voiture, un livre), alors que les **services** sont intangibles (un voyage, un cours d'économie).

LE CHOIX

Étant donné le caractère illimité des besoins, d'une part, et la rareté des ressources, d'autre part, les individus et les sociétés doivent constamment faire des choix. Comme le dit le dicton, « on ne peut pas avoir le beurre et l'argent du beurre ». Alors, comment s'y prennent-ils ? Tout choix suppose une comparaison des avantages et des inconvénients des éléments entre lesquels il faut choisir.

FIGURE 1.1   La nature de la problématique économique.

Ressources	Facteurs de production qui servent à produire des biens et des services.
Biens	Produits qui sont tangibles (une voiture, un livre).
Services	Produits qui sont intangibles (un voyage, un cours d'économie).

Liens entre la **théorie** et la **réalité** économiques

AVOIR OU NON DES ENFANTS : D'ABORD UNE QUESTION DE « COÛT »

Certains démographes pessimistes prétendent qu'il n'y aura, en 2041 au Québec, que deux travailleurs potentiels pour un retraité (comparativement à près de cinq pour un aujourd'hui). L'une des raisons évoquées pour expliquer le vieillissement de la population est l'indice synthétique de fécondité (le nombre moyen d'enfants par femme), qui est inférieur au seuil de 2,1 nécessaire au renouvellement de la population. En fait, la moyenne en 2009 était de 1,73 enfant par femme en âge de procréer (les femmes âgées de 15 à 49 ans). Mais pourquoi les ménages québécois ont (ou veulent) si peu d'enfants ? Bien que divers facteurs et comportements soient susceptibles d'expliquer la fécondité d'une population (il serait évidemment ici prématuré d'identifier un facteur en particulier), il s'avère qu'il y a un certain nombre de tendances générales que tout modèle de ces comportements doit pouvoir expliquer, dans ce cas-ci, le « coût ».

Combien nous coûte un enfant ? Le démographe Jacques Henripin (2000)[1] estime qu'élever un enfant au Canada jusqu'à l'âge de 18 ans coûte 380 000 $, dont 243 000 $ sont assumés par les parents (ce qui correspond à six ans et demi de travail à temps plein). Henripin arrive à ces résultats à la suite de calculs qui reposent sur une approche économique annuelle des coûts :

coûts directs (nourriture, vêtements, meubles, loisirs, cadeaux, etc.) : 8600 $ par année ;

coûts sociaux : 7504 $ par année (dont 6850 $ en éducation et 654 $ en soins de santé) ;

coût d'option : 5840 $ par année (le manque à gagner lié au fait d'avoir un enfant).

La figure 1.2 permet de distinguer le coût comptable et le coût économique. Le coût comptable d'un enfant tient compte uniquement des dépenses financières nécessaires pour en prendre soin (nourriture, vêtements, meubles, loisirs, éducation, santé, etc.), alors que le coût économique inclut le coût comptable, mais aussi le coût d'option d'avoir un enfant, c'est-à-dire le manque à gagner associé à ce dernier.

Mettez vos connaissances en pratique

1 À la lumière des estimations données ici, quel est le coût économique annuel d'un enfant ?

2 Qu'entend-on ici par « coût d'option » d'un enfant ? Donnez-en un ou deux exemples.

3 À votre avis, quel est l'effet d'une hausse du revenu sur la fécondité (faire des enfants) ? Justifiez votre réponse.

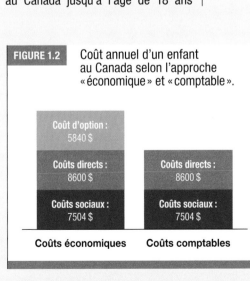

FIGURE 1.2 Coût annuel d'un enfant au Canada selon l'approche « économique » et « comptable ».

Coûts économiques	Coûts comptables
Coût d'option : 5840 $	
Coûts directs : 8600 $	Coûts directs : 8600 $
Coûts sociaux : 7504 $	Coûts sociaux : 7504 $

Contrairement à ce qu'on pourrait croire, il existe une relation de proportionnalité inverse entre l'indice synthétique de fécondité (ISF) et la richesse : plus le revenu des ménages est élevé, plus l'ISF est faible.

1. HENRIPIN, Jacques. *Les enfants, la pauvreté et la richesse au Canada*, Montréal, Les Éditions Varia, 2000, 192 p.

C'est en fonction de cette comparaison qu'un individu – ou une société – essaie de prendre la meilleure décision possible. Les agents économiques doivent donc opérer ce qu'en science économique on appelle un « arbitrage ».

LE COÛT D'OPTION

De même que la rareté implique un choix, le choix implique un coût. Le **coût d'option**, ou coût de renonciation, représente la quantité d'un bien (ou service) que l'on doit sacrifier pour obtenir davantage d'un autre bien (ou service). Ainsi, un cégépien qui étudie à temps plein renonce à une autre possibilité, celle de naviguer dans Internet, de regarder le dernier match du Canadien ou d'effectuer un travail rémunéré. Dans cette situation, le temps est une ressource limitée, car on ne peut être à deux endroits en même temps. Quant au coût total associé aux études, par exemple, il correspond à court terme aux frais directs (droits de scolarité) et indirects (achat de manuels scolaires) d'une année scolaire auxquels on ajoute tout ce à quoi le cégépien renonce (un salaire).

1.3 LIMITE DES POSSIBILITÉS DE PRODUCTION

Les concepts de rareté, de choix et de coût d'option peuvent être analysés à l'aide d'une courbe appelée **limite des possibilités de production**. Cette courbe donne les combinaisons optimales des produits qu'une société peut produire. Puisque tout choix implique un coût, il est fondamental que toute société produise le plus efficacement possible, c'est-à-dire qu'elle satisfasse le plus grand nombre d'individus au moindre coût.

Pour simplifier la présentation graphique de la limite des possibilités de production d'un pays, nous utiliserons un modèle économique. Ce modèle s'appuie sur les hypothèses suivantes :

- le pays ne produit que deux catégories de biens, soit des camions militaires pour transporter les troupes au combat et des denrées alimentaires pour nourrir la population ;

- la quantité des ressources disponibles pour la production de ces deux biens est fixe ;

- les ressources doivent être utilisées pleinement ;

- la technologie est constante.

La figure 1.3 illustre les possibilités de production du pays. Ce pays peut, par exemple, produire 10 000 tonnes de denrées alimentaires ou 4000 camions militaires. Entre ces deux choix extrêmes se situent diverses possibilités combinant la production des deux biens.

Le tableau 1.1 résume ces possibilités. Cinq combinaisons optimales y sont représentées. La combinaison A implique que le pays consacre la totalité de ses ressources à la production de denrées alimentaires. S'il désire produire des camions militaires, il devra, étant donné la quantité limitée des ressources, sacrifier une certaine quantité de denrées alimentaires, comme l'illustrent les combinaisons

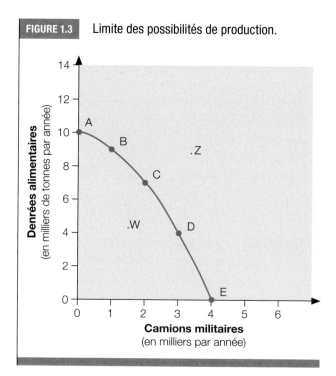

FIGURE 1.3   Limite des possibilités de production.

> **Coût d'option**   Quantité d'un bien (ou service) que l'on doit sacrifier pour obtenir davantage d'un autre bien (ou service).

> **Limite des possibilités de production**   Courbe qui donne les combinaisons optimales des produits qu'une société peut produire.

TABLEAU 1.1	Possibilités de production de camions militaires et de denrées alimentaires.	
Possibilités	**Camions militaires** (en milliers par année)	**Denrées alimentaires** (en milliers de tonnes par année)
A	0	10
B	1	9
C	2	7
D	3	4
E	4	0

B, C et D. Quant à la combinaison E, elle suppose que le pays utilise toutes ses ressources pour la production de camions militaires.

LE CALCUL DU COÛT D'OPTION

Pour connaître le coût d'option d'un bien, on doit calculer la pente de la limite des possibilités de production. Cette pente n'étant pas constante, il faut la calculer chaque fois que l'on veut comparer deux possibilités, c'est-à-dire deux points sur la courbe[2]. Par exemple, entre les possibilités A et B, le coût d'option est égal à :

$$\frac{\Delta \text{ Denrées alimentaires}}{\Delta \text{ Camions militaires}} = \frac{9000 - 10\,000}{1000 - 0} = \frac{-1 \text{ tonne de}}{\text{denrées/camion}}$$

Le signe négatif symbolise le coût de renonciation. Ainsi, pour passer de la combinaison A à la combinaison B, il faut sacrifier un millier de tonnes de denrées alimentaires si on veut produire un millier de camions militaires. Toutefois, lorsqu'on passe de B à C, il faut sacrifier davantage, soit deux milliers de tonnes de denrées alimentaires, pour obtenir la même hausse de production de camions militaires. En poursuivant le raisonnement, on remarque que le coût d'option par unité produite ne cesse de croître à mesure qu'on se déplace de A à E. C'est ce qui explique la concavité de la courbe.

Le même phénomène se produira si l'on veut accroître la production de denrées alimentaires (du point E au point A). En fait, lorsqu'on accroît la quantité de denrées alimentaires, la production augmente, mais à un rythme de plus en plus lent, puisque, pour une même quantité de camions militaires sacrifiés, on obtient de moins en moins de denrées alimentaires supplémentaires. C'est la **loi des rendements décroissants** (ou son corollaire, la loi des coûts marginaux croissants). Si on veut augmenter la production de denrées alimentaires, il faudra employer davantage de main-d'œuvre provenant du secteur militaire. Et plus on augmentera la production, plus il sera difficile de recruter de la main-d'œuvre qualifiée pour produire ces denrées. Il s'ensuivra une augmentation des coûts unitaires liés à la production de denrées alimentaires et donc une diminution de la production par heure de travail additionnelle, c'est-à-dire de la productivité marginale.

LA PRODUCTION OPTIMALE

Une société devrait toujours choisir une combinaison optimale, c'est-à-dire une combinaison qui se trouve sur la limite des possibilités de production. À la figure 1.3, les combinaisons A, B, C, D et E sont optimales, car on ne peut produire plus d'un bien sans diminuer la production de l'autre bien.

Par contre, le point W, qui est situé à l'intérieur de la limite, n'est pas une combinaison optimale. On parle alors de chômage ou de sous-utilisation d'autres ressources. Dans cette situation, il serait possible de produire davantage des deux biens sans sacrifice supplémentaire. Quant au point Z, il représente une combinaison inaccessible à court terme, étant donné les hypothèses de base.

LE DÉPLACEMENT DE LA LIMITE DES POSSIBILITÉS DE PRODUCTION

Toute augmentation des facteurs de production (accroissement de la main-d'œuvre, par exemple)

> **Loi des rendements décroissants** Principe selon lequel, lorsqu'une entreprise ajoute à des facteurs fixes une quantité successive d'un facteur variable, la production augmente, mais à un rythme de plus en plus lent.

---

2. Pour plus de détails concernant la pente d'une courbe, voir l'Appendice mathématique, p. 24.

Actualité économique

CORÉE : DES BOMBES NUCLÉAIRES POUR ÉCONOMISER

SÉOUL (REUTERS) — Pyongyang a déclaré hier vouloir posséder l'arme atomique dans le but de réduire ses forces conventionnelles et de consacrer l'argent ainsi économisé à améliorer les conditions de vie des Nord-Coréens.

« Nous ne cherchons pas à posséder l'arme nucléaire pour faire du chantage, mais nous essayons de réduire notre arsenal conventionnel et de consacrer nos ressources humaines et financières au développement économique et à l'amélioration du niveau de vie du peuple », a écrit hier l'agence officielle nord-coréenne KCNA.

Si les États-Unis poursuivent leur politique hostile à l'égard de Pyongyang, la Corée du Nord n'aura pas d'autre choix que de se procurer l'arme nucléaire, ajoute KCNA.

C'est la première fois que Pyongyang lie ainsi son désir de posséder l'arme nucléaire à celui de réduire ses forces conventionnelles. La Corée du Nord possède la plus grosse armée du monde, forte de 1,1 million de soldats postés pour la plupart près de la frontière avec la Corée du Sud. [...]

Source : © Thomson Reuters, 10 juin 2003.

LA FAMINE SÉVIT TOUJOURS EN CORÉE DU NORD

Michel Sitbon

« Il y a peut-être, nul ne le sait, cinq à six millions de laissés pour compte en Corée du Nord, soit le quart de la population du pays, et c'est par centaines de milliers qu'ils sont morts au cours des dernières années. Si rien ne change, c'est par centaines de milliers qu'ils continueront de mourir au cours des prochaines années », affirme François Jean, directeur de recherche à la Fondation Médecins sans frontières. La situation alimentaire s'étant encore aggravée à la suite d'importantes inondations durant l'automne 2001. Elles ont fait de nombreux morts et quelque 60 000 sans-abri dans l'est du pays. La famine en Corée du Nord a commencé en 1995. Entre 1995 et 2000, on estime entre 600 000 et un million de décès liés à la famine. Ce pays est complètement dépendant de l'aide humanitaire. [...]

Source : JEAN, François, *Secours catholique*, Caritas France, 9 juillet 2002.

Mettez vos connaissances en pratique

Veuillez vous reporter à la figure 1.3 (p. 10) pour répondre aux questions suivantes.

1 Selon le premier texte, quel semblerait être l'effet d'une réduction des forces conventionnelles (et donc des camions militaires) sur la limite des possibilités de production de la Corée du Nord ? Expliquez votre réponse.

2 Selon le deuxième texte, quel semblerait être l'effet des importantes inondations en Corée du Nord sur la limite des possibilités de production ? Expliquez votre réponse.

La Corée du Nord possède la plus grosse armée du monde, forte de 1,1 million de soldats postés pour la plupart près de la frontière avec la Corée du Sud. Pourtant, elle est un des pays les plus pauvres. Il s'agit de toute évidence d'une utilisation catastrophique de ses ressources rares, notamment humaines, à des fins militaires ou de sécurité.

ou toute amélioration de ceux-ci (progrès technologique, par exemple) permet à une société de produire davantage des deux biens. Ainsi, une température propice aux récoltes et une robotisation dans le domaine militaire représentent un accroissement de la capacité de production des deux biens. Dans un tel cas, la limite des possibilités de production se déplace parallèlement vers la droite, comme l'indique la figure 1.4[3].

UN MODÈLE SIMPLISTE?

Le modèle des possibilités de production peut paraître une simplification extrême d'une réalité beaucoup plus complexe. Pourtant, il exprime de façon méthodique une réalité quasi universelle, soit la nécessité de choisir dans un contexte où les ressources sont presque toujours insuffisantes pour nos ambitions (ce qu'on a parfois tendance à oublier si l'on en juge par certains de nos comportements ou certaines de nos revendications). De plus, cette méthode est la version simplifiée de la même démarche utilisée par les économistes lorsqu'ils doivent analyser des situations particulières dans notre société ou qu'ils doivent conseiller les agents économiques dans leur prise de décisions. C'est pourquoi nous utilisons ce type de raisonnement en science économique, quelle que soit l'organisation économique.

1.4 ORGANISATION ÉCONOMIQUE

Le problème de la rareté contraint toutes les économies du monde à faire des choix et à répondre le mieux possible aux besoins de la société. Les mécanismes mis en place pour gérer ces choix d'affectation de ressources rares forment l'organisation de l'activité économique.

TROIS QUESTIONS FONDAMENTALES

Toute organisation économique, quelle qu'elle soit, doit répondre à trois questions fondamentales.

Quoi produire?

Il s'agit de la question relative à l'allocation des ressources limitées, c'est-à-dire au point choisi sur la limite des possibilités de production. Dans la section précédente, nous avons vu qu'il était possible de produire une certaine quantité d'aliments ou de camions militaires. La question est donc ici de savoir si on devrait produire davantage de biens militaires et moins de nourriture, ou plus de nourriture et moins de biens militaires.

Comment produire?

Il s'agit de déterminer comment organiser efficacement la production. Dans notre exemple, cela suppose de savoir quelles ressources conviennent le mieux à la production de biens alimentaires. Vaut-il mieux utiliser une nouvelle technologie ou continuer à produire avec la même technique de production?

Pour qui produire?

C'est le problème de la répartition de la production. Doit-on laisser les agents économiques libres? L'État doit-il intervenir? Dans l'affirmative, quel rôle doit-il jouer? Doit-il satisfaire le plus grand nombre possible de besoins ou doit-il plutôt assurer l'essentiel et laisser la loi du plus fort faire son œuvre?

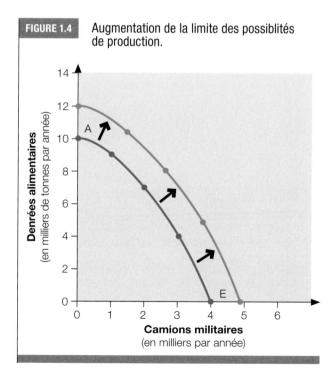

FIGURE 1.4 Augmentation de la limite des possiblités de production.

Denrées alimentaires (en milliers de tonnes par année)

Camions militaires (en milliers par année)

---

3. Il faut noter que si l'augmentation des ressources ou les changements technologiques ne touchent qu'un seul bien, la limite des possibilités de production se déplace alors vers la droite, mais uniquement pour ce bien.

LES MODÈLES D'ORGANISATION ÉCONOMIQUE

En somme, une économie est une organisation qui tente de répondre aux trois questions que nous venons de soulever. Cependant, la façon dont elle s'y prend pour y répondre dépend grandement du **modèle d'organisation**, ou système économique, dont elle s'est dotée. On distingue généralement trois modèles d'organisation économique, qui sont fonction de la propriété des moyens de production, laquelle peut être privée ou collective, et de la coordination de l'activité économique, qui peut être centralisée ou décentralisée.

L'économie de marché (modèle libéral)

Dans une **économie de marché**, la propriété des moyens de production est privée et l'économie est décentralisée. Ainsi, les ressources et la richesse appartiennent aux individus et aux entreprises privées. Les entreprises font des choix qui permettent de maximiser leurs profits ; pour ce faire, elles produisent les biens et services désirés par les consommateurs. Ceux-ci, de leur côté, cherchent à maximiser leur satisfaction en se procurant ces biens et ces services au prix le plus bas possible.

Dans une économie de marché, les décisions des agents économiques sont entièrement soumises aux lois du marché. Comme le mentionnait déjà Adam Smith, penseur anglais du XVIIIe siècle considéré comme le père de la science économique moderne et le grand défenseur du libéralisme économique, chaque individu recherchant son intérêt personnel contribue, comme une main invisible, à l'intérêt collectif. Par conséquent, l'État n'a pas à intervenir puisque le système des prix agit comme un régulateur de l'activité économique. L'économie de marché s'appuie donc sur la libre interaction entre les entreprises et les consommateurs.

L'économie planifiée (modèle socialiste)

Dans une **économie planifiée**, la propriété des moyens de production est collective, et l'économie est centralisée. En Corée du Nord, qui demeure avec Cuba et le Vietnam l'un des derniers bastions officiellement socialistes de la planète, les entreprises appartiennent à l'État et sont exploitées selon ses directives. Celles-ci sont émises par un comité central de planification chargé d'établir les besoins de la population et de coordonner les activités économiques. C'est donc lui qui répond aux trois questions fondamentales. En effet, le comité central fixe les quantités que les entreprises vont produire et détermine la façon dont elles vont les produire. Et, dans la mesure où il fixe les salaires des employés, le comité central détermine également la consommation de chacun.

L'économie mixte (modèle social-démocrate)

L'économie mixte est le modèle d'organisation économique privilégié par la majorité des pays du monde. On parle d'**économie mixte** pour désigner la double régulation de l'économie par le marché et l'État. Au Canada, près de 40 % de la production de l'économie est effectuée directement par l'État, ce qui représente à peu près la moyenne des pays les plus industrialisés membres de l'Organisation de coopération et de développement économique (OCDE). Ainsi, l'État est le maître d'œuvre en santé, en éducation et en infrastructures. Il intervient aussi indirectement, notamment en redistribuant les revenus sous forme de pensions de vieillesse, de prestations d'assurance-emploi et de subventions versées aux entreprises.

Modèle d'organisation   Système économique sur lequel repose l'allocation des ressources rares de façon à répondre aux trois questions fondamentales : « Quoi produire ? Comment produire ? Pour qui produire ? »

Économie de marché   Modèle d'organisation dans lequel la propriété des moyens de production est privée et l'économie est décentralisée.

Économie planifiée   Modèle d'organisation dans lequel la propriété des moyens de production est collective et l'économie est centralisée.

Économie mixte   Modèle d'organisation dans lequel il y a une double régulation de l'économie par le marché et l'État.

1.5 HISTORIQUE DES GRANDS COURANTS DE LA PENSÉE ÉCONOMIQUE

Depuis l'avènement de l'économie moderne, dont on fait remonter les débuts à la révolution industrielle, le débat fait rage entre ceux qui défendent l'idée qu'il faut viser la meilleure organisation économique possible, en laissant les agents économiques poursuivre leur meilleur intérêt, et ceux qui croient plutôt qu'il faut restreindre l'initiative des agents économiques pour parvenir à un meilleur niveau de vie. Les grands courants de la pensée économique sont décrits ci-après et résumés à la figure 1.5.

FIGURE 1.5 Résumé des grands courants de la pensée économique.

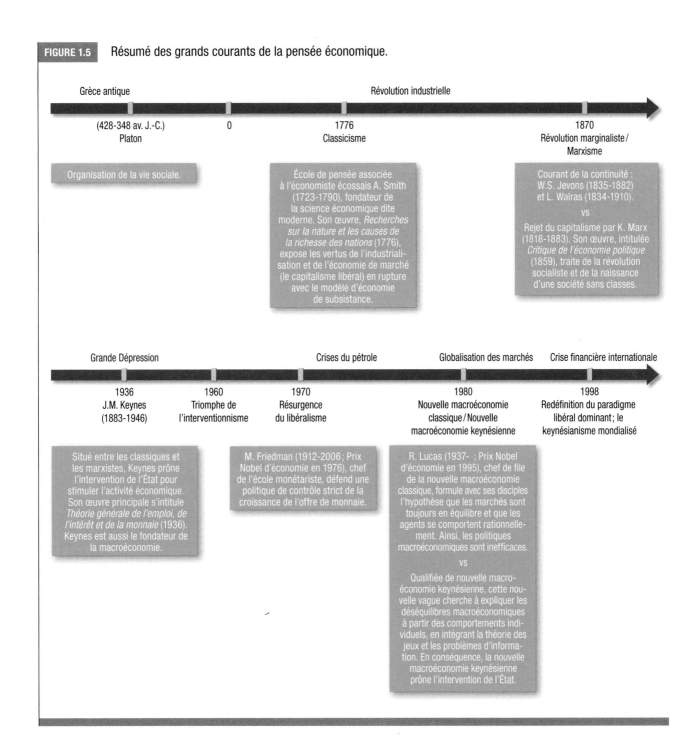

LES CLASSIQUES

Ce n'est qu'au XVIIIe siècle, dans le bouleversement des rapports sociaux engendré, entre autres, par la Révolution française (1789-1799) et la révolution industrielle, que l'économique prend véritablement son envol comme science distincte. Associé à Adam Smith (1723-1790), le libéralisme économique, considéré comme le premier courant de pensée économique moderne, préconise la politique du laisser-faire.

Dans son œuvre intitulée *Recherches sur la nature et les causes de la richesse des nations* (1776), Adam Smith énonce le célèbre principe de la **main invisible** : en poursuivant son intérêt personnel, chaque individu conduit, comme une main invisible, à la réalisation de l'intérêt collectif, et ce, plus efficacement que dans le cas où il aurait réellement l'intention de le faire. Cette philosophie de l'ordre naturel joue un rôle essentiel dans le développement du libéralisme économique, qui s'épanouit avec le triomphe du capitalisme.

Bien que les questions d'ordre économique aient été abordées par plusieurs penseurs avant lui, Adam Smith (1723-1790) est considéré comme le véritable père de la science économique moderne.

LES MARXISTES

Au début du XIXe siècle, les excès des premières phases d'industrialisation et la succession régulière de crises économiques entraînent une violente réaction au capitalisme. Le **marxisme** prévoit la rupture du système capitaliste, car ce dernier est, selon le philosophe et économiste allemand Karl Marx (1818-1883), condamné à disparaître.

Dans son œuvre intitulée *Le Capital* (1867), Marx explique que l'accumulation de capital physique aux dépens des travailleurs est à l'origine de ces crises. Ainsi, en raison des contradictions internes du système capitaliste libéral, le capitalisme de l'époque n'aurait d'autre choix que de laisser sa place au socialisme, nouveau système dans lequel la propriété des moyens de production serait collective et l'exploitation, abolie.

Parmi ceux qui ont été influencés par l'idéologie marxiste figure Vladimir Ilitch Oulianov, dit Lénine (1870-1924), révolutionnaire russe et meneur de la Révolution d'octobre, survenue en 1917. Cette révolution allait donner naissance au premier État socialiste de la planète : l'Union des républiques socialistes soviétiques (URSS).

Karl Marx (1818-1883). Au XIXe siècle, les marxistes ne prédisaient pas une longue vie au système capitaliste naissant. Ils croyaient que l'appétit démesuré des propriétaires du capital mènerait à une exploitation telle de la masse des travailleurs que cela conduirait inévitablement à un effondrement du système.

Main invisible   Principe économique selon lequel chaque individu, en poursuivant son intérêt personnel, conduit à la réalisation de l'intérêt collectif.

Marxisme   Doctrine philosophique, politique et économique de Karl Marx (1818-1883) qui prône la rupture du système capitaliste et la naissance d'une société sans classes.

LES NÉOCLASSIQUES

Vers 1870, alors que le processus d'industrialisation suit son cours, l'économie politique subit une transformation importante avec ce qu'on appelle la **révolution marginaliste**.

Pour comprendre cette révolution, disons que la science économique reposait à l'époque sur la méthode de l'argumentation critique plutôt que sur le principe des démonstrations réfutables, qui forme la base de la méthode scientifique moderne. Les marginalistes ont développé des outils mathématiques pour représenter le comportement des agents économiques et ainsi faire des prévisions, ce qui est fort utile si nous voulons éviter de répéter les mêmes erreurs. On les appelle « marginalistes » parce qu'ils ont fait la démonstration que les agents économiques ne réfléchissent pas toujours globalement, mais prennent plutôt des décisions à la marge, en unités supplémentaires. Par exemple, un agent économique qui se demande s'il va consommer une bière de plus se demande si l'utilité que lui rapporte cette bière est supérieure ou non au prix de celle-ci. Le modèle de l'équilibre général qu'a élaboré l'économiste français Léon Walras (1834-1910), qui domine encore aujourd'hui la pensée économique, constitue la formalisation mathématique de ces raisonnements microéconomiques.

Au XIXᵉ siècle, Léon Walras (1834-1910) et les autres penseurs néoclassiques ont développé des outils mathématiques pour démontrer la suprématie de l'économie de marché.

LES KEYNÉSIENS

Pendant tout le XIXᵉ siècle et jusqu'à la Première Guerre mondiale, les crises économiques ne cessent de corrompre les économies capitalistes. Après la Grande Dépression de 1929, l'économiste anglais John Maynard Keynes (1883-1946) publie *Théorie générale de l'emploi, de l'intérêt et de la monnaie* (1936), ouvrage dans lequel il remet en question l'efficacité naturelle des marchés à réguler l'économie, tout en proposant quelques leviers essentiels pour ramener l'économie mondiale à un équilibre général de croissance modérée et de plein-emploi, notamment en soutenant la demande des agents économiques.

J. M. Keynes (1883-1946). Au XXᵉ siècle, les keynésiens contestent les théories du libéralisme économique : le laisser-faire ne peut assurer l'équilibre de plein-emploi ; l'État doit intervenir.

Keynes préconise le soutien au revenu pour favoriser la consommation ainsi qu'une politique budgétaire pour relancer l'investissement. Les politiques macroéconomiques modernes qui en résultent seront qualifiées par la suite de politiques keynésiennes. Les années 1950 et 1960 seront marquées par un accroissement de l'interventionnisme.

L'essor du keynésianisme aurait pu donner l'illusion qu'il occupait toute la scène, mais il est à son tour remis en question. En 1973, la crise du pétrole, causée principalement par la guerre du Kippour, quatrième guerre israélo-arabe, provoque une hausse simultanée du taux de chômage et du taux d'inflation. Elle remet ainsi en cause les certitudes associées à la toute-puissance de l'État pour régler tous les problèmes d'ordre macroéconomique et symbolise, pour certains penseurs et acteurs de la société, l'échec des politiques keynésiennes.

> **Révolution marginaliste** Théorie fondée sur le principe de l'utilité marginale, c'est-à-dire sur la satisfaction additionnelle que procure la consommation d'une unité supplémentaire.

LES MONÉTARISTES

À partir de 1970, le **monétarisme** s'inspire de la chute du keynésianisme et se propose rapidement comme une solution de rechange. Ainsi, pour l'économiste américain Milton Friedman (1912-2006, Prix Nobel d'économie en 1976), l'inflation ne provient pas d'une demande globale excédentaire ou d'un choc de l'offre, mais plutôt d'une gestion inadéquate de la monnaie dans l'économie (voir le chapitre 7). Les monétaristes préconisent donc une politique de contrôle strict de la croissance de l'offre de monnaie.

S'inspirant de ce courant de pensée, les conservateurs de Margaret Thatcher (première ministre du Royaume-Uni de 1979 à 1990) et les républicains de Ronald Reagan (président des États-Unis de 1981 à 1989) mettent en œuvre un contrôle rigoureux des dépenses publiques et une politique monétaire stricte impliquant des taux d'intérêt très élevés. Ils sont, en quelque sorte, les précurseurs d'un courant de pensée associé à un retour à un libéralisme accru et à un amoindrissement de l'intervention de l'État, à l'échelle des nations comme à l'échelle internationale, ce que certains dénoncent comme une mondialisation ultralibérale aux conséquences néfastes pour les pouvoirs des États nationaux qui voudraient instaurer un autre modèle économique et social.

LES HÉRITIERS DE LA PENSÉE ÉCONOMIQUE CONTEMPORAINE

Même si les concepts des deux grands courants de la pensée économique, regroupant classiques et monétaristes, d'une part, et keynésiens de l'autre, se sont élargis et renouvelés, leur base théorique demeure fondamentalement la même. Malgré l'intégration de nouveaux concepts dans leur modèle, telle la théorie des jeux[4], la nouvelle macroéconomie classique (Robert Lucas, Prix Nobel d'économie en 1995) et la nouvelle macroéconomie keynésienne arrivent respectivement aux mêmes conclusions, soit l'inefficacité des politiques macroéconomiques et la nécessaire intervention de l'État.

À ce titre, il reste que la question fondamentale qui les différencie est toujours celle du rôle de l'État dans l'économie. Ainsi, pour les héritiers de la pensée économique classique, la politique du laisser-faire constitue la meilleure solution pour atteindre l'équilibre, tandis que, pour les héritiers de la pensée keynésienne, c'est plutôt l'interventionnisme qui est privilégié à cette fin.

Robert Lucas (1937-), Prix Nobel d'économie en 1995 et fondateur de la nouvelle école classique. Pour les nouveaux classiques, tous les agents économiques se comportent rationnellement. Inutile donc de tenter de relancer la consommation en baissant les impôts ou les taux d'intérêt.

Monétarisme École de pensée représentée par Milton Friedman (1912-2006) qui défend une politique de contrôle strict de la croissance de l'offre de monnaie.

Milton Friedman (1912-2006), Prix Nobel d'économie en 1976 et fondateur de l'école monétariste de Chicago. Pour les monétaristes, le rôle de l'État devrait se limiter à une stricte rigueur monétaire (d'où leur nom), élément essentiel pour favoriser l'expansion de la libre entreprise.

---

4. Pour plus de détails concernant la théorie des jeux, voir la rubrique « Évolution de la pensée économique », p. 46.

Évolution de la pensée économique

ADAM SMITH ET LE PRINCIPE DE LA MAIN INVISIBLE

«Adam Smith est le plus célèbre et le plus connu des économistes. On le considère d'ailleurs souvent comme le fondateur de cette discipline. Il faut dire que les *Recherches*[5] *sur la nature et les causes de la richesse des nations* en constituent à la fois le premier grand traité et celui qui a connu le plus de succès[6].» Il est difficile de dire précisément pourquoi cette œuvre a acquis une telle notoriété; peut-être est-ce par ses arguments en faveur de la liberté individuelle et des lois du marché (fondements du libéralisme économique), comme en fait foi son célèbre principe de la main invisible. «Ce n'est pas de la bienveillance du boucher, du brasseur, ou du marchand, que nous attendons notre dîner, mais du souci qu'ils ont de leur propre intérêt[7].» «En dirigeant cette industrie de façon que son produit puisse être de la plus grande valeur, [l'individu] ne vise que son propre gain. Et il est en ce cas, comme en bien d'autres, conduit par une main invisible pour faire avancer une fin qui ne faisait point partie de son intention. [...] En poursuivant son propre intérêt, il fait souvent avancer celui de la société plus efficacement que s'il y visait vraiment[8].»

Lorsque l'ouvrage d'Adam Smith, *Richesse des nations*, a été publié en 1776, les mots de l'auteur sonnèrent comme de la musique céleste aux oreilles des défenseurs du libre marché. Ces derniers considèrent depuis que la politique du laisser-faire demeure la meilleure solution pour une société, puisqu'elle lui permet de parvenir à exploiter au mieux les ressources dont elle dispose. L'État n'a alors pas à intervenir, le système des prix agissant comme régulateur de l'activité économique.

Pourquoi certains économistes sont-ils d'avis que la main invisible produirait de bons résultats économiques pour la société? En d'autres mots, pourquoi pensent-ils que la recherche par chaque individu de son intérêt personnel conduirait à la réalisation de l'intérêt collectif? L'argument des théoriciens de la pensée néoclassique, comme W. Stanley Jevons (1835-1882) et Léon Walras (1834-1910), repose essentiellement sur l'idée selon laquelle, en situation de concurrence parfaite où les forces du marché sont libres d'agir, le libre fonctionnement des marchés conduit à un équilibre général de l'économie et à la maximisation du bien-être de la population.

Utopique, dites-vous! Il n'en demeure pas moins que le modèle de l'équilibre général walrasien (modèle selon lequel l'équilibre peut se réaliser sur tous les marchés simultanément), qui domine encore aujourd'hui la pensée économique, constitue la référence théorique sur laquelle se fondent les libéraux (classiques et néoclassiques) pour démontrer la suprématie de l'économie de marché.

---

5. Selon les éditions, l'ouvrage d'Adam Smith porte le titre *Recherches* ou *Enquête sur la nature et les causes de la richesse des nations*.

6. DOSTALER, Gilles. «Adam Smith, moins libéral qu'il n'y paraît», *Alternatives économiques*, n° 207, octobre 2002, p. 76.

7. SMITH, Adam. *Enquête sur la nature et les causes de la richesse des nations*, Paris, PUF, 1995, livre I, p. 16.

8. *Ibid.*, livre IV, p. 513.

CHAPITRE 1 En un clin d'œil

Économique
Étude de l'utilisation des ressources rares pour satisfaire des besoins illimités.

Microéconomie
Branche de l'économique qui étudie les comportements individuels des agents économiques.

Macroéconomie
Branche de l'économique qui étudie les comportements collectifs et la relation entre les grandeurs globales.

Besoins illimités

Ressources limitées
- Ressources naturelles
- Ressources humaines
- Capital physique
- Technologie

Problème de rareté

Choix

Coût d'option
Quantité d'un bien (ou service) que l'on doit sacrifier pour obtenir davantage d'un autre bien (ou service).

Limite des possibilités de production
Combinaisons optimales des produits qu'une société peut produire.

Calcul du coût d'option
Pente de la courbe des possibilités de production.

Loi des rendements décroissants
Plus on ajoute à des facteurs fixes une quantité successive d'un facteur variable, plus la production augmente, mais à un rythme de plus en plus lent.

Organisation économique

Trois questions fondamentales
- Quoi produire ?
- Comment produire ?
- Pour qui produire ?

Modèles d'organisation économique
- Économie de marché
- Économie planifiée
- Économie mixte

Courants de pensée

Libéralisme

Classicisme
(Adam Smith)
Politique du laisser-faire

Néoclassicisme
(Léon Walras)
Révolution marginaliste

Monétarisme
(Milton Friedman)
Politique de contrôle strict de la croissance de l'offre de monnaie

Nouvelle macroéconomie classique
(Robert Lucas)
Inefficacité des politiques macroéconomiques

Interventionnisme

Marxisme
(Karl Marx)
Socialisme

Keynésianisme
(John Maynard Keynes)
Interventionnisme de l'État

Nouvelle macroéconomie keynésienne
Efficacité des politiques macroéconomiques

Testez vos connaissances

QUESTIONS À COURT DÉVELOPPEMENT

1 Définissez l'économique.

2 L'économie est-elle une science homogène ?

3 Qu'est-ce qu'un modèle ?

4 Quelle branche de l'économique étudie les comportements individuels des agents économiques ?

5 Selon vous, à quel principe fondamental de l'économie fait-on allusion lorsqu'on affirme : « on ne peut pas avoir le beurre et l'argent du beurre » ?

6 Pourquoi la pente de la limite des possibilités de production est-elle négative ?

7 Quelles sont les trois questions fondamentales auxquelles doit répondre toute organisation économique ?

8 Pourquoi dit-on que la Corée du Nord a une économie planifiée ?

9 Quels sont les deux grands courants de la pensée économique ? Associez à chacun d'eux les économistes suivants : Adam Smith, Milton Friedman, John M. Keynes.

10 Décrivez le célèbre principe de la main invisible qu'a formulé Adam Smith.

PROBLÈMES

1 Depuis la guerre en Irak, la Corée du Nord se sent de plus en plus menacée par une invasion américaine. Pour les Américains, il semble maintenant évident que la Corée du Nord veut se doter de l'arme nucléaire pour faire du chantage. Pourtant, Pyongyang ne cesse de déclarer qu'elle ne cherchait pas à posséder l'arme nucléaire pour exercer une pression, mais plutôt pour réduire ses forces classiques afin d'améliorer le niveau de vie du peuple coréen.

Le tableau ci-dessous décrit sommairement les différentes combinaisons optimales de production de camions militaires (transportant des troupes au combat) et de bombes nucléaires qui s'offrent à la Corée du Nord.

Produits	Possibilités de production				
	A	**B**	**C**	**D**	**E**
Bombes nucléaires (unités par année)	0	1	2	3	4
Camions militaires (milliers par année)	15	14	11	6	0

a) À partir de ces données, tracez sur un graphique la limite des possibilités de production (mettez en ordonnée, c'est-à-dire sur l'axe vertical, le nombre de camions militaires par année) et indiquez quelles sont les hypothèses sous-jacentes à la construction de cette courbe.

b) Expliquez comment la courbe des possibilités de production illustre le principe des coûts croissants.

c) Si la production de la Corée du Nord se situe actuellement au point B, quel serait le coût d'option en camions militaires pour la production d'une bombe nucléaire de plus ?

d) À quelles conditions la Corée du Nord pourrait-elle produire 3 bombes nucléaires et 11 000 camions militaires ?

2 Au terme de votre DEC, vous prévoyez sans doute poursuivre vos études au niveau universitaire ou entrer sur le marché du travail afin de gagner rapidement de l'argent. Le tableau ci-dessous illustre les différentes combinaisons optimales qui s'offrent à vous.

Activités	Combinaisons possibles					
	A	B	C	D	E	F
Cours universitaires (par semaine)	0	1	2	3	4	5
Heures travaillées (par semaine)	40	32	24	16	8	0

a) À partir du tableau ci-dessus, tracez sur un graphique la limite des possibilités de production (mettez en ordonnée le nombre de cours universitaires par semaine).

b) Quel est le coût d'option ? De quel type de coût s'agit-il ?

c) Combien d'heures pourriez-vous travailler si vous ne suiviez pas de cours à l'université ?

d) Si vous décidiez de vous inscrire à un cours à l'université, combien d'heures pourriez-vous travailler ?

e) Comment pourriez-vous arriver à travailler 40 heures par semaine tout en suivant un cours à l'université ?

3 Quel lien peut-il y avoir entre la pensée économique et les décisions politiques ?

4 Choisissez un économiste célèbre sur lequel vous avez déjà certaines connaissances. À l'aide d'une recherche à la bibliothèque ou dans Internet, décrivez-le brièvement (renseignements biographiques, courants de pensée, etc.) et dites en quoi il a contribué à façonner l'économie (œuvre importante, concepts fondamentaux, principales idées ou théories, etc.).

CHAPITRE 1 — Question d'intégration

Nous avons vu dans ce chapitre que la science économique n'est pas homogène et qu'elle ne peut à elle seule expliquer le fonctionnement de notre société. En tenant compte des autres cours de votre programme, précisez comment ces disciplines des sciences humaines peuvent aider à mieux cerner l'aspect économique de notre vie en société.

Appendice mathématique

L'UTILISATION DES GRAPHIQUES EN ÉCONOMIE

Les graphiques sont constamment utilisés par les économistes, car ils constituent un bon moyen de décrire les relations entre les variables économiques. Mathématiquement, une relation est un lien entre deux variables dont l'une est la variable dépendante (y) et l'autre, la variable indépendante (x).

La variable indépendante est celle à laquelle on attribue des valeurs pour étudier le comportement de la variable dépendante. Tout au long du livre, nous nous efforcerons d'analyser des situations où le lien entre les variables peut être décrit par une fonction linéaire.

La fonction linéaire

Une fonction linéaire est une fonction définie par l'expression suivante:

$f(x) = y = mx + b$, où m (pente) et b (ordonnée à l'origine) sont des constantes.

On l'appelle «fonction linéaire» parce que sa représentation graphique est nécessairement une droite. Il est à noter que les variables économiques ont généralement des valeurs supérieures ou égales à zéro. Par conséquent, nous n'utiliserons que le premier quadrant lors de nos analyses.

La pente d'une droite

Lorsqu'il existe un lien linéaire entre deux variables, il est intéressant de trouver la pente de la droite afin de connaître l'incidence d'une variable sur une autre. On définit la pente d'une droite par le rapport de deux variations, c'est-à-dire le résultat de la division (soit le quotient) de la différence des ordonnées (y) par la différence des abscisses (x).

$m = \dfrac{\Delta y}{\Delta x} = \dfrac{y_2 - y_1}{x_2 - x_1}$, où la lettre grecque (delta) désigne la variation de la variable.

La figure A-1.1 présente quatre droites. Les graphiques en a), en b) et en c) mesurent l'effet d'une variable (x) sur la note obtenue dans le cours d'économie (y), et le graphique en d) mesure l'effet de la note obtenue en économie (x) sur une variable (y).

FIGURE A-1.1   Relations entre deux variables.

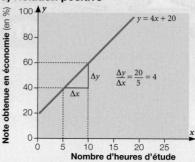

a) **Relation positive**

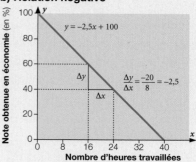

b) **Relation négative**

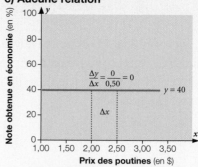

c) **Aucune relation**

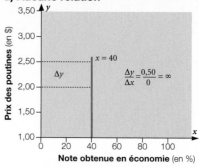

d) **Aucune relation**

En a) est illustrée la relation positive entre la note obtenue en économie (*y*) et le nombre d'heures d'étude (*x*). Cette relation se traduit par une pente ascendante (*m* > 0). Ainsi, dans cet exemple fictif, chaque heure d'étude supplémentaire entraîne une hausse de 4 % de la note en économie.

En b) est illustrée la relation entre la note obtenue en économie (*y*) et le nombre d'heures travaillées (*x*). Il s'agit cette fois d'une relation négative représentée par une pente descendante (*m* < 0). On y comprend que chaque heure supplémentaire passée au travail fait baisser de 2,5 % la note en économie.

Enfin, il arrive souvent qu'une variable ne dépende pas d'une autre variable. Par exemple, en c), on constate que le prix de la poutine n'a aucun effet sur la note obtenue en économie. Inversement, en d), on voit que le prix de la poutine ne dépend aucunement des notes que les étudiants obtiendraient en économie. Dans ces deux derniers cas, les variables *x* et *y* sont indépendantes (lorsqu'une des deux varie, l'autre ne varie pas).

La pente d'une courbe

Il est parfois difficile en économique de présenter un modèle à l'aide d'une droite (c'est le cas du modèle de la limite des possibilités de production vu précédemment dans le chapitre). Lorsqu'on est

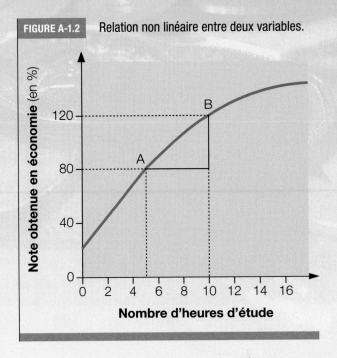

FIGURE A-1.2 Relation non linéaire entre deux variables.

en présence d'une courbe (relation non linéaire), comme à la figure A-1.2, il est plus complexe d'en calculer avec exactitude la pente. Toutefois, il existe quelques façons de contourner le problème. L'une d'entre elles consiste à calculer tout simplement la pente moyenne entre deux points. Par exemple, entre les points A et B, la pente est égale à :

$$\frac{\Delta y}{\Delta x} = \frac{y_2 - y_1}{x_2 - x_1} = \frac{120 - 80}{10 - 5} = \frac{40}{5} = 8$$

CHAPITRE

MODÈLE DE L'OFFRE ET DE LA DEMANDE

Vous pouvez transformer même un perroquet en un économiste : il suffit de lui apprendre les deux mots « offre » et « demande ».

Paul. A. Samuelson (1915-2009), économiste américain,
Prix Nobel d'économie en 1970

OBJECTIFS

Après avoir lu ce chapitre, vous pourrez :

- reconnaître les principaux marchés dans une économie ;
- identifier les déterminants de la demande ;
- identifier les déterminants de l'offre ;
- expliquer le mécanisme de l'offre et de la demande dans la détermination des prix ;
- analyser les conséquences sur un marché de certaines interventions de l'État.

Les biens et les services que nous consommons s'achètent et se vendent dans des centres commerciaux, des places d'affaires, par téléphone et maintenant par Internet, à des prix qui doivent convenir à la fois aux vendeurs et aux acheteurs. Comment ces prix sont-ils fixés ? Qu'est-ce qui détermine les quantités qui seront échangées et finalement consommées ? Le vendeur d'automobiles qui vous voit hésiter y va d'un petit rabais supplémentaire, ou peut-être est-ce vous qui tentez de lui arracher ce rabais ? Que penser du piège des « deux pour un » ? Aviez-vous besoin d'une deuxième paire de lunettes ? Et que dire du deuxième hamburger gratuit ? Aviez-vous deux fois plus faim ?

Dans une économie de marché comme la nôtre, on considère que ce sont les prix qui déterminent principalement nos décisions d'achat une fois nos besoins connus, et ce sont aussi les prix qui incitent les entreprises à produire tel bien ou tel service et qui déterminent en quelle quantité elles doivent produire. Autrement dit, dans une économie de marché, les prix sont les facteurs de décision des agents économiques en matière de production et de consommation.

Le mécanisme de fixation des prix est une question qui a longtemps hanté les premiers penseurs de la science économique. Comment se fait-il que l'eau, si utile, coûte peu, alors que le diamant, apparemment de faible utilité, coûte si cher ? Cette question rejoint notre première interrogation fondamentale en économie (quoi produire ?), car si les prix sont les facteurs de décision des agents économiques, ils ont alors une influence sur les biens et les services que notre économie produira.

Dans ce chapitre, nous verrons quel rôle joue le mécanisme de l'offre et de la demande dans la détermination des prix. Ce mécanisme est décrit selon un modèle simple qui s'appuie sur le système de la libre entreprise et du libre choix du consommateur. Si la réalité peut parfois s'en éloigner, ce cadre d'analyse permet dans une certaine mesure de comprendre et de prévoir le comportement des agents économiques dans la société.

2.1 MARCHÉ

Dans le langage courant, un marché est un lieu physique où se rendent des gens pour vendre et acheter des choses. C'est d'ailleurs ainsi que tous les échanges se faisaient dans les temps anciens et jusqu'à l'ère moderne. Les marchands se rendaient sur la place publique pour y offrir leur marchandise – tapis d'Orient, encens, pierres précieuses, soie –, les agriculteurs proposaient leur dernière récolte, ou les éleveurs leur bétail : tout échange se réalisait dans un lieu physique. Toutefois, des temps anciens, il ne reste presque plus rien : le concept de marché est devenu totalement abstrait. Il y a bien le marché de fruits et légumes où vous aimez aller flâner le samedi matin, les marchés aux puces ou encore les fameuses ventes-débarras, mais il s'agit là d'exceptions. Si on vous demandait où se trouve le marché de l'automobile, que répondriez-vous ? Saviez-vous que vous pouvez acheter une voiture par Internet ? Visitez le site de n'importe quel manufacturier d'automobiles, vous verrez ! Depuis longtemps, vous pouvez faire vos achats par catalogue, commander votre pizza par téléphone, passer une commande par télécopieur, etc. En économie, le mot **marché** signifie en fait « rencontre de l'offre et de la demande ». Il existe différents types de marchés, classés en fonction de certaines caractéristiques.

LES MARCHÉS SELON LE TYPE D'ÉCHANGE

Dans une économie de marché, il existe autant de marchés que de biens et de services offerts. Toutefois, pour avoir une vue d'ensemble de l'économie, les économistes regroupent ces marchés en fonction du type d'échange qu'on y fait. Selon ce critère, on distingue généralement trois grands marchés qui interagissent les uns avec les autres : le marché des biens et services, le marché du travail et le marché des capitaux.

> **Marché** Lieu, fictif ou réel, qui rend possible la réalisation d'échanges entre les demandeurs et les offreurs.

Aujourd'hui, le concept de marché est devenu totalement abstrait. Il y a bien les marchés de fruits et légumes, comme le marché Jean-Talon, mais il s'agit d'exceptions.

À l'échelle globale ou macroéconomique, le **marché des biens et services** est le lieu où se rencontrent l'offre et la demande de biens et de services. L'offre et la demande de ce marché sont appelées respectivement «offre globale» et «demande globale», et elles correspondent à la somme de toutes les offres et de toutes les demandes de biens et de services échangés dans une économie donnée au cours d'une année. Nous traiterons plus en profondeur des caractéristiques et du fonctionnement du marché global dans la deuxième partie du manuel. À l'échelle microéconomique, on peut aussi étudier les marchés correspondant à tel bien ou à tel service en particulier. Sur ce genre de marché, nous verrons à la prochaine section que l'offre est faite par les entreprises alors que la demande provient des consommateurs.

- Le **marché du travail** est le lieu où se rencontrent l'offre et la demande de travail. L'offre de travail (et non l'offre d'emploi) provient des personnes qui désirent faire partie du marché du travail en offrant leurs services ou leurs compétences; la demande de travail est représentée par les entreprises qui ont besoin de ces personnes. Les personnes qui sont sur le marché du travail et celles qui désirent en faire partie forment la main-d'œuvre. Les salaires constituent le prix du travail et sont déterminés par les forces de ce marché.

- Le **marché des capitaux** est le lieu où se rencontrent l'offre et la demande de capitaux financiers à court et à long terme (il ne faut pas confondre ces capitaux avec le capital physique). Ce marché est représenté par tous les intervenants qui désirent acheter ou vendre des titres. Il est à noter qu'il existe différents marchés de capitaux selon la nature et la durée du titre. Il faut distinguer le marché monétaire, où s'échangent les titres à court terme (bons du Trésor, certificats de dépôt, etc.), le marché financier, où circulent les titres à long terme (actions et obligations), et le marché des changes, où s'échangent les devises. Les principaux intervenants, comme nous le verrons plus tard, sont les institutions financières et les autres entreprises, mais il y a aussi les particuliers eux-mêmes qui, grâce à Internet, peuvent être des acteurs quotidiens sur le marché des capitaux.

La figure 2.1 décrit la façon dont les entreprises et les particuliers interviennent sur ces marchés. Les particuliers travaillent à produire un ou plusieurs biens ou services et reçoivent un salaire en échange de leur travail. Ils utilisent ensuite ce revenu pour acheter un large éventail de produits de consommation. Quant au marché des capitaux, son existence permet aux agents économiques d'obtenir des fonds pour financer leurs activités de production ou de consommation.

> **Marché des biens et services**   Lieu où se rencontrent l'offre et la demande de biens et de services.
>
> **Marché du travail**   Lieu où se rencontrent l'offre et la demande de travail.
>
> **Marché des capitaux**   Lieu où se rencontrent l'offre et la demande de capitaux financiers à court et à long terme.

FIGURE 2.1   Les trois marchés.

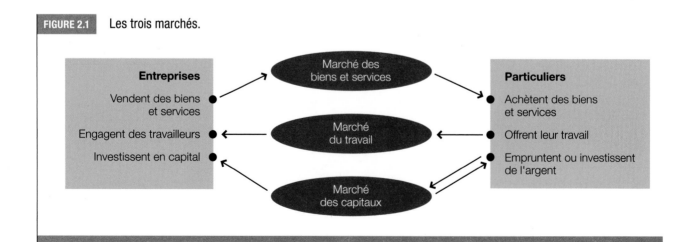

LES MARCHÉS SELON LE NOMBRE DE PARTICIPANTS

La dynamique des échanges dépend grandement du nombre d'acheteurs et de vendeurs. Les économistes désignent par l'expression **structure de marché** le degré de concurrence défini par le nombre d'entreprises et le nombre d'acheteurs sur un marché, qui a une influence déterminante sur le prix et les quantités échangées d'un bien ou d'un service. Le tableau 2.1 présente les différentes structures de marché possibles, en fonction du nombre d'entreprises.

Le monopole et la concurrence parfaite constituent les cas extrêmes, la réalité se situant quelque part entre les deux. Le monopole est une situation de marché où il n'y a qu'une seule entreprise offrant un bien ou un service, alors que la concurrence parfaite signifie qu'une foule d'entreprises offrent le même bien ou le même service.

Une entreprise en situation de monopole possède un certain contrôle sur le prix et les quantités échangées, et c'est pourquoi des pays comme le Canada et les États-Unis ont adopté des lois anti-monopole. L'exemple de Microsoft est d'ailleurs éloquent : l'entreprise a été accusée d'imposer aux fabricants d'ordinateurs personnels l'utilisation de tous ses logiciels de base, en menaçant de leur refuser une licence d'utilisation. Microsoft a été poursuivie devant les tribunaux américains et européens pour ce comportement abusif.

La concurrence parfaite est une situation où le consommateur qui désire un bien ou un service peut se le procurer au meilleur prix possible sur le marché, car la concurrence est telle qu'aucune entreprise ne peut se permettre de le vendre plus cher. Théoriquement, cette situation suppose la présence d'une multitude de concurrents ou d'entreprises. Cependant, elle peut aussi se présenter dans une structure de marché comportant peu d'entreprises : Home Depot ne peut se permettre des prix très différents de ceux en vigueur chez Rona ou Canadian Tire.

Bien que la concurrence parfaite se retrouve rarement dans la réalité, elle constitue un cadre de référence utile pour l'évaluation des marchés. En effet, comme nous le verrons dans les prochaines sections, c'est dans un contexte de concurrence parfaite que le modèle de l'offre et de la demande permet une étude systématique des marchés. Celle-ci nous servira de référence pour l'étude de la grande diversité des marchés qui existent dans la réalité et, pour expliquer le modèle de l'offre et de la demande, nous utiliserons le marché des produits (particulièrement celui de l'essence). Nous verrons tout au long du présent ouvrage que ce modèle s'applique aussi bien au marché du travail qu'à celui des capitaux.

2.2 DEMANDE D'UN PRODUIT

La notion de demande est le point de départ obligé de l'étude du présent modèle, car elle correspond à des besoins exprimés par les consommateurs. La demande n'est pas fixe : elle dépend de plusieurs facteurs, dont le prix exigé pour chaque unité. D'autres facteurs jouent aussi un rôle important ; toutefois, lorsqu'on veut étudier la relation qui s'établit entre la quantité d'un produit demandée et le prix de ce produit, on doit garder les autres variables influentes constantes, car l'analyse de plusieurs facteurs à la fois rendrait problématique toute conclusion quant à la variable à expliquer. C'est pourquoi vous verrez souvent l'expression **toutes choses étant égales par ailleurs** (ou son équivalent latin, *ceteris paribus*), qui signifie que tous les autres facteurs sont maintenus constants.

TABLEAU 2.1	Les structures de marché.		
Nombre d'entreprises			
Une	**Quelques-unes**	**Multitude**	
Monopole	Oligopole	Concurrence parfaite	

Structure de marché Degré de concurrence défini par le nombre d'entreprises et le nombre d'acheteurs sur un marché, qui a une influence déterminante sur le prix et les quantités échangées d'un bien ou d'un service.

Toutes choses étant égales par ailleurs Expression qui signifie que tous les autres facteurs sont maintenus constants.

La **demande** (D) représente l'ensemble des quantités d'un produit que les consommateurs sont disposés à acheter à différents prix. Elle s'exprime par la fonction suivante, où P est le prix et Q^D est la quantité demandée :

$Q^D = f(P)$ (fonction de demande simplifiée)

LA COURBE DE LA DEMANDE

On peut illustrer la demande à partir d'un exemple hypothétique très simple. Le tableau 2.2 donne le barème de la demande d'essence, c'est-à-dire la quantité d'essence demandée pour chaque prix.

En reportant ces données sur un graphique, on obtient la courbe de la demande (voir la figure 2.2).

TABLEAU 2.2	Barème de la demande d'essence.
Prix (en ¢/litre)	**Quantité demandée** (en millions de litres par jour)
80	60
85	50
90	40
95	30
100	20

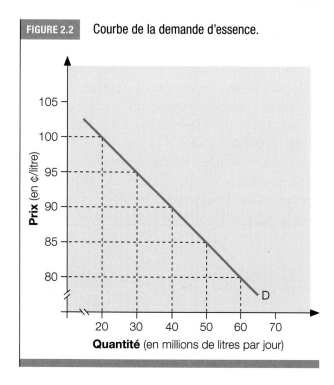

FIGURE 2.2   Courbe de la demande d'essence.

La pente de la demande reflète la relation négative entre la variable dépendante (la quantité demandée) et la variable indépendante (le prix)[1]. Ainsi, la **loi de la demande** établit, toutes choses étant égales par ailleurs, que la quantité demandée d'un produit diminue à mesure que le prix augmente, et vice versa.

Comment expliquer ce phénomène ? Supposons que vous vous rendiez au supermarché pour acheter votre souper. Vous disposez de 10 $ et hésitez entre des côtelettes de porc et un steak. Si le steak est en promotion, comment réagissez-vous ? D'abord, cette diminution du prix du bœuf entraîne une augmentation de votre pouvoir d'achat, puisque vos 10 $ vous permettent d'acheter davantage de bœuf ou d'autres produits. C'est l'**effet de revenu**. Ensuite, elle réduit le coût d'option du bœuf, qui devient relativement moins cher que les côtelettes de porc. C'est l'**effet de substitution**.

En fait, toute modification du prix d'un produit entraîne simultanément l'effet de revenu et l'effet de substitution, et c'est ainsi que ces deux effets expliquent la loi de la demande.

LES DÉTERMINANTS DE LA DEMANDE

Il convient ici de faire une distinction fondamentale entre un déplacement le long de la demande et un déplacement de la demande. Nous venons de voir que la loi de la demande reflète la relation négative entre le prix d'un produit et la quantité demandée de ce même produit. Graphiquement, elle correspond à la pente, c'est-à-dire à un déplacement

Demande   Ensemble des quantités d'un produit que les consommateurs sont disposés à acheter à différents prix.

Loi de la demande   Loi qui établit, toutes choses étant égales par ailleurs, que la quantité demandée d'un produit diminue à mesure que le prix augmente, et vice versa.

Effet de revenu   Effet créé quand une variation du prix d'un produit influence le pouvoir d'achat de l'acheteur.

Effet de substitution   Effet créé quand une variation du prix d'un produit influence le coût d'option de ce produit.

---

1. Exceptionnellement, dans le modèle de l'offre et de la demande, la variable dépendante est représentée en abscisse.

d'un point à l'autre sur la droite. Par ailleurs, nous avons supposé que toutes les variables autres que le prix du produit étaient constantes. Dans la réalité, d'autres facteurs sont toutefois susceptibles d'influer sur la demande. Lorsqu'une des variables autres que le prix du produit varie, il s'opère un changement des quantités demandées pour tous les niveaux de prix, et il en résulte un déplacement de la courbe de la demande.

Pour vous permettre de bien saisir tout ce que nous venons d'énoncer, nous analyserons les cinq principaux facteurs pouvant généralement entraîner un déplacement de la courbe de la demande d'un produit. Il s'agit du revenu des consommateurs, du prix des produits substituts, du prix des produits complémentaires, des goûts et préférences des consommateurs et du nombre de consommateurs.

Le revenu des consommateurs (R)

Le niveau de revenu des consommateurs constitue souvent le principal déterminant de la demande. Avec un revenu plus élevé, on peut acheter davantage de biens ou de services. Ainsi, plus le revenu des consommateurs est élevé, plus la consommation est élevée à chaque niveau de prix. Graphiquement, une augmentation du revenu se traduit par un déplacement vers la droite de la courbe de la demande (de D_1 à D_2), comme à la figure 2.3.

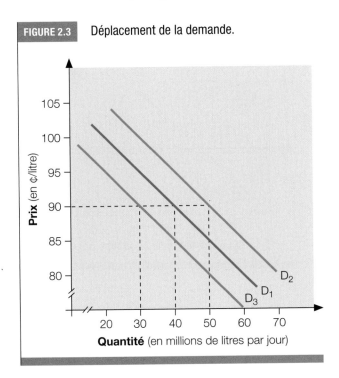

FIGURE 2.3 Déplacement de la demande.

Inversement, une diminution du revenu provoque un déplacement vers la gauche de la courbe de la demande (de D_1 à D_3).

Le prix des produits substituts (Ps)

Deux biens (ou services) sont dits substituts lorsque la consommation de l'un peut remplacer la consommation de l'autre. Le cinéma et la location de films, le beurre et la margarine, ou encore la voiture et le transport en commun en sont des exemples.

Ainsi, s'il y a une réduction substantielle des tarifs du transport en commun, la demande d'automobiles diminuera, car les consommateurs substitueront le transport en commun, devenu moins cher, à la voiture.

Le prix des produits complémentaires (Pc)

Deux biens (ou services) sont dits complémentaires lorsque la consommation de l'un incite à la consommation de l'autre, comme l'automobile et l'essence.

Par exemple, si le prix de l'essence augmente, les consommateurs auront tendance à moins utiliser la voiture. Ils commenceront à faire du covoiturage ou à prendre l'autobus. Résultat : il y aura une diminution de la demande d'automobiles pour chaque niveau de prix et, conséquemment, un déplacement vers la gauche de la courbe de la demande.

Les goûts et les préférences des consommateurs (G)

Un changement affectant les préférences ou les goûts des consommateurs entraîne également un déplacement de la courbe de la demande. Si, par exemple, en raison d'une campagne publicitaire (ou de préoccupations écologiques), les consommateurs préfèrent acheter au même prix plus d'essence contenant de l'éthanol qu'auparavant, la courbe de la demande pour ce type d'essence se déplace vers la droite.

Effectivement, les intenses campagnes de publicité ont pour but non seulement d'informer le consommateur, mais aussi – et surtout – de l'inciter à consommer davantage du produit en question et, de préférence, la marque annoncée plutôt qu'une autre.

Le nombre de consommateurs (N)

La demande dépend aussi du nombre de consommateurs, tout comme de la structure de la population. Ainsi, chez une population jeune, la demande de services tels que l'éducation est plus importante. Par contre, chez une population vieillissante comme celle du Québec, c'est la demande de soins de santé qui est la plus forte.

Par ailleurs, lorsqu'un événement spécial a lieu, l'importante variation de population qui en découle entraîne une augmentation de la demande de produits. Pensons au Grand Prix de Formule 1 ou au Festival de jazz de Montréal.

L'ensemble des éléments qui influent sur le comportement du consommateur peut être défini par la fonction de demande suivante :

$$Q^D = f(P, \mathbf{R}, \mathbf{P_s}, \mathbf{P_c}, \mathbf{G}, \mathbf{N}) \text{ (fonction de demande)}$$
$$\quad\;\; + \;\; + \;\; - \;\; + \;\; +$$

où R = revenu des consommateurs

P$_s$ = prix des produits substituts

P$_c$ = prix des produits complémentaires

G = goûts ou préférences des consommateurs

N = nombre de consommateurs

2.3 OFFRE D'UN PRODUIT

Il est clair que la demande de produits provient des consommateurs qui désirent maximiser leur satisfaction. De la même façon, les entreprises offrent des produits dans le but de maximiser leurs profits.

Tout comme la quantité demandée, la quantité offerte par les entreprises n'est pas fixe. Plusieurs facteurs autres que le prix du produit peuvent la faire varier. Cependant, on peut la définir en procédant comme dans le cas de la demande, c'est-à-dire en supposant constantes toutes les autres variables.

L'**offre** (O) représente l'ensemble des quantités d'un produit que les entreprises sont disposées à vendre à différents prix. Contrairement à la fonction de demande, la fonction d'offre établit une relation positive entre la quantité offerte et le prix du produit. En effet, on estime que, pour un prix du produit plus élevé, il y a davantage de producteurs ayant le désir et la capacité de produire avec profit

une quantité plus élevée de ce produit. L'offre s'exprime par la fonction suivante, où Q^O est la quantité offerte :

$$Q^O = f(P) \text{ (fonction d'offre simplifiée)}$$

LA COURBE DE L'OFFRE

Le tableau 2.3 et la figure 2.4 présentent respectivement le barème et la courbe de l'offre d'essence. La courbe de l'offre illustre la quantité offerte d'un produit en fonction du prix. La pente de la courbe

TABLEAU 2.3	Barème de l'offre d'essence.
Prix (en ¢/litre)	**Quantité offerte** (en millions de litres par jour)
80	30
85	35
90	40
95	45
100	50

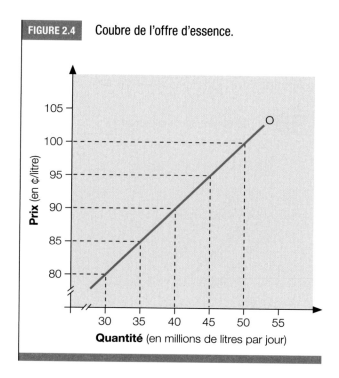

FIGURE 2.4   Coubre de l'offre d'essence.

Offre   Ensemble des quantités d'un produit que les entreprises sont disposées à vendre à différents prix.

de l'offre découle de la **loi de l'offre**, qui établit, toutes choses étant égales par ailleurs, que la quantité offerte d'un produit augmente à mesure que le prix augmente, et vice versa.

En effet, en raison des coûts marginaux croissants (ou des rendements marginaux décroissants dont nous avons parlé au chapitre 1), une augmentation du prix des produits incite les entreprises à produire davantage, car chaque unité supplémentaire produite rapporte plus, ce qui fait augmenter les profits. Une entreprise produit une unité additionnelle d'un bien ou d'un service tant qu'elle peut vendre cette unité à un prix supérieur à son coût de production.

LES DÉTERMINANTS DE L'OFFRE

Nous venons de voir que la courbe de la demande peut, sous l'influence de certains facteurs, se déplacer vers la gauche ou vers la droite. De même, la courbe de l'offre peut également se déplacer lorsqu'un facteur autre que le prix varie. En observant la fonction d'offre ci-dessous, on reconnaît les principales variables qui expliquent le comportement de l'entreprise.

$$Q^O = f(P, \mathbf{C}, \mathbf{P_a}, \mathbf{T}, \mathbf{N}) \text{ (fonction d'offre)}$$
$$\quad\quad - \quad - \quad + \quad +$$

où C = coûts de production
P$_a$ = prix des autres produits
T = technologie
N = nombre d'entreprises

Les coûts de production (C)

Une augmentation des coûts de production défavorise les entreprises, car il leur en coûte davantage pour chaque unité produite. Par exemple, si les stations-service subissent une forte augmentation du prix du pétrole brut, certaines d'entre elles ne pourront probablement plus vendre leur essence au même prix; elles devront donc offrir soit une quantité moindre au même prix, soit une même quantité à un prix plus élevé, afin que leurs profits demeurent constants. La courbe de l'offre se déplacera alors vers la gauche (de O$_1$ à O$_3$), comme à la figure 2.5. Inversement, si le prix du pétrole diminue, la courbe de l'offre se déplacera vers la droite (de O$_1$ à O$_2$).

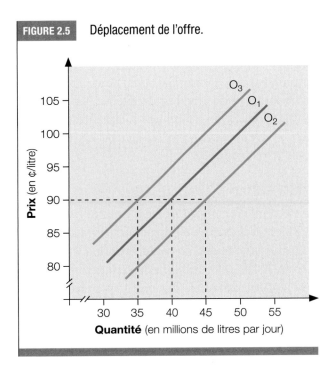

FIGURE 2.5 Déplacement de l'offre.

Le prix des autres produits (Pa)

Le prix des autres produits peut aussi influer sur l'offre d'un bien. Par exemple, s'il est possible pour les stations-service de vendre soit de l'essence super, soit de l'essence ordinaire, une hausse significative du prix de l'essence ordinaire pourra les inciter à offrir davantage – voire uniquement – de ce type d'essence, au détriment de l'essence super, car les revenus escomptés seront supérieurs. Ainsi, toute augmentation du prix de l'essence ordinaire (un substitut de production à l'essence super) entraîne une diminution de l'offre d'essence super. En d'autres mots, une entreprise a intérêt à produire ou à vendre un produit dont le prix ne cesse d'augmenter sur le marché et à abandonner les produits dont le prix diminue trop ou qui se rapproche dangereusement du coût unitaire.

La technologie (T)

La découverte de nouvelles technologies fait augmenter la capacité de production de l'entreprise, ce qui favorise une diminution des coûts de chaque unité produite. Au fil des ans, les stations-service

> **Loi de l'offre** Loi qui établit, toutes choses étant égales par ailleurs, que la quantité offerte d'un produit augmente à mesure que le prix augmente, et vice versa.

ont subi plusieurs changements, tant en ce qui a trait à l'emplacement des pompes qu'aux types de pompes utilisées (pompe multiservice, paiement automatique à la pompe, etc.), entraînant une augmentation du nombre de clients par unité de temps. Comme les coûts liés à la vente d'essence s'en trouvent diminués, la courbe de l'offre se déplace vers la droite.

Le nombre d'entreprises (N)

Le nombre d'entreprises, tout comme la taille de chacune d'elles, a une incidence directe sur la quantité offerte sur un marché donné. Par exemple, en 2008, selon la dernière enquête nationale de l'Institut canadien des produits pétroliers sur les points de vente d'essence au détail, il y avait au Québec 3452 stations-service, soit une diminution de près de 700 par rapport à 2004. Ce phénomène entraîne, toutes choses étant égales par ailleurs, une diminution de l'offre sur le marché. Graphiquement, la courbe de l'offre se déplace donc vers la gauche sur la figure 2.5 (de O_1 à O_3).

2.4 ÉQUILIBRE ET DÉSÉQUILIBRES DU MARCHÉ

Nous avons vu comment se comportent sur le marché les consommateurs et les entreprises, ces agents économiques aux intérêts diamétralement opposés, ce qui nous amène à aborder la notion d'équilibre. Les deux forces présentes sur le marché agissent, vous vous en doutez, sur la détermination du prix d'équilibre.

LE PRIX D'ÉQUILIBRE

La figure 2.6 et le tableau 2.4 combinent les données relatives à la demande et à l'offre d'essence présentées précédemment. Le marché est en équilibre à l'intersection des deux droites, c'est-à-dire lorsque la quantité demandée par les consommateurs coïncide avec la quantité offerte par les entreprises. On voit que le prix d'équilibre, prix sur lequel il ne s'exerce aucune pression, est de 90 ¢ le litre. Il n'existe qu'un seul prix d'équilibre, tous les autres prix créant un écart entre la quantité demandée et la quantité offerte.

Lorsque le prix de l'essence est supérieur à 90 ¢, il y a une offre excédentaire. Un prix élevé attire

| FIGURE 2.6 | L'offre et la demande sur le marché de l'essence. |

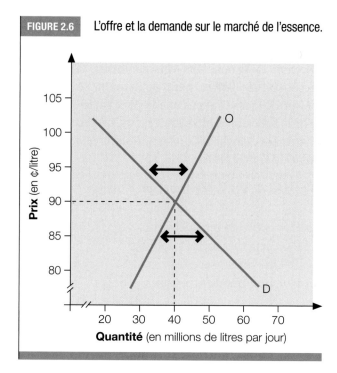

| TABLEAU 2.4 | Barème de l'offre et de la demande d'essence. |

Prix (en ¢/litre)	Quantité offerte (en millions de litres par jour)	Quantité demandée (en millions de litres par jour)	Surplus ou pénurie	Pression sur les prix
80	30	60	−30	hausse
85	35	50	−15	hausse
90	**40**	**40**	**0**	**équilibre**
95	45	30	15	baisse
100	50	20	30	baisse

les entreprises et décourage les consommateurs. Dans un tel cas, il y a un surplus de produits, et le prix finit par baisser, rétablissant ainsi l'équilibre. La baisse du prix incite les consommateurs à demander davantage et les entreprises à produire moins. Contrairement à la situation précédente, à un prix inférieur au prix d'équilibre, la demande excède l'offre. Il y a alors pénurie sur le marché. Cette rareté engendre une pression à la hausse sur le prix jusqu'à ce que les quantités offertes égalent les quantités demandées.

Maintenant que nous savons comment se détermine le prix d'équilibre selon le modèle de l'offre et de la demande, voyons de quelle façon les prix et les quantités réagissent à la loi de l'offre et de la demande.

LE DÉSÉQUILIBRE PROVENANT DE LA DEMANDE

Pendant la saison estivale (surtout durant les deux semaines de vacances dans le domaine de la construction), on observe sur les routes du Québec une hausse de la circulation, ce qui se traduit par une augmentation de la consommation d'essence. Graphiquement, cela signifie un déplacement vers la droite de la demande, de D_1 à D_2 (voir la figure 2.7).

La demande ayant augmenté, le prix passe de 90 ¢ à 100 ¢ et les quantités échangées, de 40 à 50.

Cela s'explique de la façon suivante : à 90 ¢ le litre d'essence, la quantité demandée (70) surpasse la quantité offerte (40). Il y a donc pénurie. Cette situation n'est cependant que temporaire, car la demande excédentaire entraîne bientôt une hausse graduelle des prix, qui, selon la loi de l'offre et de la demande, décourage la demande des consommateurs et incite les entreprises à produire davantage, jusqu'à ce que l'équilibre soit de nouveau atteint, c'est-à-dire au point (50, 100). À ce niveau, le prix n'est plus censé varier.

LE DÉSÉQUILIBRE PROVENANT DE L'OFFRE

De la même façon, si des changements se produisent du côté de l'offre (hausse du prix du pétrole brut, par exemple), il faudra tracer une nouvelle courbe de l'offre d'essence, comme on peut le voir à la figure 2.8.

Le pétrole brut étant la principale composante du prix de l'essence (44 % du prix à la pompe, selon les données les plus récentes de l'Institut canadien des produits pétroliers), toute augmentation de son prix incite les stations-service à offrir, pour le même prix, une quantité inférieure d'essence (ou à offrir la

FIGURE 2.7   Déplacement de la demande.

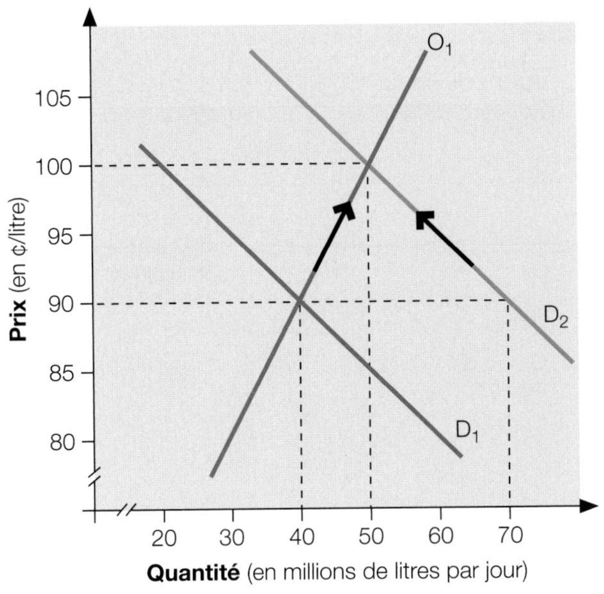

FIGURE 2.8   Déplacement de l'offre.

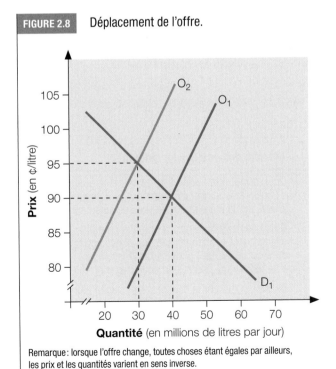

Remarque : lorsque la demande change, toutes choses étant égales par ailleurs, les prix et les quantités varient dans le même sens.

Remarque : lorsque l'offre change, toutes choses étant égales par ailleurs, les prix et les quantités varient en sens inverse.

même quantité d'essence, mais à un prix plus élevé). Ainsi, la hausse du prix du pétrole brut entraîne un déplacement vers la gauche de la courbe de l'offre (de O_1 à O_2) et, du même coup, une pénurie d'essence sur le marché. L'équilibre ne peut être rétabli que par une hausse du prix. C'est pourquoi il en résulte une augmentation du prix de l'essence (de 90 ¢ à 95 ¢) et une diminution de la quantité offerte (de 40 à 30).

Exemples de déplacements d'équilibre dans un marché :

Marché des téléphones intelligents

Quel devrait être l'impact sur le prix et la quantité d'équilibre d'une augmentation du nombre de concurrents sur le marché des téléphones portables intelligents ?

D : inchangée, car le changement mentionné n'est pas fait par les acheteurs de téléphones.

O : elle devrait augmenter, car plus de concurrents ferait en sorte que, quel que soit le prix, la capacité d'offrir est plus grande.

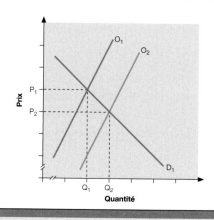

Prix : diminue
Q : augmente

Marché des disques compacts

Quel devrait être l'impact sur le prix et la quantité d'équilibre sur le marché des disques compacts d'une plus grande disponibilité de fichiers de musique gratuits sur Internet ?

D : elle devrait diminuer significativement, puisque les consommateurs ont accès à de la musique bon marché en se dotant de l'équipement nécessaire.

O : elle demeure inchangée, puisque le changement mentionné dans la question n'est pas effectué par les producteurs de disques compacts.

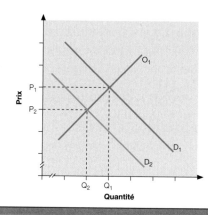

Prix : diminue
Q : diminue

Marché des entrées au cinéma

Quel devrait être l'impact sur le prix et la quantité d'équilibre de la gratuité du maïs soufflé pour les jeunes sur le marché des entrées de cinéma ?

D : on pourrait s'attendre à une augmentation, car le changement énoncé signifie une diminution du coût de la sortie (surtout pour les familles avec de jeunes enfants), ce qui pourrait en encourager certains.

O : inchangée, car le changement énoncé n'annonce pas une ouverture de cinémas (ou de nouvelles salles de cinéma).

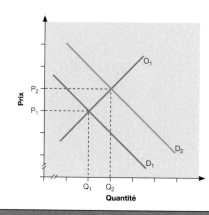

Prix : augmente
Q : augmente

Marché des denrées alimentaires

Quel devrait être l'impact sur le prix et la quantité d'équilibre des denrées alimentaires d'une augmentation des sécheresses et des inondations dans le monde?

D: inchangée, car le changement mentionné n'est pas fait par les acheteurs de denrées alimentaires (individus et entreprises) qui ont toujours les mêmes besoins.

O: elle devrait diminuer, car les désordres climatiques réduisent le nombre de terres fertiles capables de fournir les denrées alimentaires.

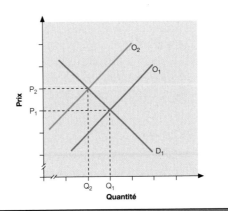

Prix: augmente
Q: diminue

Liens entre la **théorie** et la **réalité** économiques

QU'EST-CE QUI FAIT AUTANT FLUCTUER LE PRIX DE L'ESSENCE AU QUÉBEC?

Le texte ci-dessous est suivi d'une analyse prenant la forme d'une application pratique de la théorie des jeux.

Nous avons vu dans ce chapitre que le prix de l'essence est soumis aux forces du marché. Lorsque la demande d'essence est supérieure à l'offre (en été, par exemple, quand les gens utilisent davantage leurs voitures), il y a pénurie et les prix finissent par augmenter. Inversement, lorsque l'offre d'essence est excédentaire (à la suite d'une baisse du coût du pétrole brut, par exemple), il y a surplus et les prix finissent par diminuer.

Mais si le marché fixe réellement les prix de l'essence, pourquoi les gens ont-ils parfois de la difficulté à comprendre et à prévoir leurs fluctuations hebdomadaires ou journalières? Tout simplement parce que le modèle de l'offre et de la demande est incapable d'expliquer les problèmes de guerre de prix et de collusion que se livrent régulièrement les stations-service, facteurs pourtant déterminants dans la fluctuation des prix à court terme (comme en font foi les textes ci-après).

De la guerre des prix à une collusion

«Les détaillants indépendants accusent les grandes pétrolières d'être responsables de la guerre de prix qui sévit au Saguenay–Lac-Saint-Jean. Selon eux, les pétrolières sont en mesure de vendre à perte parce qu'elles récupèrent des profits dans les autres régions du Québec où elles exploitent des bannières[2].»

«Des stations-service de Magog, en Estrie, vendent l'essence sous la barre du prix plancher fixé par la Régie de l'énergie. Depuis mardi, le litre d'essence ordinaire se vend 97,4 cents dans plusieurs stations-service, alors que le prix minimum déterminé par la régie pour ce secteur est de 98,7 cents[3].»

Une guerre de prix s'amorce lorsqu'une station-service (généralement une grande compagnie pétrolière comme Ultramar ou Petro-Canada) baisse légèrement son prix de manière à accroître sa part de marché. Le prix étant bien en évidence, les autres stations-service s'empressent de les imiter pour éviter de perdre des clients. L'issue de cette guerre de prix est que le prix s'approche du coût unitaire. Il arrive même que le prix affiché à la pompe soit en dessous du coût unitaire, ce qui signifie que la station-service perd de l'argent à chaque litre d'essence vendu.

«Un simple changement de prix [à la hausse] orchestré par un détaillant d'essence du boulevard Laurier se répand aussitôt comme une véritable traînée de poudre dans la capitale. En moins d'une heure, toutes les stations-service de la région affichent le même prix[4].»

2. RADIO-CANADA. «Manifestation à Saguenay», [en ligne] <http://www.radio-canada.ca/regions/saguenay-lac/2010/04/22/001-prix_essence_manifestation.shtml> (page consultée le 15 novembre 2010).

3. RADIO-CANADA. «De l'essence sous le prix plancher», [en ligne] <http://www.radio-canada.ca/regions/estrie/2010/01/06/001-essence-magog-prix-plancher.shtml > (page consultée le 16 novembre 2010).

4. COUTURE, Pierre et Simon BOIVIN. «Prix de l'essence: quand le boulevard Laurier donne le signal», *Le Soleil*, [en ligne] <http://www.cyberpresse.ca/le-soleil/affaires/consommation/200908/28/01-896934-prix-de-lessence-quand-le-boulevard-laurier-donne-le-signal.php> (page consultée le 16 novembre 2010).

«Le Bureau de la concurrence a annoncé que des accusations criminelles avaient été déposées aujourd'hui contre 13 individus et 11 entreprises accusés d'avoir fixé le prix de l'essence à la pompe à Victoriaville, Thetford Mines, Magog et Sherbrooke[5].»

Il est à noter que depuis 1996 (année de l'entrée en vigueur d'un prix plancher au Québec), il semble y avoir de moins en moins de guerres de prix dans le marché de l'essence. Aujourd'hui, il est fréquent d'observer le comportement inverse, c'est-à-dire une collusion entre les stations-service. Il y a une **collusion** (ou **cartel**) lorsqu'un petit nombre d'entreprises s'entendent pour maintenir les prix élevés. Remarquez que les stations-service ont intérêt à coopérer et à se comporter conjointement comme un monopole, afin d'obtenir le prix le plus élevé possible. Collectivement, elles ne peuvent faire mieux. Toutefois, le problème du cartel, c'est qu'il est instable en plus d'être illégal. En effet, compte tenu du prix de l'autre, chaque station-service a intérêt à baisser son prix, de manière à bénéficier d'un plus grand profit. Il s'agit d'une situation stratégique où le prix optimal d'une station-service est fonction de celle d'une autre station-service...

ANALYSE : le problème de la guerre des prix et de la collusion dans le marché de l'essence

Le problème de la coordination des décisions individuelles peut être abordé sous forme de jeu stratégique, au sens de la théorie des jeux.

Imaginons une guerre des prix entre deux distributeurs d'essence, Ultramar et Petro-Canada. Ceux-ci ont deux possibilités : baisser leurs prix ou ne pas les baisser. Le tableau 2.5 reproduit la matrice de gains de ce jeu. Les lignes correspondent aux possibilités s'offrant à Ultramar, les colonnes à celles s'offrant à Petro-Canada. Dans les quatre cases, il y a un couple de nombres qui donnent respectivement les gains d'Ultramar (coin inférieur gauche) et ceux de Petro-Canada (coin supérieur droit). Celui qui baisse son prix, sans que l'autre fasse de même, attire la totalité de la clientèle de son concurrent et quadruple ainsi son profit (gain de 4) ; celui qui ne baisse pas son prix, alors que l'autre le fait, subit des pertes représentant trois fois le profit initial (gain de −3) ; enfin, si les deux

Pourquoi les stations-service d'une région affichent-elles les mêmes prix ? N'est-il pas préférable de vendre de l'essence à un prix légèrement plus bas que son concurrent ?

Collusion (ou cartel) Groupe d'entreprises qui s'entendent pour baisser leur production ou augmenter leur prix.

5. BUREAU DE LA CONCURRENCE DU CANADA. «Le Bureau de la concurrence découvre un cartel sur l'essence au Québec», [en ligne] <http://www.bureaudelaconcurrence.gc.ca/eic/site/cb-bc.nsf/fra/02694.html> (page consultée le 16 novembre 2010).

TABLEAU 2.5	Le problème de la guerre des prix.			
		Petro-Canada		
		Baisse son prix		Ne baisse pas son prix
Ultramar	Baisse son prix	0	0	-3
				4
	Ne baisse pas son prix		4	1
		-3		1

distributeurs baissent leurs prix, ils obtiennent des profits nuls.

Ainsi, le problème de la guerre des prix est identique au dilemme du prisonnier[6]. En effet, quel que soit le choix de Petro-Canada, Ultramar s'en tire mieux en baissant son prix, car ses gains (0 ou 4) sont alors plus élevés que si elle choisissait de ne pas le baisser (-3 ou 1). La même logique s'applique à Petro-Canada.

La stratégie d'une baisse de prix étant optimale, on peut prédire que les deux distributeurs d'essence, s'ils sont rationnels, vont l'adopter et obtiendront donc des profits nuls, alors qu'ils réaliseraient des profits égaux à 1 s'ils s'entendaient pour ne pas baisser leurs prix.

Nous venons de voir ce qui se passe lorsque deux grandes entreprises pétrolières se livrent une guerre des prix. Mais comment peut-on éviter une guerre de prix destructive ? Pour les distributeurs d'essence, cela passe parfois par une collusion dans la fixation des prix. Cependant, cette pratique est parfaitement illégale dans la plupart des pays développés, car elle constitue une entrave à la concurrence.

6. Voir la rubrique « Évolution de la pensée économique », p. 46.

2.5 PRIX PLAFOND ET PRIX PLANCHER

Dans une économie mixte comme celle du Canada, il arrive parfois que l'État intervienne sur un marché, pour diverses raisons socioéconomiques, dans le but de protéger certains groupes contre les mécanismes du marché. L'État peut fixer un prix inférieur ou supérieur au prix d'équilibre qui prévalait, afin d'obtenir les effets escomptés. Ces prix sont respectivement appelés « prix plafond » et « prix plancher ».

LE PRIX PLAFOND

Le **prix plafond** est un prix maximal fixé au-dessous du prix d'équilibre dans le but de favoriser

un groupe précis sur un marché donné. Ce prix ne peut produire les effets attendus que s'il est inférieur au prix d'équilibre du marché.

Le contrôle des loyers au Québec exercé par la Régie du logement en est un exemple. Il a pour objectif d'assurer le respect des droits des locataires tout en offrant aux propriétaires une certaine stabilité à moyen et à long terme. Même s'il n'existe pas un taux d'augmentation fixe, la Régie du logement du Québec détermine l'augmentation de loyer dont peut faire l'objet chaque logement en fonction des dépenses et des revenus relatifs à l'immeuble.

Prix plafond Prix maximal fixé au-dessous du prix d'équilibre dans le but de favoriser un groupe précis sur un marché donné.

À titre d'exemple, supposons que la hausse des loyers à Montréal soit plafonnée à 15 $ par mois. Comme l'illustre la figure 2.9, l'effet d'un tel plafond sur le marché du logement consiste en une pénurie de 100 000 logements. En effet, la hausse de prix étant en deçà du niveau d'équilibre (20 $ par mois), la quantité demandée (350 000) est supérieure à la quantité offerte (250 000). Il est à noter que, lorsqu'un tel déséquilibre se produit, la quantité échangée correspond à la plus petite de ces deux quantités, en l'occurrence la quantité offerte.

Dans un marché concurrentiel, où les forces sont libres d'agir, la pénurie de logements est normalement résorbée par une hausse des loyers. Toutefois, lorsqu'un prix plafond est fixé, l'équilibre ne peut évidemment pas être rétabli de cette façon. Cependant, il arrive parfois que des locataires et des propriétaires s'entendent sur un montant supérieur au prix fixé par la loi.

LE PRIX PLANCHER

Le **prix plancher** est un prix minimal fixé au-dessus du prix d'équilibre dans le but de favoriser un groupe précis sur un marché donné. Le salaire minimum en est un exemple caractéristique. Une

telle intervention vise à protéger les travailleurs en leur accordant un revenu décent.

Quel est l'effet du salaire minimum sur l'emploi? Pour répondre à cette question, il serait utile d'examiner le marché du travail. La figure 2.10 illustre les forces en présence sur ce marché. Comme pour le prix de l'essence ou tout autre produit, l'axe horizontal indique la quantité de travail (nombre d'emplois) et l'axe vertical correspond au prix de la main-d'œuvre, donc du salaire. N'oubliez pas que la courbe de l'offre représente les travailleurs, et la courbe de la demande, les entreprises[7]. Ainsi, selon le modèle de l'offre et de la demande, on voit que l'application du salaire horaire minimum de 9,50 $ entraîne une offre de travail excédentaire, donc un surplus de main-d'œuvre peu qualifiée ou non expérimentée ($N^0_2 - N^d_2$). En effet, pour un salaire plus élevé, les travailleurs sont davantage disposés à offrir leurs services, alors que certaines entreprises (comme les PME) renoncent à engager du personnel. Il en résulte une suppression de postes et, par conséquent, une hausse du chômage. Il est à noter que, pour avoir un effet sur le marché, le salaire minimum doit être supérieur au salaire d'équilibre.

| Prix plancher | Prix minimal fixé au-dessus du prix d'équilibre dans le but de favoriser un groupe précis sur un marché donné. |

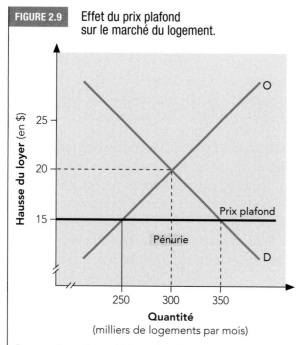

| FIGURE 2.9 | Effet du prix plafond sur le marché du logement. |

Remarque : lorsque la quantité demandée excède la quantité offerte, la quantité échangée correspond à la plus petite de ces deux quantités, c'est-à-dire à la quantité offerte.

---

7. En effet, sur le marché du travail, ce sont les travailleurs qui sont les «offreurs» et les entreprises qui sont les «demandeurs».

Le 1er mai 2010, le salaire minimum a fait un bond de 0,50 $ au Québec, passant de 9,00 $ à 9,50 $ l'heure. Près de 320 000 salariés ont été touchés par cette augmentation.

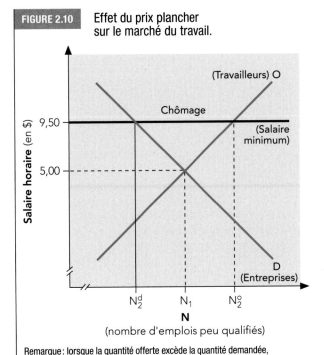

FIGURE 2.10   Effet du prix plancher sur le marché du travail.

Remarque : lorsque la quantité offerte excède la quantité demandée, la quantité échangée correspond à la plus petite de ces deux quantités, c'est-à-dire à la quantité demandée.

Liens entre la **théorie** et la **réalité** économiques

LA CONTROVERSE DU SALAIRE MINIMUM

L'ampleur du salaire minimum est un sujet qui a toujours divisé les économistes. Certains considèrent qu'il nuit à l'emploi, d'autres sont de l'avis contraire. Qu'en est-il réellement de l'incidence du salaire minimum sur le niveau d'emploi ? En premier lieu, les études économétriques basées sur le modèle néoclassique démontrent clairement que ce sont surtout les jeunes de moins de 25 ans qui sont touchés par une hausse du salaire minimum. Une étude réalisée en 2002 par le ministère des Finances du Québec[8] conclut qu'une hausse de 10 % du salaire minimum conduit à une diminution de l'emploi de 2,75 % chez les femmes de 15 à 19 ans et de 1,93 % chez les hommes de la même tranche d'âge. En revanche, d'autres études, qui intègrent certaines imperfections du marché, révèlent plutôt que les hausses du salaire minimum n'ont pas d'effet néfaste sur l'emploi.

Selon l'économiste Pierre Fortin (1997)[9], de l'Université du Québec à Montréal, l'effet d'une hausse du salaire minimum sur l'emploi dépend du ratio entre le salaire minimum et le salaire horaire moyen. Ainsi, une augmentation du salaire minimum :

- est dommageable pour l'emploi des bas salariés lorsque le ratio salaire minimum/salaire moyen est supérieur à 50 % ;

- a des effets incertains sur l'emploi lorsque ce ratio se situe entre 45 % et 50 % ;

- n'a pas d'effet notable sur l'emploi lorsque ce ratio est inférieur à 45 %.

Mettez vos connaissances en pratique

1 À la lumière des faits énoncés dans cet encadré, peut-on conclure que la réalité économique concernant l'incidence du salaire minimum sur le chômage correspond au modèle de l'offre et de la demande illustré à la figure 2.10 ?

2 Quel est l'impact d'une hausse du salaire minimum sur l'emploi au Québec, sachant que le 1er mai 2010 celui-ci est passé de 9,00 $ à 9,50 $ l'heure, alors que le taux horaire moyen était de 21,21 $?

8. MINISTÈRE DES FINANCES DU QUÉBEC. « Impact du salaire minimum sur l'emploi », Rapport d'analyse 2001-2002, février 2002.

9. FORTIN, Pierre. Salaire minimum au Québec : trop élevé ou trop bas ?, Montréal, Université du Québec à Montréal, 1997.

Actualité économique

ABUSIF, LE PRIX DU PÉTROLE ? À LA LONGUE, LE MARCHÉ NORD-AMÉRICAIN FINIRA BIEN PAR S'AJUSTER DE LUI-MÊME

Germain Belzile et
Jean-Claude Chebat
(les auteurs enseignent à l'École
des HEC de Montréal)

Depuis quelques jours [septembre 2005], le prix de l'essence ordinaire a dépassé le seuil de 1,30 $ le litre au Québec et ailleurs au Canada. Cette hausse subite est beaucoup plus importante, en proportion, que l'augmentation sous-jacente du prix du brut constatée pour la même période. La marge de profit des raffineurs est donc à la hausse, autant au Canada qu'aux États-Unis. Dans les médias et dans beaucoup de tribunes, on peut maintenant entendre le même refrain : « pactole pour les raffineurs », « les compagnies se graissent », « il faut un prix juste pour l'essence » et même « nationalisons les pétrolières »…

Qu'est-ce qu'un prix ? C'est tout simplement un signal qui permet d'équilibrer les quantités offertes et les quantités demandées dans un marché. L'abondance des fruits et légumes frais fait baisser leurs prix en été. La rareté les fait remonter en hiver. Le mécanisme des prix est le système qui permet à une économie comme la nôtre de bien fonctionner : il élimine autant les files d'attente et les pénuries que les surplus et le gaspillage. [...]

Venons-en maintenant à notre propos, soit l'emballement des prix de l'essence et des autres produits raffinés. À la suite des ravages de l'ouragan *Katrina*, la capacité d'extraction du pétrole aux États-Unis s'est trouvée réduite : la diminution de l'offre a donc poussé le prix mondial du pétrole à la hausse, pour quelques jours. À mesure que l'information sur les dommages a commencé à se préciser et que les gouvernements ont réagi

en promettant d'utiliser leurs réserves stratégiques, le prix est rapidement revenu à son niveau d'avant la tempête (66 % avant et 65 % le 8 septembre). Le prix de l'essence, quant à lui, a augmenté en flèche avant de se stabiliser par la suite. Pourquoi ?

Un marché régional
Le marché des produits raffinés, dont l'essence, est un marché plus régional que celui du pétrole. Son prix (avant taxes) est un prix nord-américain. Or, 30 % de la production de pétrole et 50 % du raffinage américains sont réalisés dans le golfe du Mexique. En outre, une part considérable des importations de produits pétroliers passe par le port de La Nouvelle-Orléans. Les dommages causés aux infrastructures (port, plates-formes, raffineries, pipelines) ont donc eu des conséquences importantes.

Une hausse du prix du pétrole réduit l'offre d'essence et fait augmenter son prix. La marge de profit des pétrolières (la différence entre le prix de l'essence et le prix mondial du pétrole) a alors tendance à diminuer très légèrement. Mais les dommages causés aux raffineries, dans un contexte où elles produisaient à plein rendement avant *Katrina*, et l'arrêt des activités du port de La Nouvelle-Orléans ont réduit encore plus considérablement l'offre d'essence sur le marché. Huit raffineries, soit 10 % de la production américaine, ont dû cesser leur activité. Le prix de l'essence et la marge de profit des raffineurs ont alors été poussés vers le haut.

Blâmer les pétrolières ?
Nul besoin de blâmer les pétrolières pour tout cela. La preuve qu'elles n'ont pas essayé de vendre à un prix

« trop élevé » ? Il y a eu pendant quelques jours des difficultés d'approvisionnement de carburant, un signe de pénurie et de prix trop faible.

Que se passerait-il si l'État décidait de fixer un prix maximum pour l'essence ? Regardons du côté de l'Île-du-Prince-Édouard, qui réglemente le prix de l'essence sur son territoire. Pendant quelques jours, le prix de l'essence y a été plus faible qu'ailleurs au Canada. Devant

la menace de pénurie, l'organisme réglementaire a dû s'ajuster et l'essence y est maintenant aussi coûteuse qu'à Montréal. Et lorsque le prix finira par diminuer chez nous, il mettra plus de temps à faire de même à Charlottetown. [...]

De nombreuses commissions d'enquête et recherches universitaires n'ont jamais pu, à notre connaissance, démontrer l'existence d'une collusion entre les grandes pétrolières au Canada. Au contraire, la concurrence semble être très importante

sur ce marché. Avant d'intervenir de façon intempestive en réglementant les prix des produits pétroliers, demandons-nous si le remède ne causera pas plus d'effets maléfiques que la maladie elle-même. L'expérience du passé (les prix plafonds sur l'essence aux États-Unis, sous Jimmy Carter, ont causé une pénurie massive) et du présent (la pénurie actuelle de places en services de garde et d'appartements à louer au Québec) est certainement éclairante. Avons-nous le goût de répéter de nouveau ces erreurs ?

Mettez vos connaissances en pratique

1. Quel est le rôle du système de prix dans une économie de marché ?

2. L'abondance de produits sur un marché (celui des fruits et légumes, par exemple) entraîne-t-elle une augmentation ou une diminution des prix ?

3. À l'aide du modèle de l'offre et de la demande, représentez l'effet de l'ouragan *Katrina* sur le marché du pétrole.

4. À l'aide du modèle de l'offre et de la demande, représentez l'effet d'une hausse des réserves stratégiques américaines sur le marché du pétrole.

5. À l'aide du modèle de l'offre et de la demande, représentez l'effet d'une hausse du prix du pétrole sur le marché régional (québécois) de l'essence.

6. Que se passerait-il si l'État décidait de fixer un prix maximum (plafond) pour l'essence ? Justifiez votre réponse à l'aide d'un graphique.

Le 29 novembre 2005, l'ouragan Katrina a frappé de plein fouet la Louisiane et La Nouvelle-Orléans, causant des dégâts considérables et près de 2000 morts.

Évolution de la pensée économique

LA THÉORIE DES JEUX ET LE DILEMME DU PRISONNIER

« Le prix Nobel d'économie 2005 a été attribué hier à Stockholm à l'Américain Thomas Schelling et à l'Israélo-Américain Robert Aumann pour *avoir amélioré notre compréhension des conflits et de la coopération au moyen de la théorie des jeux*. [...] »

La théorie des jeux est considérée comme ayant été amorcée dans des textes datant de la fin des années 40, notamment par les mathématiciens américains John von Neumann et John Forbes Nash. Ce dernier a d'ailleurs été colauréat du prix Nobel d'économie en 1994[10]. »

C'est au début des années 1980 que les économistes s'intéressent vraiment à la **théorie des jeux**, voyant en elle le moyen de comprendre certains phénomènes économiques, notamment dans des situations de conflit telles que les guerres de prix (voir la rubrique « Liens entre la théorie et la réalité économiques », p. 39) et les guerres commerciales (dont nous traiterons aux chapitres 8 et 9).

Cette nouvelle méthode d'analyse suscite un élargissement et un profond renouvellement de la théorie économique. Ainsi, contrairement à la microéconomique traditionnelle, où l'analyse de la prise de décisions se fait en fonction d'agents économiques isolés (chaque individu ayant une influence négligeable par rapport à la taille globale des marchés), la théorie des jeux permet d'étudier ces prises de décision dans un contexte où les agents sont en interaction. Voyons, à l'aide d'un exemple bien connu, comment tout cela s'articule.

Le **dilemme du prisonnier**, exemple le plus célèbre de la théorie des jeux, a suscité une remise en question de la validité du principe économique de la main invisible, selon lequel la recherche par chacun de son intérêt personnel conduit à la réalisation de l'intérêt collectif. La première description du dilemme du prisonnier, dont nous vous présentons ici une variante, a été proposée en 1951 par le mathématicien Albert W. Tucker. Dans son article, l'auteur expose le problème comme une énigme policière. Deux membres d'une bande de motards, soupçonnés depuis longtemps d'avoir commis un meurtre, sont arrêtés par la police pour excès de vitesse et possession d'armes. Ne disposant pas de preuves suffisantes pour les inculper de meurtre, la police fait à chacun, pris séparément, la proposition suivante : « Si tu

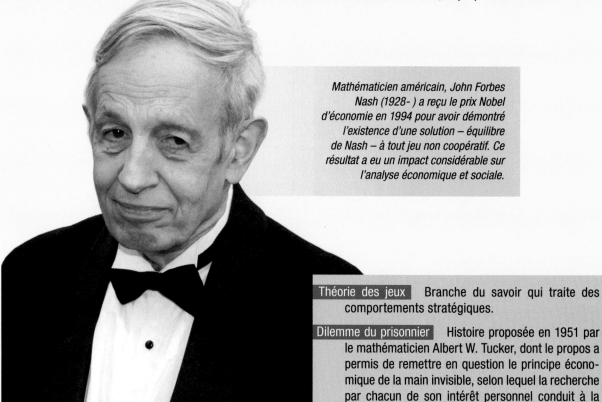

Mathématicien américain, John Forbes Nash (1928-) a reçu le prix Nobel d'économie en 1994 pour avoir démontré l'existence d'une solution – équilibre de Nash – à tout jeu non coopératif. Ce résultat a eu un impact considérable sur l'analyse économique et sociale.

Théorie des jeux   Branche du savoir qui traite des comportements stratégiques.

Dilemme du prisonnier   Histoire proposée en 1951 par le mathématicien Albert W. Tucker, dont le propos a permis de remettre en question le principe économique de la main invisible, selon lequel la recherche par chacun de son intérêt personnel conduit à la réalisation de l'intérêt collectif.

avoues et que l'autre nie, je te libère et je le condamne à 20 ans de prison. Par contre, si tu nies et que l'autre avoue, je saurai que tu as menti. Dans ces circonstances, tu écoperas de 20 ans de prison, et je libérerai ton complice. Si vous avouez tous les deux, vous serez condamnés à 10 ans de prison. Enfin, si vous niez tous les deux, vous serez jugés sévèrement pour votre excès de vitesse et votre possession d'armes et vous en prendrez pour un an. »

Le tableau 2.6 décrit le jeu d'un point de vue stratégique. Les lignes correspondent aux possibilités qui s'offrent à l'accusé 1, et les colonnes à celles qui s'offrent à l'accusé 2. Dans chacune des quatre cases, il y a deux nombres qui donnent les gains – années de prison – respectifs des accusés 1 (coin inférieur gauche) et 2

(coin supérieur droit). Par exemple, si l'accusé 1 avoue et que l'accusé 2 nie (case supérieure droite), alors l'accusé 1 recevra 0 et l'accusé 2 recevra –20. Par contre, si l'accusé 1 avoue et que l'accusé 2 avoue aussi (case supérieure gauche), ils recevront –10 et –10. Ainsi, on constate que, pour les deux accusés, il est toujours plus avantageux d'avouer le crime.

Si le deuxième accusé nie avoir commis le meurtre, il est évidemment plus avantageux pour le premier accusé d'avouer, puisqu'il sera libéré. De même, si le deuxième accusé avoue, le premier accusé a également intérêt à avouer, puisqu'il sera condamné à 10 ans de prison plutôt qu'à 20 ans. Dès lors, quel que soit le choix du deuxième accusé, il est préférable pour le premier d'avouer. Symétriquement, le deuxième accusé a également

intérêt à avouer. Sachant cela, tous les deux ne peuvent qu'avouer. Le problème est que la combinaison de stratégies [avoue, avoue] conduit à une situation non optimale. Il aurait, en effet, été préférable pour les deux de coordonner leur action en choisissant de nier : ils auraient ainsi tous les deux obtenu –1 au lieu de –10. Cependant, la coopération est improbable, car chaque accusé, individuellement, a intérêt à choisir la **stratégie dominante**, celle qui lui procure des gains supérieurs, quelle que soit la stratégie de l'autre.

Le dilemme du prisonnier illustre particulièrement bien l'idée que la rationalité individuelle et la rationalité collective ne correspondent pas forcément. Autrement dit, la concurrence (et son corollaire, le principe de la main invisible) ne donne pas nécessairement la meilleure solution[11].

| TABLEAU 2.6 | Le dilemme du prisonnier. |

		Accusé 2	
		Avoue	Nie
Accusé 1	Avoue	−10 / −10	−20 / 0
	Nie	0 / −20	−1 / −1

Stratégie dominante Stratégie qui procure à un joueur des gains supérieurs à ceux de toutes les autres stratégies, quelle que soit la stratégie de l'autre joueur.

11. Ceux et celles qui s'intéressent davantage à la théorie des jeux et à ses applications économiques peuvent consulter l'ouvrage *Comportement stratégique en économie. Une introduction à la théorie des jeux* de Dominic Roy (2006), ou encore lire le roman *Thinking Strategically. The Competitive Edge in Business, Politics, and Everyday Life* de Avinash K. Dixit et Barry Nalebuff (1993). Pour une présentation plus légère et moins théorique, on peut lire le roman *Le dilemme du prisonnier* de François Lepage (2008) ou voir le film de Ron Howard, *Un homme d'exception* (2001), sur la vie de John Forbes Nash.

CHAPITRE 2 En un clin d'œil

Marché

- **Marché des biens et services**
  Rencontre entre l'offre et la demande de biens et de services

- **Marché du travail**
  Rencontre entre l'offre et la demande de travail

- **Marché des capitaux**
  Rencontre entre l'offre et la demande de capitaux financiers à court et à long terme
  - **Marché monétaire**
    Rencontre entre l'offre et la demande de titres à court terme
  - **Marché financier**
    Rencontre entre l'offre et la demande de titres à long terme
  - **Marché des changes**
    Rencontre entre l'offre et la demande de devises

- **Structures de marché**
  - **Monopole**
    Une seule entreprise
  - **Oligopole**
    Quelques entreprises
  - **Concurrence parfaite**
    Une multitude d'entreprises

Offre d'un produit

- **Loi de l'offre**
  Toutes choses étant égales par ailleurs, la quantité offerte d'un produit augmente à mesure que le prix augmente, et vice versa.

- **Déterminants de l'offre**
  - Coûts de production
  - Prix des autres produits
  - Technologie
  - Nombre d'entreprises

Demande d'un produit

Loi de la demande
Toutes choses étant égales par ailleurs, la quantité demandée d'un produit diminue à mesure que le prix augmente, et vice versa.

Déterminants de la demande
- Revenu des consommateurs
- Prix des produits substituts
- Prix des produits complémentaires
- Goûts et préférences des consommateurs
- Nombre de consommateurs

Équilibre et déséquilibres du marché

Changement de la demande
Toutes choses étant égales par ailleurs, lorsque la demande change, les prix et les quantités varient dans le même sens.

Changement de l'offre
Toutes choses étant égales par ailleurs, lorsque l'offre change, les prix et les quantités varient en sens inverse.

Réglementation des prix

Prix plafond
Prix maximal fixé au-dessous du prix d'équilibre

Lorsque la quantité demandée excède la quantité offerte, la quantité échangée correspond à la quantité offerte.

Prix plancher
Prix minimal fixé au-dessus du prix d'équilibre

Lorsque la quantité offerte excède la quantité demandée, la quantité échangée correspond à la quantité demandée.

CHAPITRE 2 Testez vos connaissances

QUESTIONS À COURT DÉVELOPPEMENT

1. Qu'est-ce qu'un marché ?

2. Qu'est-ce que la demande ?

3. Pourquoi la courbe (droite) de la demande est-elle négative ?

4. Expliquez la différence entre une variation le long de la demande et une variation de la demande.

5. Qui sont les offreurs sur le marché du travail ? Pourquoi la courbe de l'offre de travail est-elle positive ?

6. Lorsqu'il y a pénurie de produits sur un marché, le prix tend-il à augmenter ou à baisser ?

7. Nommez quelques facteurs susceptibles d'entraîner une diminution de la consommation d'essence.

8. Qu'arrive-t-il au prix du bœuf si le prix des autres viandes diminue ?

9. Donnez un exemple d'un prix plafond.

10. Commentez l'affirmation suivante : « Le salaire minimum est un prix plancher qui peut engendrer du chômage. »

PROBLÈMES

1. Le représentant de l'Association des producteurs d'automobiles vous demande de lui expliquer graphiquement l'effet, sur le marché de l'automobile, des événements suivants.

   a) Une hausse du prix de l'essence.

   b) L'abolition des tarifs du transport en commun.

   c) Une baisse substantielle de l'impôt sur le revenu des particuliers.

   d) Une diminution du prix des pièces d'automobiles.

2. « Compte tenu de la crise économique actuelle, l'Agence internationale de l'énergie (AIE) a de nouveau revu à la baisse sa prévision de la demande mondiale de pétrole pour 2009. Selon l'AIE, la demande mondiale enregistrerait sur un an un recul de 2,8 %, tandis que la production mondiale de pétrole baisserait de 1,7 mbj, passant de 86,6 en 2008 à 84,9 mbj en 2009. »

   Selon ce communiqué, comment devrait varier le prix du pétrole brut en 2009 ? Justifiez votre réponse.

3. Pour chacun des cas suivants, illustrez par un graphique de l'offre et de la demande l'effet qu'occasionne le facteur sur le prix et la quantité d'équilibre du marché à analyser.

   a) L'effet sur le marché du bœuf d'une hausse du prix des céréales.

   b) L'effet sur le marché du blé d'une sécheresse en Australie (qui est le deuxième producteur de blé mondial).

   c) L'effet sur le marché du pain d'une diminution importante des réserves de blé mondiales.

4. Expliquez comment le marché touristique sud-africain a été influencé par la Coupe du monde de la Fédération internationale de Football Association (FIFA) 2010. Utilisez le modèle de l'offre et de la demande.

5. Le tableau suivant présente les prix ainsi que l'offre et la demande de chambres d'hôtel à Montréal.

Prix (en $)	Quantité offerte	Quantité demandée
30	0	18 000
60	4 000	16 000
90	8 000	14 000
120	12 000	12 000
150	16 000	10 000
180	20 000	8 000
210	24 000	6 000

a) Tracez sur un graphique les courbes de l'offre et de la demande de chambres d'hôtel.

b) Déterminez le prix et la quantité d'équilibre pour ce marché.

c) Déterminez le prix auquel les hôteliers ne sont pas disposés à offrir des chambres.

d) Qu'adviendrait-il de l'équilibre du marché si Montréal se voyait retirer un événement spécial tel le Grand Prix de Formule 1? Traduisez graphiquement cet événement par le déplacement approprié d'une des deux droites de 6000 chambres d'hôtel à chaque niveau de prix.

e) À partir de la réponse obtenue en d), déterminez le prix auquel les consommateurs ne sont pas disposés à louer une chambre d'hôtel.

6 Selon les statistiques de l'Université du Québec à Montréal, il y a eu, à la session d'automne 2009, 2490 demandes et 1430 offres d'admission au baccalauréat en administration.

a) Dans l'hypothèse d'un marché parfaitement concurrentiel, expliquez comment évolueraient les droits de scolarité pour que l'équilibre se rétablisse.

b) Sachant que les droits de scolarité ne peuvent servir de mécanisme pour rétablir l'équilibre, déterminez le nombre d'étudiants qui seront admis en administration et comment ils seront sélectionnés.

c) Qui sont les gagnants et les perdants d'un gel des droits de scolarité?

7 Deux pays membres de l'Organisation des pays exportateurs de pétrole (OPEP), le Koweït et l'Arabie Saoudite, doivent choisir entre une production de pétrole «faible» ou «élevée». À l'aide du tableau ci-dessous, qui présente les profits (en milliards de dollars) associés à ces productions, répondez aux questions suivantes.

		Arabie Saoudite	
		Production faible	Production élevée
Koweït	Production faible	40 40	10 50
	Production élevée	50 10	20 20

a) Quelle est l'issue du jeu? Quel est le profit de chacun des deux pays?

b) Expliquez pourquoi les pays de l'OPEP ont intérêt à s'entendre pour maintenir un niveau de production faible.

CHAPITRE 2 — Question d'intégration

Au chapitre 1, nous avons précisé les caractéristiques d'une économie planifiée. Après avoir passé en revue les composantes du modèle de l'offre et de la demande étudié dans ce chapitre, établissez les distinctions entre une économie fonctionnant selon ce modèle et une économie planifiée.

CHAPITRE 2 Appendice mathématique

L'ÉQUILIBRE DU MARCHÉ À L'AIDE D'ÉQUATIONS

Nous avons vu que les barèmes et les courbes sont de puissants outils d'analyse pour déterminer l'équilibre du marché. Voyons maintenant, à l'aide d'équations d'offre et de demande, comment tout cela s'articule.

La fonction de demande

En supposant qu'il existe une relation linéaire entre le prix (P) et la quantité demandée (Q^D), on peut exprimer la fonction de demande de la façon suivante :

$$Q^D = -mP + b$$

où m (la pente de la fonction de demande) et b (la quantité demandée au prix zéro) sont des constantes[12].

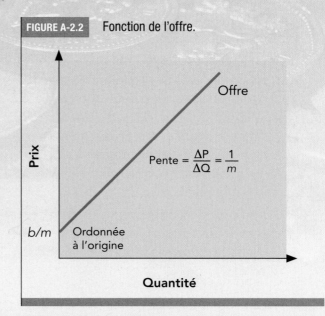

FIGURE A-2.2   Fonction de l'offre.

La fonction d'offre

De la même façon, si on suppose qu'il existe une relation linéaire entre le prix (P) et la quantité offerte (Q^O), on peut exprimer la fonction d'offre de la manière suivante :

$$Q^O = mP + b$$

où m (la pente de la fonction d'offre) et b sont des constantes[13].

L'équilibre du marché

Le marché est en équilibre à l'intersection des deux droites, c'est-à-dire lorsque la quantité demandée par le consommateur coïncide avec la quantité offerte par l'entreprise. On a alors

$$Q^D = Q^O$$

Dans la mesure où les fonctions de la demande et de l'offre correspondent aux barèmes vus précédemment dans l'exemple de l'essence (voir le tableau 2.4, p. 36), il s'ensuit que

---

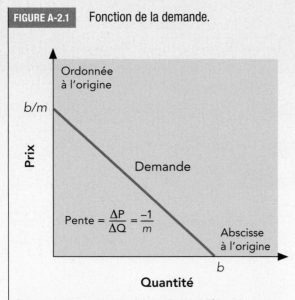

FIGURE A-2.1   Fonction de la demande.

Remarque : par convention, depuis la contribution de l'économiste anglais Alfred Marshall (1842-1924), on place sur un graphique les prix sur l'axe vertical et les quantités sur l'axe horizontal. Cette inversion par rapport à la représentation mathématique conventionnelle provient du fait qu'Alfred Marshall pensait que le prix était véritablement la variable dépendante, c'est-à-dire que l'équilibre était atteint par une mobilité des quantités, ce qui en réalité n'est pas le cas.

---

12. Notez que *b/m* (valeur de P lorsque $Q^D = 0$) désigne le prix maximum auquel les consommateurs sont disposés à acheter. Graphiquement (voir la figure A-2.1), il correspond à l'endroit où la droite de la demande coupe l'axe des ordonnées.

13. Notez que *b/m* (valeur de P lorsque $Q^O = 0$) désigne le prix minimum auquel les entreprises sont disposées à offrir. Graphiquement (voir la figure A-2.2), il correspond à l'endroit où la droite de l'offre coupe l'axe des ordonnées.

$Q^D = -2P + 220$ (fonction de demande)

$Q^O = P - 50$ (fonction d'offre)

En résolvant le système d'équations à l'aide de la méthode par comparaison, on peut établir que

$-2P + 220 = P - 50$

$=> 270 = 3P$

$=> P = 90$

Pour trouver la quantité d'équilibre, il suffit de remplacer la valeur de P dans une des deux équations. Ainsi, en remplaçant la valeur de P dans l'équation de la demande, on obtient

$Q^D = -2(90) + 220$

$=> Q = -180 + 220$

$=> Q = 40$

Par conséquent, le prix d'équilibre est de 90 et la quantité d'équilibre est de 40, comme on le voit à la figure A-2.3.

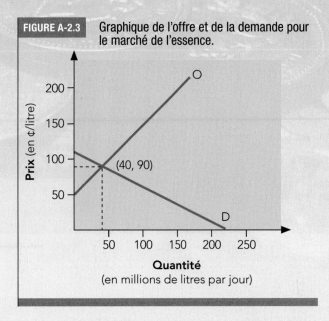

FIGURE A-2.3   Graphique de l'offre et de la demande pour le marché de l'essence.

PARTIE 2

FONDEMENTS MACROÉCONOMIQUES

LE CHAOS ET LES CAHOTS DU PIB

Jean-Michel Harribey

Je produis, le PIB augmente ;
tu produis, le PIB augmente aussi ;
il détruit, le PIB augmente ;
elle répare, le PIB augmente encore ;
nous polluons, le PIB augmente ;
vous dépolluez, le PIB augmente ;
ils et elles (les économistes) calculent
de combien augmente le PIB,
le PIB augmente toujours.

N'est-ce pas formidable, l'économie ?
Il n'y a que des plus, jamais de moins [...]

Source : *La démence sénile du capital. Fragments d'économie critique*, Bordeaux, Éditions du Passant, 2002.

Les étudiants qui arrivent à comprendre l'identité macroéconomique $Y = C + I + G + (X - M)$ en savent déjà plus que la plupart des journalistes et des hommes politiques.

James Tobin (1918-2002), économiste américain,
Prix Nobel d'économie en 1981

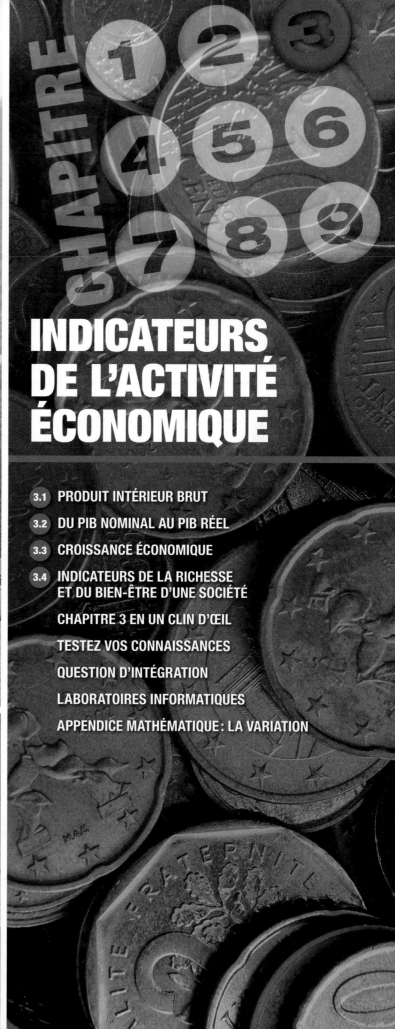

CHAPITRE 3

INDICATEURS DE L'ACTIVITÉ ÉCONOMIQUE

Après avoir lu ce chapitre, vous pourrez :

- définir et mesurer le PIB ;
- distinguer le PIB nominal du PIB réel ;
- mesurer la croissance économique à partir du PIB réel ;
- reconnaître les limites du PIB en tant qu'indicateur de l'activité économique.

Nous l'avons vu, la science économique s'intéresse aux décisions que prennent les agents économiques. Or, pour prendre des décisions éclairées, il est essentiel d'être bien informé et de comprendre les rouages de l'économie. Chaque jour nous sont transmises des informations de nature macroéconomique (nouvelles tendances, marchés en émergence, guerres, attentats terroristes, élections, nouvelles lois, changements climatiques) qui influent sur notre environnement et, parallèlement, sur notre quotidien (notre travail, nos études, nos revenus, nos dépenses, notre lieu de résidence, nos déplacements, notre destination de vacances). Mais, direz-vous, comment s'y retrouver ?

Vous avez sans doute déjà entendu annoncer, au bulletin de nouvelles du soir, les plus récentes données sur le PIB canadien ou sur le taux de chômage. Ou encore lu dans un quotidien que la Banque du Canada s'inquiète de pressions inflationnistes. En effet, il est souvent question dans l'actualité d'un certain nombre de données statistiques. Ce sont des indicateurs macroéconomiques. Comme le médecin se sert d'un thermomètre pour prendre la température de son patient, l'économiste se sert des indicateurs pour déterminer l'état de santé d'une économie.

Dans ce chapitre et le suivant, nous étudierons les principaux indicateurs économiques. Bien qu'ils ne suffisent pas à permettre une parfaite compréhension des raisonnements et des mécanismes économiques, ces indicateurs sont néanmoins de bons instruments de mesure qui nous aideront à déceler les tendances de la conjoncture économique canadienne, c'est-à-dire de l'humeur économique du pays à un moment précis de son évolution.

Le présent chapitre est consacré aux indicateurs de l'activité économique. Pour évaluer le niveau et la croissance de la production globale d'une économie, les économistes utilisent la comptabilité nationale. À l'instar des écritures comptables d'une entreprise, les données de la comptabilité nationale fournissent de l'information sur l'ensemble des activités économiques d'un pays et sont donc essentielles à la bonne conduite de ses politiques économiques.

Alors que les données concernant une entreprise sont recueillies par ses administrateurs, celles ayant trait à une nation le sont par un organisme chargé de leur collecte. Au Canada, c'est Statistique Canada qui s'acquitte de cette tâche, généralement par enquête ou par recensement, comme pour le décompte de la population réalisé tous les cinq ans. L'organisme collecte ainsi une importante quantité d'information ; toutefois, l'indicateur clé de la comptabilité nationale est le produit intérieur brut.

3.1 PRODUIT INTÉRIEUR BRUT

Le **produit intérieur brut (PIB)**, c'est la valeur, aux prix du marché, de l'ensemble des biens et services finaux produits à l'intérieur des frontières d'un pays au cours d'une période donnée. Examinons chacun des éléments de cette définition.

- **La valeur aux prix du marché**. Le PIB s'exprime en unités monétaires. Il s'agit ici de mesurer la valeur de tout ce qui a été produit dans le pays, qu'il s'agisse de voitures, de coupes de cheveux, de repas au restaurant ou de litres de lait. Or, pour additionner la valeur de tous ces biens et services, il faut attribuer un prix à chacun d'eux. Comment détermine-t-on ces prix? On utilise les prix du marché de l'année en cours, c'est-à-dire les prix de détail, par opposition aux prix de gros. Le PIB aux prix du marché s'appelle également « PIB nominal ».

- **Les biens et services finaux**. La plupart des biens et services produits passent par plusieurs étapes avant d'être vendus. Leur prix final comprend toutes les transactions intermédiaires. Ainsi, le prix du pain inclut le prix de la farine qui a servi à le produire. Le prix d'une consultation chez un avocat comprend le prix des services téléphoniques qu'il utilise. Pour ne pas compter plus d'une fois la production intermédiaire, on ne considère que les transactions portant sur les biens et services à leur stade final de transformation au pays.

- **À l'intérieur des frontières d'un pays**. On s'intéresse à ce qui est produit à l'intérieur des frontières d'un pays ou d'un territoire donné, par opposition à ce qui est produit par les habitants d'un pays là où ils se trouvent. Avant 1986, le Canada utilisait le **produit national brut (PNB)**, qui mesure la production effectuée par les résidants d'un pays, quel que soit le lieu où se fait cette production. Par exemple, la production d'une entreprise canadienne en territoire étranger n'est pas comptée dans le PIB, mais elle sera comptée dans le PNB. Inversement, la production d'une entreprise étrangère en territoire canadien est calculée dans le PIB, mais soustraite du PNB. Le PIB reflète donc mieux que le PNB la réalité économique du pays étudié.

Dans une chaîne de production comme celles de GM, les travailleurs sont habituellement en contact avec d'autres, mais ils accomplissent leurs tâches de manière indépendante.

Produit intérieur brut (PIB) Indicateur mesurant la valeur de l'ensemble des biens et services finaux produits à l'intérieur des frontières d'un pays au cours d'une période donnée.

Produit national brut (PNB) Indicateur mesurant la valeur de l'ensemble des biens et services finaux produits par les résidants d'un pays au cours d'une période donnée.

- **Au cours d'une période donnée**. Le PIB, c'est la production faite pendant une certaine période, c'est-à-dire entre deux dates. Par exemple, le PIB de 2009 correspond à la valeur des biens et services produits du 1er janvier au 31 décembre 2009. On parle alors de données annuelles. Les données peuvent aussi être trimestrielles (trois mois) ou mensuelles. Le PIB est donc un **flux**, parce qu'il est mesuré sur une période donnée, contrairement à la richesse, que beaucoup confondent avec le PIB et qui est un **stock**, variable mesurée à un moment précis dans le temps.

Bien sûr, le PIB ne mesure que les biens et services finaux ayant fait l'objet d'une transaction financière déclarée. Il ne mesure donc ni les transactions qui se font hors marché, comme le bénévolat et les travaux domestiques non rémunérés, ni le produit du travail au noir, ni celui du crime organisé. Les transactions non productives, comme les ventes de biens usagés et les transferts de propriété, sont aussi exclues du PIB parce qu'elles n'ajoutent rien à la production courante.

Ainsi, le calcul du PIB consiste à déterminer la valeur totale des biens et services produits durant une année donnée. Or, on sait que, d'une part, ces biens et services sont achetés par les agents économiques que sont les consommateurs (ou les ménages), les entreprises, l'État et les pays étrangers, et que, d'autre part, les propriétaires de ressources (travail, capital, terre, entrepreneuriat), ayant participé à la production, ont reçu une rémunération. On peut donc évaluer le PIB selon deux approches : celle des dépenses et celle des revenus.

LE CALCUL DU PIB SELON L'APPROCHE DES DÉPENSES

L'approche des dépenses consiste à additionner les dépenses liées à la production de biens et services. Ces dépenses se divisent en quatre catégories.

Les dépenses personnelles en biens et services de consommation (C)

Cette catégorie comprend les dépenses des ménages, que l'on peut répartir en quatre types de biens et services.

- Les **biens durables**, tels les meubles, les électro-ménagers, les voitures, etc.

- Les **biens semi-durables**, tels les vêtements, les chaussures, les pneus, etc.

- Les **biens non durables**, biens qui sont détruits lors de leur première consommation, comme les aliments.

- Les **services**, produits intangibles tels les services des coiffeurs, des esthéticiens, des dentistes, des avocats, des comptables, etc.

Notez que l'achat d'une maison n'entre pas dans cette catégorie, mais plutôt dans la suivante, celle des investissements.

Les investissements (I)

Les investissements, ou formation brute de capital fixe, comme on les appelle dans la comptabilité nationale de Statistique Canada, représentent l'augmentation de la capacité de production d'un pays ou d'une entreprise. C'est une catégorie qui comprend les investissements publics et privés, en capital fixe et en stock.

- Les **investissements publics**, investissements financés par l'ensemble des contribuables tels que la construction de barrages, de routes, de ponts, d'écoles, d'hôpitaux, etc.

- Les **investissements privés**, investissements financés par des entreprises appartenant à des particuliers et qui comprennent la construction résidentielle, la construction non résidentielle (tours à bureaux, centres commerciaux) et l'achat de machinerie et de matériel nécessaire à la production.

- Les **variations de stocks des entreprises et du secteur public**. Les augmentations de stocks sont ajoutées aux investissements des entreprises, tandis que les baisses de stocks en sont soustraites. Une augmentation des stocks représente

| **Flux** | Valeur (ou quantité) mesurée sur une période donnée. |
| **Stock** | Valeur (ou quantité) mesurée à un moment précis dans le temps. |

des biens qui ont été produits mais pas encore achetés. On les ajoute aux autres dépenses, car c'est la production que l'on cherche à mesurer.

Les dépenses courantes des administrations publiques en biens et services (G)

Ce sont les achats effectués par les différents paliers de gouvernement. Il s'agit essentiellement des dépenses liées au fonctionnement des systèmes de santé et d'éducation, ainsi qu'à l'entretien des routes et des édifices publics. Les achats de fournitures de bureau, de services de nettoyage, de voitures de fonction, d'uniformes et d'équipement des policiers et des pompiers, par exemple, en font également partie.

Il faut noter que les transferts aux ménages, comme l'assurance-emploi ou les pensions de vieillesse, ne sont pas inclus dans les dépenses de l'État, car ils constituent des mesures de redistribution du revenu et non pas une production de biens et services.

Les exportations nettes de biens et services (X − M)

Il s'agit du montant des exportations (achat par les étrangers de biens et services intérieurs) duquel on a retranché le montant des importations (achat par les résidants de produits étrangers). Une partie des biens produits au pays sont consommés à l'étranger. De la même façon, une partie des biens que nous consommons ont été fabriqués ailleurs qu'au Canada. Si ces biens ont été comptabilisés comme consommation, il faut maintenant les déduire, car ils n'ont pas été produits chez nous.

On obtient la valeur du PIB selon l'approche des dépenses en faisant la somme des dépenses des divers types d'agents économiques que nous venons de décrire. Si l'on désigne par Y la valeur du PIB, alors le PIB est donné par cette équation :

$$Y = C + I + G + (X - M)$$

Les événements sportifs d'envergure comme la Coupe du monde de soccer qui s'est tenue en Afrique du Sud (été 2010) stimulent-ils réellement la croissance économique d'une nation ?

Le tableau 3.1 donne la valeur du PIB du Canada et la part relative des quatre catégories de dépenses pour l'année 2009. On constate que les dépenses des consommateurs représentent près de 59 % des dépenses totales, et on comprend alors facilement que les économistes et les décideurs politiques observent de très près les données relatives à cette catégorie. C'est pourquoi, lorsque le Conference Board annonce une baisse du niveau de confiance des consommateurs, on peut généralement s'attendre à un ralentissement de la croissance de l'économie canadienne.

LE CALCUL DU PIB SELON L'APPROCHE DES REVENUS

L'approche des revenus consiste à additionner les revenus gagnés par les propriétaires des ressources ou des facteurs entrant dans la production des biens finaux. Ces revenus se divisent en quatre catégories.

La rémunération des salariés (S)

C'est la rémunération totale brute des travailleurs (tous les salaires avant impôts versés par les entreprises, incluant les avantages sociaux comme les cotisations de l'assurance-emploi et les allocations de retraite) ayant participé à la production. Il s'agit des travailleurs provenant de tous les secteurs d'activité, du secteur agricole au secteur bancaire. Cette catégorie est la plus importante, puisqu'elle représente généralement plus de la moitié du PIB.

Les bénéfices des sociétés avant impôts (B)

Il s'agit des profits totaux des entreprises cotées en Bourse (compagnies). Ces entreprises étant financées par des actions, une partie de leurs bénéfices est versée aux actionnaires sous forme de dividendes, une partie est versée à l'État en impôt des sociétés et une partie est réinvestie dans l'entreprise, pour le financement de nouveaux projets.

Les intérêts et revenus divers de placements (i)

Ce sont tous les intérêts que les particuliers reçoivent pour les prêts qu'ils ont consentis (compte d'épargne, par exemple), moins les intérêts versés sur les prêts obtenus.

Les revenus nets des entreprises individuelles agricoles et non agricoles (R_n)

Cette catégorie comprend les revenus des exploitations agricoles, des entreprises individuelles, des sociétés de personnes et des travailleurs autonomes, ainsi que les revenus de location des propriétaires d'immeubles à logements locatifs.

En additionnant ces quatre catégories et en tenant compte des ajustements de la valeur des stocks (A_s)[1], on obtient le revenu intérieur net (RIN) au coût des facteurs (voir la ligne 6 du tableau 3.2), c'est-à-dire le revenu total des facteurs ayant contribué à la production. En réalité, ce sont les propriétaires des facteurs qui reçoivent cette rémunération.

À cela, il faut donc faire deux ajustements pour obtenir le PIB aux prix du marché.

- Le premier ajustement consiste à ajouter les impôts indirects nets (T_n), puisque les taxes nettes sont intégrées dans les coûts de production et sont incluses dans les prix de vente. Les taxes nettes correspondent à la différence entre les impôts indirects (taxes de vente, taxes sur les carburants, taxes d'accise, droits de douane, impôts fonciers et impôts sur la masse salariale) versés

TABLEAU 3.1	Produit intérieur brut en termes de dépenses, au Canada, en 2009.	
Catégories de dépenses	**En millions de $**	**En % du PIB**
Consommation (C)	898 728	58,8
Investissements (I)	320 292	21,0
Dépenses publiques (G)	333 942	21,9
Exportations (X)	438 553	28,7
Moins : Importations (M)	464 722	30,4
Divergence statistique	465	0,0
Produit intérieur brut (PIB)	**1 527 258**	**100,0**

Source : adapté de Statistique Canada, CANSIM, tableau 380-0017.

---

1. Opération qui consiste à calculer la différence entre la valeur de la variation physique des stocks, selon le prix moyen, et la valeur de variation inscrite aux livres comptables.

par l'entreprise et les subventions perçues. Ainsi, si on ajoute les taxes nettes au revenu intérieur net (RIN) au coût des facteurs (S, B, i, R_n, A_s), on obtient la valeur du produit intérieur net (PIN)[2].

- Le deuxième ajustement consiste à ajouter la valeur de la dépréciation (D), ou provisions pour consommation de capital, comme on les appelle dans la comptabilité nationale de Statistique Canada, au produit intérieur net. En effet, une fois les facteurs de production payés, l'entreprise doit tenir compte de la dépréciation qu'a subie le stock de capital en cours d'année et la soustraire de son bénéfice brut. Même si cette dépréciation n'est qu'un artifice comptable, on doit la prendre en considération pour obtenir une mesure exacte des bénéfices véritables des entreprises.

Ainsi, on obtient le PIB, noté Y, en faisant la somme de tous ces éléments :

$$Y = (S + B + i + R_n + A_s) + T_n + D$$

Le calcul du PIB selon l'approche des revenus est présenté au tableau 3.2. En théorie, on obtient le même résultat en utilisant l'une ou l'autre des deux approches. En pratique, cependant, étant donné que Statistique Canada procède à partir d'une enquête par sondage, il y a toujours une différence entre les résultats des deux méthodes de calcul. Afin d'obtenir le résultat le plus fiable possible, Statistique Canada estime la valeur du PIB en calculant la moyenne des deux résultats. La différence entre le PIB et la valeur calculée par les deux méthodes s'appelle «divergence (ou écart) statistique». C'est

TABLEAU 3.2 Produit intérieur brut en termes de revenus, au Canada, en 2009.		
Catégories de revenus	**En millions de $**	**En % du PIB**
Rémunération des salariés (S)	819 066	53,6
Bénéfices des sociétés (B)	159 872	10,5
Intérêts et revenus divers de placements (i)	63 947	4,2
Revenus nets des entreprises individuelles (R_n)	99 879	6,5
Ajustement de la valeur des stocks (A_s)	2 541	0,2
Sous-total : Revenu intérieur net (RIN)	1 145 305	75,0
Impôts moins subventions (T_n)	163 634	10,7
Sous-total : Produit intérieur net (PIN)	1 308 939	85,7
Provisions pour consommation de capital (D)	218 785	14,3
Divergence statistique	−466	0,0
Produit intérieur brut (PIB)	**1 527 258**	**100,0**

Source : adapté de Statistique Canada, CANSIM, tableau 380-0016.

pourquoi nous trouvons l'élément «divergence statistique» dans le calcul du PIB.

3.2 DU PIB NOMINAL AU PIB RÉEL[3]

Prenons le cas d'une entreprise qui produit uniquement des camions militaires. Si un camion se vend 80 000 $, une production de 100 camions rapporte 8 millions de dollars (80 000 $ × 100). Or, si l'année suivante le revenu de l'entreprise atteint 12 millions de dollars, peut-on affirmer que la hausse découle d'une augmentation de la production ? Pas nécessairement ! Comme le revenu dépend de la quantité produite et du prix, la variation de la valeur des ventes pourrait tout aussi bien provenir d'un changement dans la production que d'une augmentation du prix auquel est vendu le produit. En effet, si le prix des camions s'établit maintenant à 120 000 $ l'unité, cela voudrait dire que, malgré l'accroissement des revenus, le niveau de production n'aurait pas changé.

---

2. Si on ajoute uniquement les impôts nets sur les facteurs de production (par exemple, les impôts sur la masse salariale moins les subventions liées à la main-d'œuvre) au revenu intérieur net (RIN) au coût des facteurs, on obtient ce qu'on appelle le «produit intérieur net (PIN) aux prix de base», mesure qu'on retrouve depuis 2001 dans le calcul du PIB selon l'approche des revenus.

3. La méthode présentée ici est la méthode traditionnelle, c'est-à-dire fondée sur les prix de l'année de base. Toutefois, depuis le 31 mai 2001, Statistique Canada utilise une nouvelle méthode (plus complexe) de calcul pour le PIB réel en termes de dépenses, celle de l'«indice de volume en chaîne» (basée sur les prix de deux années).

TABLEAU 3.3	Évolution du PIB nominal et réel au Canada, 2005-2009.		
Année	PIB nominal (en milliards de $)	IIP (2002 = 100)	PIB réel (en milliards de $ de 2002)
2005	1373,8	110,1	1247,8
2006	1450,4	113,0	1283,5
2007	1529,6	116,6	1311,8
2008	1599,6	121,4	1317,6
2009	1527,3	118,8	1285,6

Source : adapté de Statistique Canada, CANSIM, tableaux 380-0017 et 380-0056.

Comme pour cette entreprise, lorsqu'on veut connaître l'augmentation (ou la diminution) de la production d'un pays, on doit éliminer l'effet des prix dans le calcul du PIB. On parlera alors de **PIB réel**, par opposition au **PIB nominal** qui tient compte à la fois des variations des prix et de la production. Le calcul du PIB réel s'effectue à l'aide de l'**indice implicite des prix (IIP)**. Cet indicateur, aussi appelé « déflateur », permet de convertir rapidement le PIB en dollars de l'année en cours (disons 2009) en dollars d'une année de référence (disons 2002). Le calcul du PIB réel s'effectue de la façon suivante :

$$\text{PIB réel} = \frac{\text{PIB nominal}}{\text{IIP}} \times 100$$

Le tableau 3.3 donne les valeurs du PIB nominal, de l'IIP et du PIB réel du Canada pour les années 2005 à 2009. Ainsi, en 2009, le PIB nominal du Canada était de 1527,3 milliards de dollars et l'indice implicite des prix, de 118,8. Le PIB réel était donc celui-ci :

$$\frac{\text{PIB nominal}_{2009}}{\text{IIP}_{2009}} \times 100 = \frac{1527,3 \text{ milliards \$}}{118,8} \times 100$$

$$= 1285,6 \text{ milliards \$}$$

Ce montant indique quelle aurait été la valeur du PIB canadien en 2009 si les prix avaient été ceux de 2002.

En résumé, le PIB réel représente la valeur de la production mesurée en dollars constants, c'est-à-dire en dollars de l'année de référence. On parlera toujours du PIB réel lorsqu'on voudra mesurer la croissance économique d'un pays, puisqu'une hausse de cette dernière reflète uniquement une augmentation de la production globale.

3.3 CROISSANCE ÉCONOMIQUE

Maintenant que nous savons déterminer la valeur du PIB réel à partir du PIB nominal, voyons comment calculer la croissance économique à partir du PIB réel. La **croissance économique** est une notion purement quantitative qui peut être définie comme une hausse soutenue de la production globale d'une économie[4]. Elle est souhaitable pour toute société, car elle fait augmenter le nombre des biens et services offerts et peut, si elle est équitablement redistribuée, améliorer le niveau de vie des citoyens. Pour la mesurer, il suffit de calculer la variation relative en pourcentage du PIB réel[5]. Il est donné par l'expression suivante :

$$\begin{array}{c} \Delta \text{ PIB réel \%} \\ \text{(pour la période t)} \end{array} = \frac{\text{PIB réel}_t - \text{PIB réel}_{t-1}}{\text{PIB réel}_{t-1}} \times 100$$

PIB réel PIB qui tient compte de l'inflation. Il s'exprime en dollars constants, c'est-à-dire en dollars de l'année de référence.

PIB nominal PIB qui ne tient pas compte de la fluctuation des prix. Il s'exprime en dollars courants, c'est-à-dire en dollars de l'année en cours.

Indice implicite des prix (IIP) Indicateur qui donne la moyenne pondérée des prix de l'ensemble des biens et services produits à l'intérieur d'un pays au cours d'une période donnée.

Croissance économique Hausse soutenue de la production globale d'une économie ; elle se mesure par la variation relative en pourcentage du PIB réel.

---

4. Elle peut aussi être définie comme une augmentation soutenue de la productivité, c'est-à-dire de la production par habitant.

5. Pour une définition plus détaillée d'une variation relative, voir l'Appendice mathématique, p. 74-75.

Par exemple, on voit au tableau 3.4 que la croissance économique du PIB réel en 2009 équivaut à −2,5 %. Pour la calculer, on a simplement pris les valeurs du PIB réel pour les années 2008 et 2009 :

$$\frac{\text{PIB réel}_{2009} - \text{PIB réel}_{2008}}{\text{PIB réel}_{2008}} \times 100$$

$$= \frac{1285,6 - 1318,1}{1318,1} \times 100$$

$$= -2,5 \%$$

TABLEAU 3.4	Évolution de la croissance économique canadienne, 2005-2009.	
Année	**PIB réel (en milliards de $ enchaînés de 2002)**	**PIB réel (variation relative en %)**
2005	1247,8	—
2006	1283,0	2,8
2007	1311,3	2,2
2008	1318,1	0,5
2009	1285,6	−2,5

Source : adapté de Statistique Canada, CANSIM, tableau 380-0017.

La figure 3.1 illustre la croissance économique canadienne de 1970 à 2009. On parle d'**expansion économique** lorsqu'il y a eu augmentation du PIB réel, c'est-à-dire lorsque la variation relative en pourcentage est positive. Plus il est élevé, plus la croissance est forte. L'économie tourne alors à plein régime, ce qui est bon signe pour l'ensemble des agents économiques. À l'opposé, si la variation relative en pourcentage est négative, comme en 2009, cela signifie que la production globale diminue et que l'économie connaît une **récession**. On dit qu'une économie est en récession lorsque le PIB réel recule durant au moins deux trimestres consécutifs. Notons qu'une diminution de la variation relative en pourcentage ne correspond pas forcément à une récession. En 2008, par exemple, le PIB réel a crû de 0,5 %. Cela signifie que le Canada a connu une augmentation de l'activité économique, mais moins forte que l'année précédente (2,2 %).

Expansion économique   Augmentation du PIB réel sur une période donnée.

Récession   Recul du PIB réel durant au moins deux trimestres consécutifs.

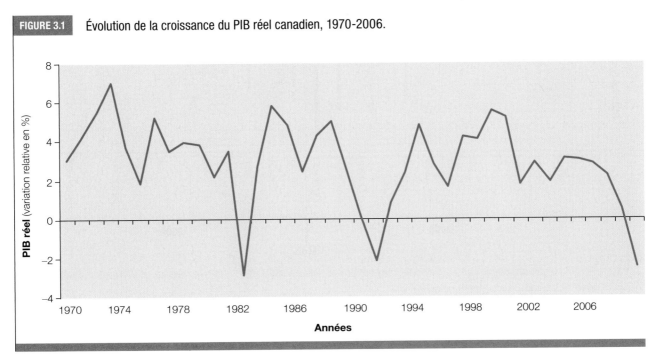

| FIGURE 3.1 | Évolution de la croissance du PIB réel canadien, 1970-2006. |

Source : adapté de Statistique Canada, CANSIM, tableau 380-0017.

Actualité économique

UN SIXIÈME MOIS DE RECUL DU PIB RÉEL : LA RÉCESSION EST CONFIRMÉE !

Même si l'on avait eu droit à certaines bonnes nouvelles au cours des dernières semaines, notamment la hausse de 1,8 % des ventes au détail exprimées en termes réels en janvier [2009], il ne faisait nul doute que la tendance générale de l'économie canadienne demeurait à la baisse. Les résultats de janvier marquent ainsi le sixième mois de recul du PIB réel [...] depuis son sommet de juillet 2008. La définition technique d'une récession correspondant à six mois de baisse du PIB réel est donc maintenant respectée.

Les données de janvier donnent aussi un premier aperçu de l'évolution du PIB réel au premier trimestre de 2009. La baisse de janvier, combinée aux effets arithmétiques de la faiblesse de l'économie à la fin de 2008, fait que l'acquis (en ne supposant aucune variation du PIB réel [...] en février et en mars) pour l'ensemble du premier trimestre est une diminution d'environ 5,7 %. Il serait toutefois étonnant que les mois de février et de mars ne se soldent pas à leur tour par une réduction du PIB réel [...]. En outre, la confiance des ménages demeure très basse, et les investissements résidentiels et non résidentiels ne montrent aucun signe de stabilisation. Il faut donc s'attendre à un recul de la production plus prononcé à l'hiver. [...] En fait, la variation sera probablement aux alentours de −7,5 % [au premier trimestre 2009]. Cela dépasserait la chute trimestrielle la plus importante de l'histoire, soit −5,9 % observée au premier trimestre de 1991.

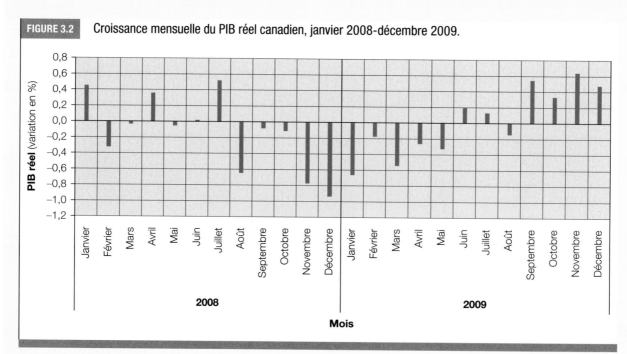

| FIGURE 3.2 | Croissance mensuelle du PIB réel canadien, janvier 2008-décembre 2009. |

Source : adapté de Statistique Canada, CANSIM, tableau 379-0027.

Source : « Nouvelles économiques », *Desjardins, Études économiques*, 31 mars 2009, [en ligne], <http://www.desjardins.com/economie> (page consultée le 2 février 2010).

L'Irlande a été le premier pays de la zone euro à entrer en récession en 2008. La banque centrale irlandaise prévoyait encore une contraction du PIB réel en 2010.

Mettez vos connaissances en pratique

1 Pourquoi dit-on que le Canada est en récession ?

2 À l'aide de la figure 3.2, déterminez la durée de la récession canadienne. Quand a-t-elle débuté et quand s'est-elle terminée ?

3 Quelle a été la variation relative en pourcentage du PIB réel du quatrième trimestre 2008 au premier trimestre 2009 si le PIB réel est passé de 1220,2 à 1197,9 milliards de dollars durant cette période ?

4 Le recul économique du premier trimestre 2009 a-t-il été le plus important de l'histoire canadienne ? Aide : calculez la variation trimestrielle annualisée du PIB réel (multipliez par 4 la réponse obtenue en 3).

3.4 INDICATEURS DE LA RICHESSE ET DU BIEN-ÊTRE D'UNE SOCIÉTÉ

Le PIB reflète assez fidèlement l'état de santé et la performance économiques d'un pays. Ce n'est cependant pas une mesure très précise de la richesse et du bien-être d'une société.

Même si beaucoup l'interprètent sans nuances comme un indicateur de la richesse d'une économie, le PIB mesure seulement ce qui est produit. En fait, le PIB est à la richesse d'un pays ce que le salaire est à la richesse d'un individu. De même qu'une personne ayant un salaire élevé est plus susceptible d'être fortunée qu'une autre ayant un salaire bas, un pays ayant connu par le passé des niveaux de production élevés est plus susceptible d'être riche que celui qui maintient de faibles niveaux de production. Mais qu'est-ce au juste que la richesse d'un pays ? À strictement parler, c'est le total de son

actif, c'est-à-dire l'ensemble de ses infrastructures (hôpitaux, écoles, routes, ponts, bâtiments, etc.).

Le PIB n'est pas non plus l'indicateur unique du bien-être d'une société, quoiqu'on observe une relation positive entre les deux. Certes, plus une société a de biens à se partager, plus le niveau de vie des citoyens est susceptible d'augmenter. Mais le bien-être est autre chose que la somme de tous les biens et services produits au cours d'une année : la santé, le niveau d'éducation, le temps de loisir et la qualité de l'environnement entrent aussi en ligne de compte.

C'est pourquoi, pour mesurer la richesse et le bien-être d'un pays, on préférera d'autres types d'indicateurs comme le PIB par habitant, l'indicateur de développement humain et le PIB vert.

LE PIB PAR HABITANT

Un pays ayant un PIB plus élevé qu'un autre pays est-il plus performant ? Pas nécessairement. Par exemple, en 2008, les États-Unis avaient un PIB près de 11 fois plus élevé que celui du Canada. Cet écart, qui à première vue semble immense, est tout à fait normal puisque les Américains sont 9,2 fois plus nombreux que les Canadiens. Quand on compare le PIB de deux pays, il est important de tenir compte de la taille de la population. C'est pour cette raison que les économistes considèrent le PIB par habitant comme une mesure plus fidèle de la performance économique d'un pays.

C'est donc souvent à l'aide du PIB par habitant que l'on fait des comparaisons internationales. Or, comme la production de chacun des pays est évaluée selon sa devise nationale, il faut également convertir toutes les valeurs en une monnaie de référence. Par convention, on utilise le dollar américain. Étant donné que le niveau des prix change d'un pays à l'autre, il est important d'ajuster l'indicateur pour tenir compte de cette différence. Les organismes internationaux utilisent le **PIB par habitant en parité de pouvoir d'achat**, ce qui signifie que l'on a pris en compte les écarts de prix et de taux de change.

Toutefois, il ne faudrait pas oublier que le PIB par habitant exprimé en dollars américains est essentiellement une moyenne. En ce sens, il ne peut être considéré, lui non plus, comme un indicateur de bien-être, puisqu'il ne tient pas compte de la répartition des revenus des habitants. En effet, si toute la production sert les intérêts de quelques personnes, le niveau de bien-être de la population entière sera très bas. Il faut que la production soit répartie de façon que chacun puisse bénéficier des biens et services produits.

L'INDICATEUR DE DÉVELOPPEMENT HUMAIN (IDH)

Établi depuis 1990 par le Programme des Nations unies pour le développement (PNUD), l'**indicateur de développement humain (IDH)** est un indice synthétique qui mesure l'évolution d'un pays selon trois critères de développement humain :

- la santé et la longévité (d'après l'espérance de vie à la naissance) ;

- la connaissance (d'après le taux d'alphabétisation des adultes et le taux brut de scolarisation) ;

- le niveau de vie (d'après le PIB réel par habitant ajusté en parité de pouvoir d'achat en dollars américains).

L'IDH est la moyenne pondérée unitaire de ces trois éléments, ramenée sur une échelle de 0 à 1. Plus cet indicateur se rapproche de 1, plus le niveau de développement du pays est élevé. Le tableau 3.5 présente l'indice (et le PIB par habitant) de quelques pays (et territoires) parmi les 182 classés par le PNUD. On constate que la Norvège se trouve première au classement selon l'IDH, tandis que le Canada se classe quatrième. C'est le Niger qui est en dernière position.

| TABLEAU 3.5 | Indicateur de développement humain (IDH) de quelques pays, en 2007. |

Rang d'IDH	Pays	PIB par habitant (en PPA)	IDH
1	Norvège	53 433	0,971
2	Australie	34 923	0,970
3	Islande	35 742	0,969
4	Canada	35 812	0,966
5	Irlande	44 613	0,965
6	Pays-Bas	38 694	0,964
7	Suède	36 712	0,963
8	France	33 674	0,961
9	Suisse	40 658	0,960
10	Japon	33 632	0,960
13	États-Unis	45 592	0,956
25	Grèce	28 512	0,942
49	Argentine	13 238	0,866
92	Chine	5 383	0,772
182	Niger	627	0,340

Source : *Rapport mondial sur le développement humain 2009*, PNUD.

PIB par habitant en parité de pouvoir d'achat Mesure du PIB qui tient compte de la taille de la population et des écarts de prix et de taux de change des pays comparés.

Indicateur de développement humain (IDH) Indice composite qui mesure l'évolution d'un pays selon trois critères de développement humain : la santé et la longévité, la connaissance, le niveau de vie.

LE PIB VERT ET LE DÉVELOPPEMENT DURABLE

Le PIB mesure toute l'activité qui passe par le marché. Or, certains types de production ont des effets néfastes sur l'environnement : dégradation de la couche d'ozone et des écosystèmes, pollution de l'air et de l'eau, destruction de ressources. Il faudrait donc soustraire du PIB les dommages causés à l'environnement.

Les premières tentatives de calcul d'un PIB vert n'ont rien donné de concluant. On a proposé de réduire du PIB les dépenses en santé occasionnées par la pollution et de mesurer les dégâts causés par la pollution en évaluant les coûts de dépollution. Cependant, il s'est avéré extrêmement difficile de mesurer les dommages subis par les ressources. En effet, à combien évaluer la disparition des bancs de morue ou la déforestation ?

Les gouvernements de plusieurs pays essaient désormais de s'appuyer sur la notion de développement durable : coordination du développement des villes et des régions, progrès socioéconomique, harmonisation des rapports entre l'humain et la nature. Toutefois, le développement durable consiste, avant tout, à faire évoluer les pratiques de consommation à long terme.

Actualité économique

ET POURQUOI PAS UNE ÉCONOMIE DE DÉCROISSANCE ? UN CONCEPT JEUNE, MAIS QUI FAIT DE PLUS EN PLUS D'ADEPTES

Jean-Philippe Fortin

La décroissance durable, vous connaissez ? Elle critique vertement croissance et consommation. Celles-ci font notre malheur quotidien et celui de la planète. Pour s'en guérir, un remède de cheval : passer d'une économie de croissance à une économie de décroissance.

Bizarrerie écolo et altermondialiste ? Utopie ? Aporie ? En tout cas, nombreux sont ceux qui reconnaissent que nous courons à la catastrophe. Aussi la tendance a-t-elle de plus en plus d'audience. En France, articles de magazines économiques ou écologistes, colloque l'automne passé, sites Internet, revue trimestrielle à paraître... jusqu'au *Monde diplomatique* qui a ouvert ses pages à l'un de ses plus ardents promoteurs, Serge Latouche, professeur émérite d'économie à l'Université Paris-Sud.

Au Québec, l'éditeur Serge Mongeau, bien connu pour son prêche en faveur de la simplicité volontaire, fait la promotion de ce concept. Sa maison, Écosociété, a publié à l'automne un recueil d'articles intitulé *Objectif décroissance*. Il a bien voulu nous expliquer cette idée qui est devenue un mouvement.

Q : D'où vient l'idée de décroissance ?

R : C'est un économiste roumain, Nicholas Georgescu-Rœgen (1906-1994), qui depuis longtemps parle de la nécessité de la décroissance. Les analyses montrent que la Terre est limitée. Nous lui imposons une charge d'exploitation et de rejet trop lourde. Avec une croissance mondiale de 3 % par an, en 14 ans, celle-ci double. Or, si tout le monde vivait comme nous, il faudrait deux planètes pour nous faire vivre.

Q : Croissance et consommation ne mènent nulle part ?

R : Actuellement, nous sommes dans une logique où plus, c'est mieux. Mais nous nous apercevons de ses conséquences, par exemple l'effet de serre, les pluies acides. Elle nuit aussi à notre santé. Nous nous nourrissons de mets préparés d'avance, nous allons au resto et nous avons des problèmes d'obésité. Et nous faisons de moins en moins d'activité physique. Il faut réduire. Or, dès que ça va mal, on nous dit le contraire : « Consommez ! » disent les gouvernements. On a vu Bush puis Chrétien le faire après le 11 septembre 2001. Même si nous arrêtions la croissance demain matin, les problèmes resteraient : le trou de la couche d'ozone est encore là pour longtemps. La consommation ne nous mène à rien.

Q : Mais le développement durable ?

R : C'est un terme impropre. « Développement », c'est la croissance. La terre ayant des ressources limitées, ça ne peut pas être « durable ». Avec ce concept, on part toujours avec l'hypothèse qu'il faut poursuivre la croissance. C'est une récupération pour faire bonne bouche : ce que gouvernements et industries ont retenu, c'est « développement ».

[...]

Q : La décroissance, c'est tout de même nuisible sur le plan économique ?

R : Nous sommes insatiables. A-t-on vraiment besoin de trois télévisions par maison ? Le téléphone cellulaire est-il nécessaire à tout le monde ? On dit souvent qu'avec moins de sur-consommation, des industries ferme-raient. Il y aurait moins de certaines choses, mais plus d'autres choses. Notre agriculture est industrielle. On pourrait revenir à une agriculture plus paysanne, avec plus de fermiers et une meilleure qualité… Si l'on cessait de produire des motomarines, l'avenir du Québec ne serait pas compromis et Bombardier pourrait faire autre chose.

Q : Vous en avez contre l'économie…

R : Les indicateurs économiques sont faussés. Le produit national brut n'a rien à voir avec le bien-être. Plus il est élevé, plus les gens sont malades. Ce qu'il faudrait, c'est le « bien-être national brut ». On se rendrait compte que les choses régressent.

[…]

Q : À quoi ressemblerait une société de décroissance ?

R : Elle serait fondée davantage sur l'échange que sur la consommation. On peut avoir une qualité de vie égale, meilleure, mais avec moins de gadgets.

Source : *La Presse*, 9 février 2004.

Mettez vos connaissances en pratique

1 À votre avis, pourquoi Serge Mongeau ne croit-il pas que la croissance économique peut être durable ?

2 À votre avis, pourquoi M. Mongeau ne considère-t-il pas le produit national brut (PNB[6]) comme un indicateur de bien-être ?

3 Comment Serge Mongeau peut-il en arriver à l'affirmation que plus le PNB est élevé, plus les gens sont malades ? Est-ce nécessai-rement toujours le cas ?

Les dommages causés par l'activité économique, comme la pollution de l'air, ne sont pas pris en compte dans le calcul du PIB.

6.   On n'utilise plus le produit national brut (PNB), mais bien le PIB, comme nous l'avons vu précédemment dans ce chapitre.

CHAPITRE 3 — En un clin d'œil

Mesure du PIB

Approche des dépenses

- Consommation (C)
- Investissements (I)
- Dépenses publiques courantes (G)
- Exportations (X)
- Importations (M)

$$PIB = C + I + G + (X - M)$$

Approche des revenus

- Rémunération des salariés (S)
- Bénéfices des sociétés avant impôts (B)
- Intérêts et revenus divers de placement (i)
- Revenus nets des entreprises (R_n)
- Ajustement de la valeur des stocks (A_s)
- Taxes nettes (T_n)
- Dépréciation (D)

$$PIB = (S + B + i + R_n + A_s) + T_n + D$$

Mesure du PIB réel

$$\frac{PIB\ nominal}{IIP} \times 100$$

Mesure de la croissance économique

Taux de croissance économique

$$PIB\ réel\,\% = \frac{PIB\ réel_t - PIB\ réel_{t-1}}{PIB\ réel_{t-1}} \times 100$$

Mesure de la richesse et du bien-être d'une société

PIB par habitant

Indicateur de développement humain (IDH)

- Espérance de vie à la naissance
- Taux d'alphabétisation des adultes et taux brut de scolarisation
- PIB réel par habitant ajusté en parité de pouvoir d'achat en dollars américains

PIB vert

CHAPITRE 3 Testez vos connaissances

QUESTIONS À COURT DÉVELOPPEMENT

1 Quel organisme gouvernemental a la responsabilité de recueillir des données et de publier des statistiques sociales et économiques au Canada?

2 Comment appelle-t-on dans la comptabilité nationale de Statistique Canada les dépenses permettant l'augmentation de la capacité de production au pays?

3 Quelles sont les quatre grandes catégories de dépenses du PIB? Laquelle est la plus importante?

4 Quel correctif faut-il apporter au produit intérieur net (PIN) pour obtenir le PIB?

5 Si les calculs du PIB du Canada selon l'approche des dépenses et celle des revenus sont respectivement de 1500 et de 1550 milliards de dollars, quelle est alors la valeur du PIB canadien?

6 Quelle est la différence entre le PIB nominal et le PIB réel?

7 Qu'est-ce que la croissance économique et comment la calcule-t-on?

8 Comment appelle-t-on une baisse du PIB réel durant deux trimestres consécutifs?

9 Le PIB est-il une mesure fidèle de la richesse et du bien-être d'une société?

10 Le PIB par habitant est-il une mesure fidèle du bien-être d'une société?

PROBLÈMES

1 Dites si les transactions suivantes sont comptabilisées dans le PIB sud-africain. Si elles le sont, identifiez dans quelle catégorie de dépenses (C, I, G, X ou M).

a) La vente de bouteilles de vin à l'étranger.

b) L'achat de voitures d'occasion.

c) La construction de cinq nouveaux stades de football.

d) Les dépenses des Sud-Africains pour des ballons de football.

e) Les dépenses des Sud-Africains pour des souvenirs achetés à l'étranger.

2 Le tableau suivant contient des données portant sur la comptabilité nationale d'un État fictif.

Composantes	Valeur (en millions de $)
Dépenses de consommation des ménages	25 280
Dépenses du gouvernement pour des fournitures de bureau	2 725
Construction de nouveaux ponts et viaducs par le gouvernement	2 456
Versements par les entreprises de taxes indirectes au gouvernement	4 587
Ventes de voitures neuves à l'étranger	6 709
Importations de vin	7 222
Dividendes versés au gouvernement	1 450
Dividendes versés aux actionnaires	1 263
Bénéfices non répartis des entreprises	1 233
Versements d'intérêts par les banques aux particuliers	1 174
Salaires versés aux fonctionnaires	20 141
Revenus des propriétaires d'immeubles	1 136
Dépenses des entreprises pour de nouvelles machines	9 153
Dépréciation des machines	4 759
Revenus nets des exploitations agricoles	1 026
Revenus nets des entreprises individuelles non agricoles	2 322
Versement des pensions de vieillesse aux retraités	2 500
Gains réalisés par les trafiquants de drogue	1 450

a) Calculez le PIB selon l'approche des dépenses. Précisez les composantes de la formule (C, I, G, X, M).

b) Calculez le PIB selon l'approche des revenus. Précisez les composantes de la formule (S, B, i, etc.).

c) Pourquoi la réponse en a) est-elle égale à la réponse en b) ?

3 Supposons qu'un pays ne produit que des iPad et des DVD. Le tableau suivant fournit les informations sur les quantités produites et les prix de ces deux biens.

Biens	2009		2010	
	Quantité	Prix	Quantité	Prix
iPad	40	500 $	40	750 $
DVD	10 000	2 $	10 000	3 $

a) Calculez le PIB nominal en 2009 et 2010.

b) Calculez le PIB réel en 2009 et 2010, en considérant 2009 comme année de référence (de base).

c) Que peut-on conclure de la réponse obtenue en b) ?

4 Le tableau suivant présente des données historiques sur le PIB (en dollars courants) ainsi que sur l'IIP au Canada.

Année	PIB nominal (en milliards de $)	IIP (2002 = 100)	PIB réel (en milliards de $ de 2002)
2005	1373,8	110,1	
2006	1450,4	113,0	
2007	1529,6	116,6	
2008	1599,6	121,4	
2009	1527,3	118,8	

Source: adapté de Statistique Canada, CANSIM, tableaux 380-0017 et 380-0056.

a) Remplissez la quatrième colonne du tableau en calculant le PIB réel en dollars de 2002.

b) Quelle a été la croissance économique du Canada de 2008 à 2009 ?

c) La situation décrite en b) peut être qualifiée de _____.

5 Le tableau suivant contient des données portant sur la comptabilité nationale du Canada, en milliards de dollars enchaînés de 2002, du 3e trimestre 2009 au 4e trimestre 2009.

Catégories de dépenses	3e trimestre 2009 (en milliards de $)	4e trimestre 2009 (en milliards de $)	Variation relative en %
Consommation (C)	814,9		0,9
Dépenses publiques (G)	273,8		1,4
Investissements (I)	282,5		0,6
Exportations (X)	414,8		3,6
Moins : Importations (M)	514,3		2,2
PIB réel	**1271,7**	—	—

Source : adapté de Statistique Canada, CANSIM, tableau 380-0002.

a) Complétez le tableau en calculant les valeurs manquantes.

b) Calculez le PIB réel au 4e trimestre 2009. Utilisez une décimale.

c) Quelle a été, en rythme annuel, la croissance du PIB réel (en pourcentage) du Canada entre le troisième trimestre 2009 et le quatrième trimestre 2009 ? Utilisez une décimale.

d) Après les exportations (X), quelle composante de la demande a été le moteur de la relance économique canadienne en 2009 ? Justifiez votre réponse.

CHAPITRE 3 Question d'intégration

Dans ce chapitre, nous avons passé en revue les principaux indicateurs qui mesurent la performance globale d'une économie ; il ne s'agit donc plus de la théorie mais de la réalité.

Pouvez-vous relier ces outils avec les modèles théoriques de la courbe des possibilités de production du chapitre 1 et le modèle de l'offre et de la demande du chapitre 2 ?

CHAPITRE 3 Laboratoires informatiques

Le but des laboratoires informatiques est d'amener l'élève, à partir d'un traitement de données incorporé dans le site de Statistique Canada, à utiliser de façon relativement simple des outils statistiques (tableaux, graphiques, mesures relatives) permettant de décrire et d'expliquer la conjoncture économique canadienne et mondiale. Pour une explication plus détaillée de la marche à suivre, voir l'avant-propos, pages IV à VI.

1 Comment se comporte l'économie canadienne ? Pour le savoir, vous entrez dans le site de Statistique Canada (http://www.statcan.gc.ca).

Cliquez sur le lien « Comptes économiques » situé en bas de l'écran. Ensuite, choisissez « Produit intérieur brut », « Tableaux sommaires », puis « Produit intérieur brut réel en termes de dépenses ». Relevez les montants du PIB réel pour les cinq dernières années et répondez aux questions suivantes.

a) L'économie canadienne connaît-elle présentement une période de récession ou d'expansion ?

b) Laquelle de ces années a connu la plus forte croissance économique ? Justifiez votre réponse à l'aide de calculs.

CHAPITRE 3 Appendice mathématique

LA VARIATION

Les indicateurs sont des données statistiques indispensables à la compréhension des phénomènes économiques. Or, ces données sont construites à l'aide de mesures descriptives. Cet appendice présente la variation, une mesure relative couramment utilisée en économie.

La variation en fonction du temps

Un grand nombre de variables économiques évoluent avec le temps, c'est-à-dire qu'elles changent de valeur d'un moment à l'autre. Le tableau A-3.1 met en évidence l'évolution du prix de l'essence au Québec entre 2002 et 2009. Le tableau indique, par exemple, que le prix de l'essence est passé de 2008 à 2009 de 118,5 ¢ à 96,4 ¢. On dit qu'il a subi une variation de −22,1 ¢ (soit 96,4 ¢ − 118,5 ¢) entre les deux périodes.

La **variation** du prix de l'essence de 2008 à 2009 se note ΔP (qui se lit « delta P ») et se calcule comme suit :

$$\Delta P = (P_{2009} - P_{2008}) = (96,4 \text{ ¢} - 118,5 \text{ ¢}) = -22,1 \text{ ¢}$$

TABLEAU A-3.1	Évolution du prix de l'essence au Québec, 2002-2009.	
Année	**Prix (en ¢/litre)**	**Variation relative (en %)**
2002	71,7	—
2003	76,5	6,7
2004	85,5	11,8
2005	96,7	13,1
2006	101,3	4,8
2007	105,5	4,1
2008	118,5	12,3
2009	96,4	−18,6

Source : Régie de l'énergie du Québec.

La variation relative

La variation, bien qu'intéressante en soi, est plus significative si on la situe par rapport à un point de comparaison. De 2008 à 2009, le prix de l'essence au Québec a diminué de 22,1 ¢. Est-ce beaucoup par rapport aux années précédentes ? Pour répondre à cette question, on compare l'augmentation ou la diminution (dans ce cas-ci) avec la valeur au début de l'intervalle, c'est-à-dire avec le prix en 2008.

La **variation relative** représente la variation, entre deux périodes données, de la variable par rapport à sa valeur initiale. Elle s'exprime habituellement en pourcentage, appelé parfois « taux de variation ». Nous n'utilisons cependant pas cette appellation, afin d'éviter toute confusion avec le taux de variation correspondant à la pente d'une fonction (notion étudiée au secondaire). La variation relative en pourcentage, notée $\Delta\%$, est donc donnée par la formule :

$$\Delta\% = \frac{\begin{array}{c}\text{valeur finale} \\ \text{(temps t)}\end{array} - \begin{array}{c}\text{valeur initiale} \\ \text{(temps t} - 1)\end{array}}{\begin{array}{c}\text{valeur initiale} \\ \text{(temps t} - 1)\end{array}} \times 100$$

Ainsi, de 2008 à 2009, le prix de l'essence a diminué de 22,1 ¢, soit une baisse de 18,6 %. Le calcul s'effectue ainsi :

$$\Delta P\% = \frac{P_{2009} - P_{2008}}{P_{2008}} \times 100$$

$$= \frac{96,4\ ¢ - 118,5\ ¢}{118,5\ ¢} \times 100 = -18,6\%$$

Aucune société ne peut être florissante et heureuse, quand la plus grande partie des ses membres reste pauvre et misérable.

Adam Smith (1723-1790), économiste écossais

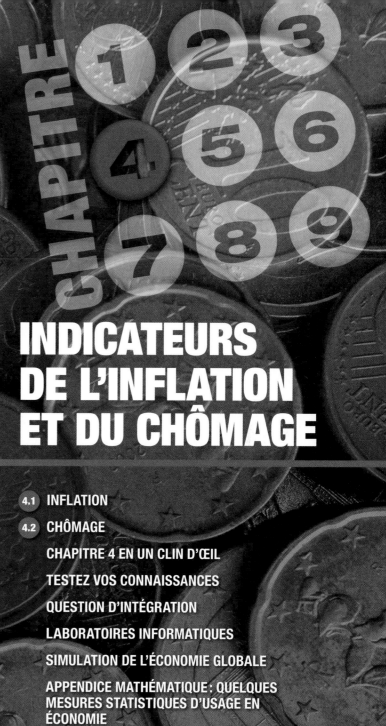

INDICATEURS DE L'INFLATION ET DU CHÔMAGE

OBJECTIFS

Après avoir lu ce chapitre, vous pourrez :

- mesurer et interpréter l'IPC et le taux d'inflation ;
- mesurer et interpréter le taux de chômage et les autres indicateurs du marché du travail ;
- identifier les conséquences de l'inflation et du chômage.

Dans le chapitre 3, nous avons vu que le PIB réel fournit une bonne indication de la situation économique d'un pays. Or, qu'en est-il des données sur le chômage (ou son contraire, l'emploi) ? Le chômage au Canada sera-t-il encore élevé en 2011 ? Affectera-t-il notre propre emploi ou nos revenus ? De nombreux Canadiens auraient bien voulu connaître la réponse à ces questions lors de la récession d'août 2008 à mai 2009. En effet, lorsque des gens perdent leur emploi ou qu'ils ne se sentent pas en sécurité sur le plan financier, leurs habitudes de dépenses et d'épargne s'en trouvent forcément modifiées. Par exemple, s'ils avaient l'intention d'acheter une nouvelle voiture, ils opteront plutôt pour une voiture d'occasion. Et s'ils avaient l'habitude de regarder le Canadien de Montréal dans un petit pub près de chez eux, ils se consoleront en le regardant à la maison avec des amis.

Pour prendre des décisions financières plus judicieuses, il est essentiel d'être bien informé. C'est donc dans cette optique que nous poursuivons, dans ce chapitre, l'étude des indicateurs économiques. Mais, avant d'aborder les indicateurs du marché du travail, attardons-nous sur les indicateurs de prix, qui, comme nous le verrons, sont également de bons instruments de mesure du niveau de vie d'un pays et de sa croissance.

4.1 INFLATION

On a tendance à percevoir le chômage comme un des principaux malaises de l'économie. Pourtant, l'inflation, beaucoup plus subtile, peut entraîner des conséquences tout aussi néfastes. La hausse soudaine des prix de la plupart des biens et services limite la capacité d'achat des agents économiques. Elle peut donc être la source du ralentissement de l'activité économique et, par ricochet, de l'emploi. Alors que le chômage ne touche qu'une partie de la population, personne n'est à l'abri de l'inflation, même si tous les ménages n'en souffrent pas avec la même intensité, puisque certains sont mieux protégés que d'autres. Dès lors, il est important d'accorder aux indicateurs de prix autant d'attention qu'à ceux du chômage.

LA DÉFINITION ET LA MESURE DE L'INFLATION

L'**inflation** est une hausse soutenue du niveau moyen des prix observée sur une période donnée. Elle se traduit donc par une perte du pouvoir d'achat de la monnaie, c'est-à-dire une baisse de la quantité de biens et services que l'on peut acheter avec un montant donné. Lorsque le niveau moyen des prix est à la baisse, on parle de **déflation**. Au Canada, pour suivre l'évolution du niveau moyen des prix, on utilise l'indice des prix à la consommation[1].

L'indice des prix à la consommation

L'**indice des prix à la consommation (IPC)** est un indicateur qui donne la moyenne pondérée des prix des biens et services consommés habituellement par les ménages au cours d'une période donnée. Pour l'établir, Statistique Canada effectue chaque mois une enquête sur un panier type de biens et services (un échantillon) composé de quelque 600 produits. Ces derniers sont d'abord répartis en 168 grandes catégories pour être ensuite regroupés en 8 composantes principales. Le tableau 4.1 indique comment se calcule l'IPC.

Pour chacune des huit composantes, Statistique Canada calcule un indice de prix, puis accorde à chacun un poids qui correspond à l'importance relative de

| TABLEAU 4.1 | Calcul de l'indice des prix à la consommation (IPC) au Canada, en 2009. |

Composantes	Facteur de pondération (2005)	Indice de 2009 (2002 = 100)
Aliments	17,04	121,4
Logement	26,62	121,6
Dépenses courantes, ameublement et équipement du ménage	11,10	107,3
Habillement et chaussures	5,36	93,4
Transports	19,88	113,1
Santé et soins personnels	4,73	112,1
Loisirs, formation et lecture	12,20	103,1
Boissons alcoolisées et produits du tabac	3,07	130,7
Total	**100,00**	**IPC = 114,4**

Source : adapté de Statistique Canada, CANSIM, tableau 326-0021.

la catégorie de produits dans le panier de consommation d'une famille canadienne type. Les pondérations, mises à jour tous les quatre ou cinq ans, permettent de déterminer quel effet le changement du prix d'un bien ou d'un service particulier aura sur le budget de l'ensemble des consommateurs. Par exemple, une augmentation de 5 % du prix du loyer n'aura pas le même effet sur le budget moyen des consommateurs qu'une augmentation de 5 % du prix des cigarettes, puisque la proportion du budget réservée au loyer est plus grande que celle consacrée à l'achat de cigarettes. Pour déterminer l'IPC, il suffit de calculer la moyenne pondérée[2] des indices de prix des différentes composantes :

$$IPC_{2009} = \frac{(17,04 \times 121,4) + (26,62 \times 121,6)}{100}$$
$$+ \frac{(11,10 \times 107,3) + ... + (3,07 \times 130,7)}{100}$$
$$= 114,4$$

Inflation   Hausse soutenue du niveau moyen des prix observée sur une période donnée.

Déflation   Baisse du niveau moyen des prix observée sur une période donnée.

Indice des prix à la consommation (IPC)   Indicateur qui donne la moyenne pondérée des prix des biens et services consommés habituellement par les ménages au cours d'une période donnée.

1. Pour une explication des indices, voir l'Appendice mathématique, p. 98-100.
2. Pour une explication de la moyenne pondérée, voir l'Appendice mathématique, p. 98-100.

le prix moyen de ce panier, que l'on établit en prenant 2002 comme année de base (on écrit alors 2002 = 100), servira de point de référence pour les variations de prix subséquentes. Pour 2009, l'IPC s'établit à 114,4, ce qui signifie qu'il fallait débourser, en moyenne, 114,40 $ en 2009 pour se procurer ce qui coûtait seulement 100 $ en 2002. Ainsi, tout changement de l'indice des prix à la consommation correspond à une variation du coût de la vie des consommateurs.

Le taux d'inflation

Comme pour le PIB qui varie dans le temps, il est intéressant de mesurer la variation relative en pourcentage de l'IPC entre deux périodes données. Cette variation, qui porte le nom de **taux d'inflation**, se mesure ainsi :

$$\text{Taux d'inflation} \atop \text{(pour la période t)} = \Delta \text{ IPC \%} = \frac{\text{IPC}_t - \text{IPC}_{t-1}}{\text{IPC}_{t-1}} \times 100$$

De 2002 à 2009, l'IPC étant passé de 100 à 114,4, le taux d'inflation a été de :

$$\Delta \text{ IPC \%} = \frac{\text{IPC}_{2009} - \text{IPC}_{2002}}{\text{IPC}_{2002}} \times 100$$

$$= \frac{114,4 - 100}{100} \times 100$$

$$= 14,4 \text{ \%}$$

Bien sûr, cela ne signifie pas que tous les prix des biens et services canadiens ont augmenté de 14,4 %, mais que les prix ont crû en moyenne de 14,4 %. Il y a donc certains produits dont le prix augmente plus que l'IPC et d'autres dont le prix augmente moins. Il peut même arriver que le prix de certains produits baisse, comme ce fut le cas pour les vêtements et les chaussures (indice de 93,4 en 2009, comparativement à 100,0 en 2002).

La flambée des prix des produits alimentaires (comme le bœuf qui a connu une hausse de 15 % en 2010) va-t-elle se traduire par une nouvelle crise alimentaire mondiale ?

Taux d'inflation   Variation relative en pourcentage de l'IPC entre deux périodes données.

La figure 4.1 illustre l'évolution des taux d'inflation au Canada et dans les pays de l'**Organisation de coopération et de développement économiques (OCDE)** de 1971 à 2009.

Globalement, on observe que les taux d'inflation, relativement bas en 1971, ont fortement progressé dans les années 1970 pour atteindre des sommets historiques de 12,5 % au Canada (en 1981) et de 14,8 % dans les pays de l'OCDE (en 1980). Cependant, au début des années 1980, et de nouveau au début des années 1990, on constate, au Canada et dans les pays de l'OCDE, une chute notable du taux d'inflation. Ce phénomène, que l'on appelle **désinflation**[3], n'est pas étranger aux politiques monétaires restrictives mises en place par les banques centrales de ces pays depuis 1980 (voir le chapitre 7). En effet, après une décennie de forte inflation, causée essentiellement par les deux crises du pétrole de 1974 et 1979, l'ensemble des pays industrialisés ont donné à la lutte contre l'inflation la priorité absolue. Aujourd'hui, ces pays affichent un taux d'inflation inférieur à 3 %, ce qui est généralement considéré comme acceptable et souhaitable par les économistes. Outre les mesures prises par les banques centrales, la mondialisation des marchés, qui suscite une concurrence intense entre les entreprises et entre les pays, contribue également à expliquer le maintien de ces faibles taux.

POURQUOI L'INFLATION EST-ELLE NÉFASTE ?

Nous sommes tous conscients de l'effet désagréable que pourrait avoir sur nos habitudes de consommation une forte hausse du prix du billet de cinéma ou encore une augmentation soudaine du prix de l'essence (voir le chapitre 2). Toutefois, imaginez ce qui arriverait si les prix de la plupart de nos achats augmentaient. En sortirions-nous gagnants au bout du compte ? Qu'en est-il

> **Organisation de coopération et de développement économiques (OCDE)** Organisation internationale multilatérale créée en 1960 et regroupant 31 pays industrialisés attachés aux principes de la démocratie et de l'économie de marché.
>
> **Désinflation** Baisse du taux d'inflation.

FIGURE 4.1 Évolution des taux d'inflation au Canada et dans les pays de l'OCDE, 1971-2009.

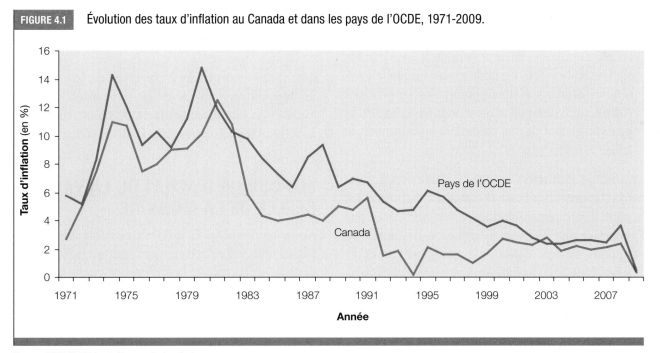

Source : OCDE.Stat Extracts (Banque de données).

---

3. Il est important de ne pas confondre « désinflation » et « déflation ». Comme nous l'avons vu plus tôt, on parle de déflation lorsqu'il y a une baisse du niveau moyen des prix, c'est-à-dire lorsque le taux d'inflation est inférieur à zéro.

exactement des effets de l'inflation sur l'ensemble des consommateurs? Afin d'y voir plus clair, examinons deux exemples qui illustrent bien ces effets.

- Trois cent vingt mille Québécois touchant le salaire minimum ont vu leur taux horaire passer, entre le 1er mai 2009 et le 1er mai 2010, de 9,00 $ à 9,50 $, ce qui représente une hausse de 5,6 %. Ces personnes se sont-elles réellement enrichies? Tout dépend de la fluctuation des prix durant cette période. S'il n'y a pas d'inflation, leur pouvoir d'achat croît forcément de 5,6 % (5,6 % − 0 %). Par contre, si l'indice des prix à la consommation augmente de 6 %, leur pouvoir d'achat recule de 0,4 %. Dans ce cas, ces travailleurs se sont appauvris, puisqu'ils ne peuvent plus acheter autant de biens et de services qu'auparavant.

- Afin de payer ses études universitaires, un étudiant place dans une institution financière un montant de 2000 $ pour un an à un taux d'intérêt de 2 %. Si, au cours de cette période, le taux d'inflation se situe à 3 %, l'étudiant aura-t-il réellement acquis davantage d'argent pour payer ses études? Non. Comme les prix auront augmenté de 3 %, le pouvoir d'achat de son placement va diminuer de 1 % (2 % − 3 %)[4].

En somme, l'inflation n'est pas néfaste en soi, mais les variations imprévues du taux d'inflation, elles, le sont. Toute personne dont le revenu ne suit pas l'évolution de l'IPC voit sa situation financière se dégrader, du fait d'une érosion de son pouvoir d'achat. Une augmentation du taux d'inflation (à moins qu'elle ne soit pleinement prévue) pénalise les prêteurs (les épargnants), qui voient leurs économies perdre de la valeur lorsqu'ils les retirent. Ainsi, plus le taux d'inflation est volatil, donc imprévisible, plus les effets que nous venons de

Qu'arrive-t-il avec le salaire minimum dans le monde? Dans le contexte de la crise économique mondiale, les pays ont réagi différemment. Par exemple, en 2010, le Québec a augmenté son taux horaire minimum de 0,50 $, tandis que l'Irlande s'apprête à le diminuer de 1,00 €.

décrire se font sentir. De façon générale, cela crée une incertitude qui décourage la consommation courante et les investissements et, du même coup, nuit à l'activité économique et à la création d'emplois.

LE POUVOIR D'ACHAT OU LA VALEUR RÉELLE DE LA MONNAIE

Nous venons de voir qu'il est possible de connaître la variation relative en pourcentage du pouvoir d'achat en calculant la différence entre la variation relative en pourcentage du revenu et la variation relative en pourcentage du niveau moyen des prix. Cependant, cette démarche ne nous donne qu'une approximation. Pour avoir une mesure précise du pouvoir d'achat, ou de la valeur réelle de la

---

4.   On obtient approximativement le taux d'intérêt «réel» en soustrayant du taux d'intérêt du marché le taux d'inflation anticipé.

monnaie, on doit transformer les dollars de l'année courante en dollars constants, c'est-à-dire en dollars d'une année de référence. Ce calcul s'effectue de la manière suivante.

$$\text{Valeur réelle} = \frac{\text{valeur nominale}}{\text{indice de prix}} \times 100$$

On qualifie de **valeur réelle** toute variable qui tient compte d'un changement du niveau moyen des prix, et de **valeur nominale** toute variable qui n'en tient pas compte. Afin de bien comprendre la distinction entre valeur réelle et valeur nominale, examinons une variable économique qui vous est bien familière, le salaire minimum.

Le tableau 4.2 présente l'évolution du salaire minimum au Québec. En dollars courants, ce salaire

> **Valeur réelle** Valeur corrigée pour tenir compte de l'inflation. Elle s'exprime en dollars constants, c'est-à-dire en dollars de l'année de référence.
>
> **Valeur nominale** Valeur qui ne tient pas compte de l'inflation. Elle s'exprime en dollars courants, c'est-à-dire en dollars de l'année en cours.

TABLEAU 4.2 Évolution du salaire minimum nominal et réel au Québec, 1995-2009.

Année	Salaire minimum (en $ courants)	Variation relative (en %)	IPC (2002 = 100)	Variation relative (en %)	Salaire minimum réel (en $ de 2002)	Variation relative (en %)
1995	6,45	—	87,6	—	7,36	—
1996	6,70	3,9	88,9	1,5	7,54	2,4
1997	6,80	1,5	90,4	1,7	7,52	−0,3
1998	6,90	1,5	91,3	1,0	7,56	0,5
1999	6,90	0,0	92,9	1,8	7,43	−1,7
2000	6,90	0,0	95,4	2,7	7,23	−2,7
2001	7,00	1,4	97,8	2,5	7,16	−1,0
2002	7,20	2,9	100,0	2,2	7,20	0,6
2003	7,30	1,4	102,8	2,8	7,10	−1,4
2004	7,45	2,1	104,7	1,8	7,12	0,3
2005	7,60	2,0	107,0	2,2	7,10	−0,3
2006	7,75	2,0	109,1	2,0	7,10	0,0
2007	8,00	3,2	111,5	2,2	7,17	1,0
2008	8,50	6,3	114,1	2,3	7,45	3,9
2009	9,00	5,9	114,4	0,3	7,87	5,6

Source: adapté de l'Institut de la statistique du Québec et de Statistique Canada, CANSIM, tableau 326-0021.

est passé de 6,45 $ à 9,00 $ entre 1995 et 2009, ce qui correspond à une augmentation d'environ 40 % $\left(\dfrac{9,00 - 6,45}{6,45} \times 100 \right)$.

Toutefois, ces valeurs ne permettent pas de distinguer l'effet de la croissance des prix de l'effet des variations du salaire minimum. Pour connaître la variation du pouvoir d'achat des bas salariés, il faut transformer ce salaire minimum exprimé en dollars courants en un salaire minimum exprimé en dollars constants, à l'aide de l'IPC.

$$\text{Salaire minimum réel} = \dfrac{\text{salaire minimum nominal}}{\text{IPC}} \times 100$$

Ainsi, en dollars de 2002, on s'aperçoit que le salaire minimum réel est passé de 7,36 $ $\left(\dfrac{6,45\ \$}{87,6} \times 100 \right)$ à 7,87 $ $\left(\dfrac{9,00\ \$}{114,4} \times 100 \right)$.

Donc, en dépit des apparences, les calculs nous démontrent que durant cette période l'accroissement du pouvoir d'achat des personnes rémunérées au salaire minimum n'aura été en fait que de 6,9 % $\left(\dfrac{7,87 - 7,36}{7,36} \times 100 \right)$.

Actualité économique

HYPERINFLATION : LE CAS ARGENTIN

Les cas d'hyperinflation sont particulièrement intéressants pour comprendre les effets néfastes de l'inflation sur le pouvoir d'achat de la monnaie et sur l'économie. Même si les économistes ne s'entendent pas tous sur un seuil à partir duquel utiliser le terme **hyperinflation**, plusieurs la définissent comme une hausse du niveau moyen des prix qui excède 50 % par mois, soit un peu plus de 1,3 % par jour.

La figure 4.2 illustre le cas argentin. En 1989, l'Argentine connaît une crise inflationniste sans précédent qui arrivera à son apogée pendant les mois de mai, juin et juillet, alors que la hausse mensuelle des prix atteint respectivement 78,5 %, 114,5 % et 196,6 %. C'est donc dire qu'au cours du dernier mois le taux d'inflation moyen a été de 2,2 % par jour. Ainsi, un livre d'économie qui coûtait 40 $ un certain lundi du mois de juillet pouvait coûter 40,88 $ le lendemain et 43,64 $ à la fin de la semaine. En un mois, le même livre est passé de 40 $ à 118,64 $, soit près de trois fois le prix initial.

Une telle hausse des prix réduit considérablement l'horizon temporel des agents économiques. Ces derniers ne peuvent plus conserver leur pouvoir d'achat, puisque les prix sont révisés de jour en jour, voire d'heure en heure. Le temps joue donc un rôle capital dans la prise de décision. D'ailleurs, à cet effet, une Argentine racontait que, durant cette période, les clients des restaurants payaient au moment de la commande par crainte de voir les prix grimper une fois le repas terminé.

Les périodes d'hyperinflation ne créent pas seulement une réduction quotidienne de la valeur réelle de la monnaie ; elles paralysent aussi l'investissement – étant donné la hausse des taux d'intérêt – et perturbent les recettes du gouvernement.

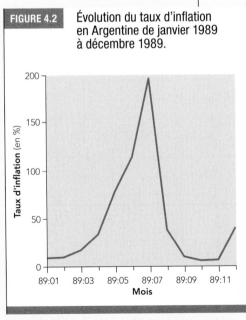

FIGURE 4.2 Évolution du taux d'inflation en Argentine de janvier 1989 à décembre 1989.

Taux d'inflation (en %)

Mois

Source : Instituto Nacional de Estadistica y Censos de Argentina.

Hyperinflation Hausse du niveau moyen des prix qui excède 50 % par mois, soit un peu plus de 1,3 % par jour.

Source : « Nouvelles économiques », *Desjardins, Études économiques*, 31 mars 2009, [en ligne], <http://www.desjardins.com/economie> (page consultée le 2 février 2010).

Tout cela engendre une instabilité générale qui se traduit presque toujours en crise sociale et politique. En Argentine, l'ampleur de la crise a entraîné des vagues de violence qui se sont soldées, pour la seule journée du 1er juin, par 14 morts et plus de 80 blessés, ainsi que par la sortie précipitée du président issu du Parti radical, Raúl Alfonsín.

EN ARGENTINE, L'INFLATION MENACE DE DEVENIR INCONTRÔLABLE

L'Argentine, dont le prix de la célèbre viande a augmenté de 40 % en deux mois, est frappée par une inflation qui menace, selon les analystes, de devenir incontrôlable.

Le taux d'inflation au cours des deux premiers mois de l'année [2010] a été de près de 5 % selon les analystes indépendants et de 2,2 % selon le très controversé Institut national des statistiques (INDEC), soupçonné par les associations de consommateurs et les économistes d'être manipulé par le gouvernement.

La croissance devait être de retour en 2010 dans le pays avec un taux de 4 à 6 % après la récession due à la crise, mais les économistes conditionnent toute reprise à une inflation sous contrôle.

Or, la hausse brutale des prix s'est déjà traduite par une baisse de la consommation de viande rouge de près de 20 % en janvier par rapport au même mois de 2009 (59 kg par habitant et par an, au lieu de 73 kg).

Le gouvernement avait réussi à préserver une viande bon marché, aliment de base dans ce pays sud-américain, en limitant les exportations au grand dam des éleveurs. Ces limitations ne suffisent plus.

Mme Kirchner a accusé les fortes pluies qui auraient poussé les producteurs depuis le début de l'année à garder plus longtemps leurs bêtes pour qu'elles s'engraissent et leur rapportent plus d'argent.

La sécheresse record de 2009, qui a frappé cruellement un cheptel d'environ 55 millions de têtes en le réduisant de plusieurs millions, a également eu un effet certain sur les prix.

Mais la hausse du prix de la viande n'est que la partie la plus visible et symbolique d'une envolée tous azimuts.

« Le gouvernement est assis sur une bombe à retardement appelée inflation », dit Nicolas Salvatore, de l'institut Buenos Aires City (BAC).

Les instituts privés avaient contesté le chiffre officiel pour 2009 (7,7 %), estimant que les prix avaient augmenté de 15 à 17 %, soit la plus forte hausse dans la région après le Venezuela (+25,1 %).

Même la Confédération générale du travail (CGT), alliée du gouvernement de Mme Kirchner, a décidé de ne plus baser ses revendications salariales sur l'indice officiel.

« L'inflation qui m'intéresse, c'est celle du supermarché », a résumé son responsable, Hugo Moyano, l'un des

Malgré l'inflation, les Argentins demeurent les plus grands consommateurs de viande au monde.

principaux soutiens d'un gouvernement qui a perdu la majorité dans les deux chambres.

L'Association des employés de banque a signé cette semaine un accord salarial basé sur un ajustement de 23,5 % en 2010, alors que le gouvernement prévoit une inflation annuelle de 6 %.

« Elle sera bien au-dessus de 20 % », dit Mariano Lamothe, de Abeceb.

L'inquiétude est d'autant plus grande que cette envolée intervient en pleine crise de la Banque centrale, dont le président Martin Redrado a été poussé à la démission pour avoir refusé de puiser dans les réserves pour payer la dette qui arrive a échéance en 2010.

La nouvelle responsable, Mercedes Marco del Pont, une fidèle du gouvernement de Mme Kirchner, estime que la Banque centrale doit être un acteur du développement et ne pas se limiter à la lutte contre l'inflation.

« Sans [un contrôle strict de la] politique monétaire, on risque de retourner au chaos des années 80 », dit l'économiste Miguel Angel Broda.

Le président Raúl Alfonsín (1983-1989) avait dû quitter le pouvoir six mois plus tôt car il ne parvenait plus à contrôler une inflation annuelle supérieure à 3000 %.

[...]

Source : Agence France-Presse, 17 mars 2010.

Mettez vos connaissances en pratique

1 Qu'est-ce que l'hyperinflation ? En quoi se différencie-t-elle de l'inflation ?

2 Quelles sont les conséquences de l'hyperinflation ?

3 Selon l'article, comment un pays peut-il se protéger contre un tel phénomène ?

4.2 CHÔMAGE

Lorsque, au terme de vos études, vous intégrerez le marché du travail, trouverez-vous facilement un emploi ? Correspondra-t-il à votre formation ? Le salaire sera-t-il conforme à vos attentes ? La réponse à ces questions dépend en partie du taux de chômage, considéré comme un baromètre de la situation du marché du travail et de la performance de l'économie.

Les chances de se trouver un emploi dépendent fortement de la conjoncture économique.

LA DÉFINITION ET LA MESURE DU CHÔMAGE

La notion de **chômage** trouve son origine dans le modèle de l'offre et de la demande. En effet, comme nous l'avons vu au chapitre 2, elle correspond à une offre de travail excédentaire, c'est-à-dire à un surplus de main-d'œuvre. Cette caractérisation du chômage semble toutefois un peu trop théorique. Plus concrètement, on le définit comme la différence entre la population active, ou main-d'œuvre disponible, et l'emploi.

Comment mesure-t-on le chômage ? Comme pour la production globale et le niveau moyen des prix, Statistique Canada recueille, depuis 1945, des données relatives au chômage à l'aide d'une vaste enquête appelée *Enquête sur la population active* (EPA). Pour la réaliser, les enquêteurs prélèvent mensuellement un échantillon aléatoire par strates et par grappes auprès de 54 000 ménages représentatifs de l'ensemble de la population canadienne. Le sondage se fait avec renouvellement de l'échantillon, un sixième des ménages étant renouvelés chaque mois, de sorte que chaque ménage demeure dans l'échantillon pendant six mois consécutifs. On établit la situation des individus de l'échantillon en leur posant des questions quant à leur participation au marché du travail. Une fois l'enquête terminée, Statistique Canada répartit la population, non institutionnalisée et en âge de travailler, en trois catégories qui s'excluent mutuellement, à savoir les personnes occupées, les chômeurs et les inactifs (voir la figure 4.3).

Les **personnes occupées** sont celles qui, au cours de la semaine de référence de l'enquête, travaillaient à temps plein ou à temps partiel. Les **chômeurs** sont les personnes qui étaient sans emploi au cours de la semaine de référence et qui avaient cherché activement un emploi au cours des quatre semaines précédentes. La somme des personnes occupées et des chômeurs donne la **population active**. En sont exclus les personnes qui vivent dans les réserves amérindiennes, les pensionnaires d'établissements institutionnels (les prisonniers, par exemple) ainsi que les membres des Forces armées canadiennes.

Quant à la **population inactive**, elle est composée des personnes âgées de 15 ans et plus ne

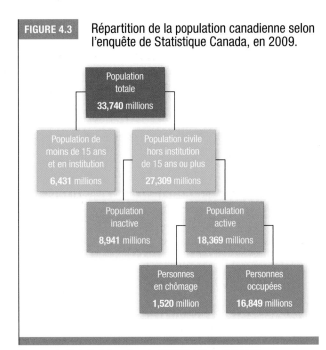

FIGURE 4.3 Répartition de la population canadienne selon l'enquête de Statistique Canada, en 2009.

Population totale — **33,740** millions

Population de moins de 15 ans et en institution — **6,431** millions

Population civile hors institution de 15 ans ou plus — **27,309** millions

Population inactive — **8,941** millions

Population active — **18,369** millions

Personnes en chômage — **1,520** million

Personnes occupées — **16,849** millions

Source : adapté de Statistique Canada, CANSIM, tableau 282-0002.

travaillant pas et ne cherchant pas d'emploi, des retraités, des étudiants à temps plein, des mères ou des pères au foyer et de toutes les autres personnes qui se déclarent non disponibles pour occuper un emploi rémunéré.

C'est à partir des données contenues dans chaque catégorie de la population que Statistique Canada estime le taux de chômage, mais aussi d'autres indicateurs de base du marché du travail comme le taux d'activité et le taux d'emploi.

Chômage Différence entre la population active, ou main-d'œuvre disponible, et l'emploi.

Personnes occupées Nombre de personnes qui, au cours de la semaine de référence de l'enquête, travaillent à temps plein ou à temps partiel.

Chômeurs Nombre de personnes qui, au cours de la semaine de référence de l'enquête, sont sans emploi et qui ont cherché activement un emploi au cours des quatre semaines précédentes.

Population active Partie de la population civile âgée de 15 ans et plus qui est occupée ou en chômage.

Population inactive Partie de la population civile âgée de 15 ans et plus qui ne travaille pas et qui ne cherche pas d'emploi.

Le taux de chômage

Le **taux de chômage** est le pourcentage des chômeurs par rapport à la population active.

$$\text{Taux de chômage} = \frac{\text{nombre de chômeurs}}{\text{population active}} \times 100$$

Au Canada, en 2009, la population active comptait 18,369 millions de personnes, dont 1,520 million de chômeurs. Le taux de chômage s'élevait donc à 8,3 % $\left(\dfrac{1,520 \text{ million}}{18,369 \text{ millions}} \times 100 \right)$.

La figure 4.4 illustre l'évolution du taux de chômage au Canada, aux États-Unis et en France, de 1980 à 2009. On peut voir que le Canada a connu des fluctuations similaires à celles des États-Unis, avec des sommets lors des récessions de 1982, de 1990-1991 et de 2008-2009. On voit aussi que le Canada a été plus performant que la France, notamment de 1987 à 1990, ainsi qu'au cours de la période 1994-2008, mais moins que les États-Unis durant les mêmes périodes. Les écarts persistants entre ces trois pays industrialisés pourraient s'expliquer en partie par le fait que le système de protection sociale est beaucoup plus généreux en France qu'aux États-Unis (le Canada se situant entre les deux), de sorte qu'en

France les travailleurs qui perdent leur emploi sont peu incités à en trouver un autre, alors qu'aux États-Unis ils doivent en trouver un très rapidement. Bien sûr, d'autres facteurs entrent en ligne de compte pour expliquer ces différences. Nous reviendrons sur les causes du chômage au chapitre 5.

Le taux d'activité

Bien que généralement utilisé pour décrire l'évolution du marché du travail, le taux de chômage tel qu'il est calculé par Statistique Canada demeure un indicateur incomplet de la situation réelle de l'emploi au pays. En effet, le taux de chômage d'un pays pourrait diminuer sans qu'il y ait eu création d'emplois. C'est ce qui se produit lorsque des personnes, que l'on qualifie alors de découragées, cessent de chercher activement du travail parce qu'elles croient nulles les possibilités d'en trouver. Pour avoir un portrait plus complet du marché du travail au pays, les économistes ont recours au **taux d'activité**, que l'on définit

> **Taux de chômage** Pourcentage des chômeurs par rapport à la population active.
>
> **Taux d'activité** Pourcentage de la population active par rapport à la population âgée de 15 ans et plus.

FIGURE 4.4 Évolution du taux de chômage en France, aux États-Unis et au Canada, 1980-2009.

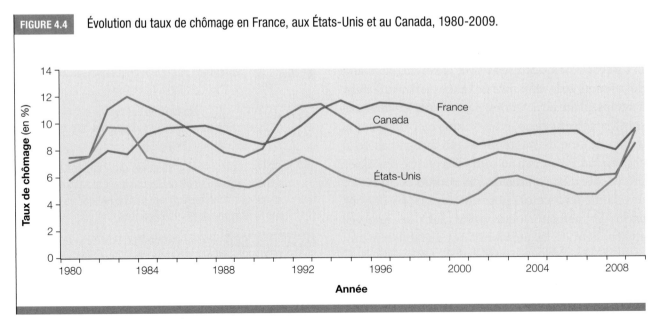

Source : OCDE.Stat Extracts (Banque de données).

comme le pourcentage de la population active par rapport à la population âgée de 15 ans et plus.

$$\text{Taux d'activité} = \frac{\text{population active}}{\substack{\text{population âgée} \\ \text{de 15 ans ou plus}}} \times 100$$

Un taux d'activité élevé est le reflet de certaines valeurs sociales, mais aussi d'une économie dynamique, puisqu'il signifie qu'une grande partie de la population en âge de travailler est intéressée à participer au marché du travail ; à l'inverse, une baisse dénote un ralentissement de l'économie ou l'effet d'un changement structurel.

Le taux d'emploi

Le **taux d'emploi**, indicateur de la disponibilité des emplois, est une mesure aussi importante que le taux de chômage et le taux d'activité. C'est le pourcentage de la population occupée par rapport à la population âgée de 15 ans et plus.

$$\text{Taux d'emploi} = \frac{\text{population occupée}}{\substack{\text{population âgée} \\ \text{de 15 ans ou plus}}} \times 100$$

Cet indicateur est particulièrement intéressant parce qu'il n'est pas influencé par les entrées et sorties de la population active, lesquelles peuvent parfois faire varier le taux de chômage sans qu'il y ait nécessairement un lien avec le dynamisme de l'économie.

LES CONSÉQUENCES DU CHÔMAGE

Le chômage est considéré avant tout comme un problème économique. En effet, la sous-utilisation des ressources humaines entraîne des coûts économiques globaux et des pertes de revenus individuels considérables.

Les plus durement touchés sont évidemment les chômeurs. En fait, leur manque à gagner correspond, du moins pour les « heureux » bénéficiaires de l'assurance-emploi, à l'écart entre les prestations et le salaire gagné. D'autres agents économiques subissent aussi les effets du chômage : le programme de prestations d'assurance-emploi constitue un coût économique pour les entreprises et les travailleurs qui y cotisent ; les gouvernements accusent eux aussi des pertes, car ils perçoivent

moins d'impôts tandis que leurs dépenses d'aide sociale augmentent.

Non seulement le chômage a des conséquences économiques pour les différents acteurs de l'économie, mais ces conséquences se répercutent également sur les plans psychologique et social. Difficilement quantifiables, les coûts humains et sociaux n'en sont pas moins lourds.

Le chômage peut occasionner une perte d'estime de soi, particulièrement chez les chômeurs de longue durée, qui voient leurs qualifications se déprécier. Plus leur période de chômage se prolonge, plus il devient difficile pour eux de réintégrer le marché du travail. Cela peut avoir des conséquences désastreuses sur le plan psychologique : dépression, divorce, voire suicide.

On observe aussi un accroissement du taux de criminalité durant les périodes où le taux de chômage est élevé. En effet, certains individus incapables de trouver un emploi peuvent être tentés de recourir à des activités criminelles telles que le vol, le trafic de drogue ou la prostitution pour subvenir à leurs besoins les plus élémentaires.

LES TYPES DE CHÔMAGE

Pour expliquer les causes du chômage, les économistes en distinguent trois types, qu'ils qualifient respectivement de conjoncturel, frictionnel et structurel.

Le chômage conjoncturel

Le **chômage conjoncturel** ou **cyclique** résulte d'un ralentissement de l'activité économique. Il peut survenir, par exemple, lorsqu'une diminution de la demande des consommateurs entraîne un surplus de production des entreprises. Ces dernières se voient alors dans l'obligation de réduire leur personnel en fonction du volume de la production.

> **Taux d'emploi** Pourcentage de la population occupée par rapport à la population âgée de 15 ans et plus.
>
> **Chômage conjoncturel (ou cyclique)** Chômage résultant d'un ralentissement de l'activité économique.

Ainsi, les mises à pied se multiplient et le niveau de chômage augmente. Ce type de chômage se résorbe habituellement lorsque l'économie retrouve son dynamisme.

Le chômage frictionnel

Le **chômage frictionnel** résulte de la mobilité normale de la main-d'œuvre. Chaque jour, de nouveaux diplômés recherchent un premier emploi, tandis que d'autres personnes tentent de réintégrer le marché du travail. Parallèlement, certains travailleurs quittent leur emploi pour en chercher un autre, et d'autres sont temporairement licenciés lors d'une réorganisation d'entreprise, par exemple. Dans une économie dynamique comme celle du Canada, il y a toujours un certain nombre de travailleurs en mouvement, c'est-à-dire qu'ils sont entre deux emplois au moment où l'on prend le pouls du marché du travail.

Le chômage structurel

Les grands bouleversements de l'économie entraînent des ajustements sur le marché du travail, lesquels impliquent parfois du chômage. Le chômage découlant d'une non-concordance entre la demande et l'offre de travail est appelé **chômage structurel**, et il peut être technologique, démographique, institutionnel ou saisonnier.

Le chômage structurel de type technologique

Des changements technologiques dans les moyens de production ou encore l'abandon de secteurs traditionnels pour de nouveaux secteurs qui requièrent des compétences différentes entraînent un problème de chômage dû à la non-concordance entre les qualifications demandées par les employeurs et les compétences que possèdent les travailleurs.

Le chômage structurel de type démographique

Des chocs démographiques, tels que l'arrivée des jeunes ou des femmes sur le marché du travail, peuvent y causer un déséquilibre, donc du chômage.

Le chômage structurel de type institutionnel

Un durcissement des critères d'admissibilité au programme d'assurance-emploi ou encore l'accroissement du salaire minimum sont de nature à accentuer le chômage structurel.

Le chômage saisonnier

Certaines activités de production, comme la pêche et la construction, sont liées à des facteurs climatiques et entraînent donc un **chômage saisonnier**. Au Canada, il est en effet normal d'observer une hausse de l'embauche dans ces secteurs en période estivale, puisque c'est à ce moment de l'année que l'activité y est la plus forte. Étant donné ces variations saisonnières, Statistique Canada publie mensuellement des données désaisonnalisées. Le taux désaisonnalisé du chômage indique l'état réel de l'économie, puisqu'il a été corrigé pour tenir compte du biais saisonnier.

Le concept de plein-emploi ou de chômage naturel

Dans une économie, le plein-emploi ne signifie pas qu'il n'y a pas de chômage. Il y aura toujours des déplacements d'un emploi à un autre et des changements structurels. C'est pourquoi on considère que le **plein-emploi**, aussi appelé **taux de chômage naturel**, équivaut à la somme du taux de chômage frictionnel et du taux de chômage structurel. En d'autres termes, c'est le taux qui subsiste lorsque le chômage conjoncturel n'existe plus, c'est-à-dire lorsque l'économie fonctionne à son plein potentiel. Au Canada, l'économiste Pierre Fortin évalue le taux de chômage naturel à 6,4 % de la population active.

Chômage frictionnel Chômage résultant de la mobilité normale de la main-d'œuvre.

Chômage structurel Chômage découlant d'une non-concordance entre la demande et l'offre de travail.

Chômage saisonnier Chômage lié à des facteurs climatiques.

Plein-emploi (ou taux de chômage naturel) Taux qui subsiste lorsque le chômage conjoncturel n'existe plus, c'est-à-dire lorsque l'économie fonctionne à son plein potentiel. Il équivaut à la somme du taux de chômage frictionnel et du taux de chômage structurel.

Actualité économique

LE CHÔMAGE A-T-IL UN SEXE AU QUÉBEC?

Au cours des dernières décennies, la présence des femmes sur le marché du travail québécois a considérablement évolué. En fait, depuis 1976 (moment où le gouvernement canadien a commencé à compiler des données relatives à l'activité des Québécois sur le marché du travail), le taux d'activité des femmes n'a cessé de progresser, passant de 41,4 % à 60,9 % en 2009, soit une augmentation de 19,5 %. Par contre, durant la même période, le taux d'activité des hommes a diminué légèrement, soit de 76,7 % à 69,8 % (voir la figure 4.5).

Si la progression vers l'égalité des sexes en matière de taux d'activité s'explique aisément (progrès technologique, tertiarisation de l'économie, conciliation travail-famille, garderies à 7 $, plus grand nombre de pères au foyer, structure par âge, diminution du nombre d'enfants par famille, etc.), les écarts de taux de chômage entre hommes et femmes semblent déconcertants. En effet, en examinant la figure 4.6, on constate que, de 1976 à 1990, le taux de chômage chez les femmes a été habituellement supérieur à celui des hommes. La seule exception à cette tendance s'est produite en 1983 et 1985, lorsque la récession a touché davantage d'hommes que de femmes. Depuis 1991, toutefois, cette tendance s'est inversée, et le taux de chômage des femmes a été constamment plus faible que celui des hommes. Les données de 2009 montrent que le taux de chômage des femmes était de 6,9 %, et celui des hommes, de 9,9 %.

Mettez vos connaissances en pratique

1. Qu'est-ce que le taux d'activité? Comment a-t-il évolué depuis 1976 au Québec?

2. Donnez deux raisons susceptibles d'expliquer pourquoi le taux de chômage est plus faible chez les femmes que chez les hommes.

3. À part les hommes, quels sont, selon vous, les groupes les plus touchés par le chômage?

FIGURE 4.5 Évolution du taux d'activité des hommes et des femmes au Québec, 1976-2009.

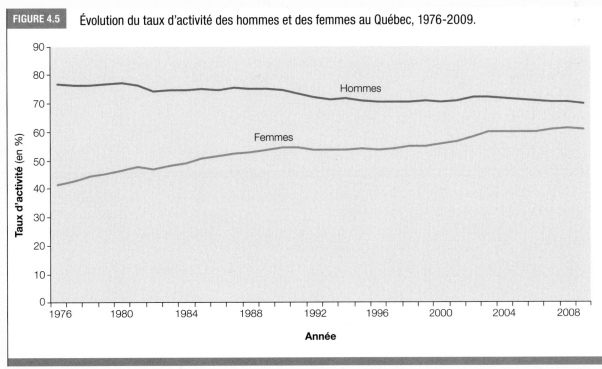

Source : adapté de Statistique Canada, CANSIM, tableau 282-0002.

FIGURE 4.6 — Évolution du taux de chômage des hommes et des femmes au Québec, 1976-2009.

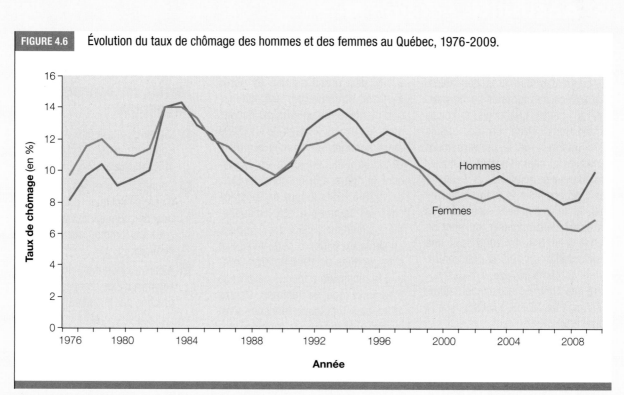

Source : adapté de Statistique Canada, CANSIM, tableau 282-0002.

CHA PI TRE **4**   En un clin d'œil

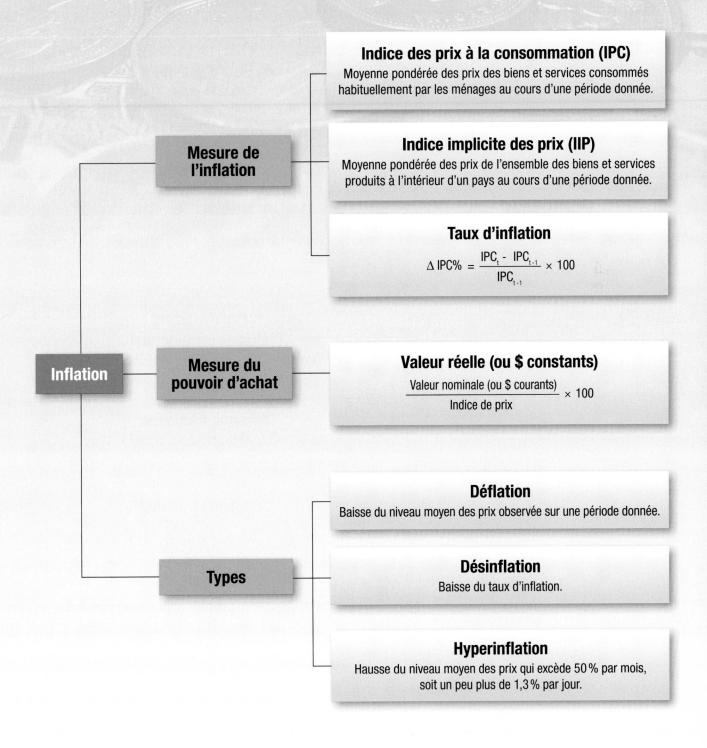

Indice des prix à la consommation (IPC)
Moyenne pondérée des prix des biens et services consommés habituellement par les ménages au cours d'une période donnée.

Indice implicite des prix (IIP)
Moyenne pondérée des prix de l'ensemble des biens et services produits à l'intérieur d'un pays au cours d'une période donnée.

Taux d'inflation

$$\Delta\ IPC\% = \frac{IPC_t - IPC_{t-1}}{IPC_{t-1}} \times 100$$

Mesure de l'inflation

Inflation

Mesure du pouvoir d'achat

Valeur réelle (ou $ constants)

$$\frac{\text{Valeur nominale (ou \$ courants)}}{\text{Indice de prix}} \times 100$$

Déflation
Baisse du niveau moyen des prix observée sur une période donnée.

Désinflation
Baisse du taux d'inflation.

Types

Hyperinflation
Hausse du niveau moyen des prix qui excède 50 % par mois, soit un peu plus de 1,3 % par jour.

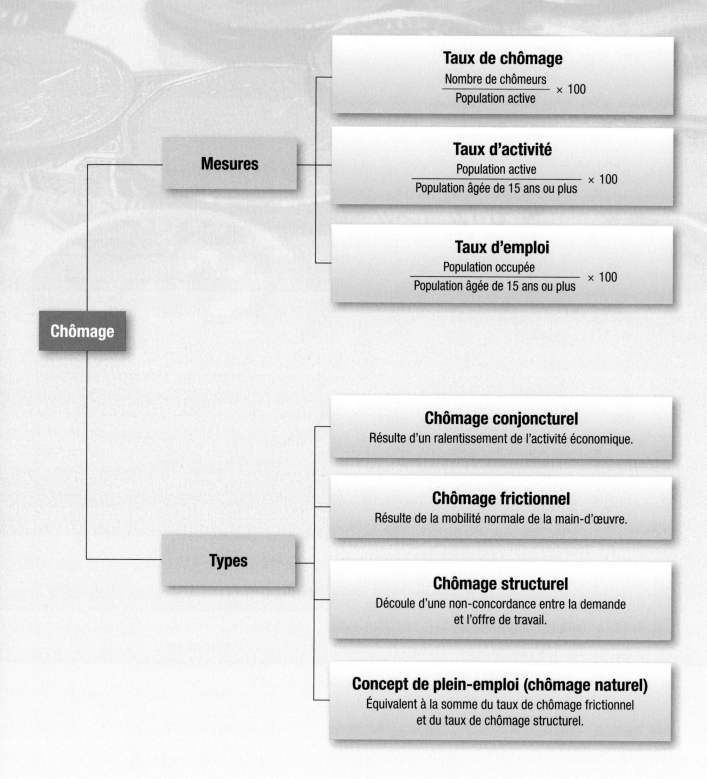

Chômage

Mesures

Taux de chômage

$$\frac{\text{Nombre de chômeurs}}{\text{Population active}} \times 100$$

Taux d'activité

$$\frac{\text{Population active}}{\text{Population âgée de 15 ans ou plus}} \times 100$$

Taux d'emploi

$$\frac{\text{Population occupée}}{\text{Population âgée de 15 ans ou plus}} \times 100$$

Types

Chômage conjoncturel
Résulte d'un ralentissement de l'activité économique.

Chômage frictionnel
Résulte de la mobilité normale de la main-d'œuvre.

Chômage structurel
Découle d'une non-concordance entre la demande
et l'offre de travail.

Concept de plein-emploi (chômage naturel)
Équivalent à la somme du taux de chômage frictionnel
et du taux de chômage structurel.

CHAPITRE 4 — Testez vos connaissances

QUESTIONS À COURT DÉVELOPPEMENT

1 Comment appelle-t-on une hausse du niveau moyen des prix au cours d'une période donnée ?

2 La désinflation est-elle caractérisée par une baisse du niveau moyen des prix ou une baisse du taux d'inflation ?

3 Vrai ou faux ? Durant une période d'inflation, le prix de certains biens peut diminuer.

4 Quel est le taux d'intérêt réel d'un placement si le taux d'intérêt nominal est de 3 % et le taux d'inflation, de 2 % ?

5 Pourquoi l'inflation est-elle néfaste ?

6 Qu'est-ce que le chômage ? Comment le mesure-t-on ?

7 Le chômage est-il considéré comme un problème purement économique ?

8 Énumérez et distinguez les trois types de chômage.

9 À quel type de chômage les nouveaux diplômés (personnes qui viennent de terminer leur DEC, par exemple) risquent-ils de faire face ?

10 Commentez l'affirmation suivante : « Le plein-emploi signifie que le taux de chômage est nul. »

PROBLÈMES

1 Un marchand prépare des mélanges de graines et de noix. Pour un de ces mélanges, les dépenses se répartissent comme suit : 25 % pour l'achat des arachides, 35 % pour l'achat des amandes et 40 % pour l'achat des noix de cajou. Sachant que les indices des prix des trois ingrédients sont respectivement de 102,6, 104,7 et 105,1, calculez l'IPC de ces trois produits alimentaires.

2 Les données du tableau qui suit portent sur l'inflation au Canada pour le mois de mai 2010.

Composantes	Facteur de pondération 2010	Indice de mai (2002 = 100)
Aliments		122,9
Logement		123,0
Dépenses courantes, ameublement et équipement du ménage		108,6
Habillement et chaussures		92,7
Transports		118,1
Santé et soins personnels		114,6
Loisirs, formation et lecture		103,6
Boissons alcoolisées et produits du tabac		132,1

Source : adapté de Statistique Canada, CANSIM, tableau 326-0020.

a) Laquelle des composantes a subi la plus forte augmentation de 2002 à 2010 ?

b) En supposant que chaque composante a la même importance, complétez le tableau et calculez l'IPC d'ensemble de 2010.

c) Quel aurait été le taux d'inflation en mai 2010 si l'IPC de mai 2009 avait été de 112,8 ?

d) À l'aide de la réponse en c), dites ce qu'il est advenu du pouvoir d'achat des travailleurs au salaire minimum si, de mai 2009 à mai 2010, leur salaire horaire est passé de 9,00 $ à 9,50 $. Justifiez votre réponse à l'aide de calculs.

3 Le tableau suivant décrit l'évolution de l'IPC en Argentine de 1998 à 2007.

Année	IPC (1999 = 100)	Année	IPC (1999 = 100)
1998	102,0	2003	141,1
1999	100,0	2004	147,3
2000	99,8	2005	161,5
2001	98,8	2006	179,1
2002	124,3	2007	194,9

Source : Instituto Nacional de Estadistica y Censos de Argentina.

a) Que signifie l'IPC de 2007 ?

b) Quel a été le taux d'inflation en 2007 ?

c) Déterminez le nombre de fois que l'Argentine a connu une déflation.

4 Le tableau suivant brosse un portrait du marché du travail dans une ville fictive en l'an 1.

Situation sur le marché du travail	Nombre de personnes (en milliers)
Population inactive	5,0
Personnes occupées	15,0
Chômeurs	5,0

a) Calculez le taux de chômage.

b) Calculez le taux d'emploi.

c) Quel est l'effet sur les taux de chômage et d'emploi si, en l'an 2, les cinq milliers de chômeurs cessent de chercher activement du travail parce qu'ils pensent n'avoir aucune chance d'en trouver ?

5 Voici certaines données concernant le marché du travail au Canada en 2002 et 2003.

Année	Population active (en milliers)	Personnes occupées (en milliers)	Chômeurs (en milliers)	Taux de chômage (en %)
2002		15 310,4	1268,9	
2003	16 958,5	15 672,3		

Source : adapté de Statistique Canada, CANSIM, tableau 282-0002.

a) Complétez le tableau en calculant les valeurs manquantes.

b) Quelle a été la variation (l'écart) du taux de chômage de 2002 à 2003 ?

c) Quelle a été la variation du nombre de chômeurs de 2002 à 2003 ?

d) Les réponses obtenues en b) et c) vous semblent-elles paradoxales ? Expliquez comment il peut y avoir à la fois une baisse du taux de chômage et une hausse du nombre de chômeurs.

6 Le tableau suivant fournit des données sur l'évolution du taux de chômage (en %) au Canada et aux États-Unis de 2002 à 2009.

Régions du monde	2002	2003	2004	2005	2006	2007	2008	2009
Canada	7,7	7,6	7,2	6,8	6,3	6,0	6,1	8,3
États-Unis	5,8	6,0	5,5	5,1	4,6	4,6	5,8	9,3

Source : OCDE.Stat Extracts (Banque de données).

a) Décrivez de façon générale l'évolution des taux de chômage au Canada et aux États-Unis.

b) Quel pays semble avoir été le plus touché par la récession de 2009 ?

CHAPITRE 4 Question d'intégration

Reliez les indicateurs vus dans ce chapitre et dans le chapitre 3 aux questions fondamentales de la science économique présentées au chapitre 1, puis évaluez-les.

CHAPITRE 4 Laboratoires informatiques

Le but des laboratoires informatiques est d'amener l'élève, à partir d'un traitement de données incorporé dans le site de Statistique Canada, à utiliser de façon relativement simple des outils statistiques (tableaux, graphiques, mesures relatives) permettant de décrire et d'expliquer la conjoncture économique canadienne et mondiale. Pour une explication plus détaillée de la marche à suivre, voir l'avant-propos, pages IV à VI.

1 Au Canada, aucune des provinces n'est également touchée par le chômage. Alors que l'Alberta s'en sort mieux que le reste du pays, les provinces maritimes sont toujours les premières à subir ce fléau. Pour comparer les taux de chômage du Québec et de l'Ontario, consultez le didacticiel de Statistique Canada (http://estat. statcan.ca). À partir de là, cliquez sur « Recherche dans CANSIM sur E-STAT » situé à gauche de l'écran, inscrivez le numéro 282-0002, puis cliquez sur « Recherche ». Ensuite, sélectionnez (en cliquant d'abord sur « Liste à cocher ») « Québec » et « Ontario ». Une fois de retour à la liste des choix, sélectionnez les options « Taux de chômage », « Les deux sexes », « 15 ans et plus » et la période allant de « 2000 » à l'année la plus récente. Pour tracer un chronogramme des taux de chômage des deux grandes provinces, cliquez successivement sur les boutons « Extraire séries chronologiques » et « Extraire maintenant ».

a) De façon générale, dans quelle province le taux de chômage est-il le plus faible ?

b) Quelle province semble avoir été la plus touchée par la récession de 2009 ? Justifiez votre réponse.

2 Afin d'étudier l'inflation au Canada, consultez le didacticiel de Statistique Canada (http://estat.statcan.ca) et recueillez des données sur l'indice des prix à la consommation. Cliquez sur « Recherche dans CANSIM sur E-STAT » et inscrivez le numéro 326-0021, puis cliquez sur « Recherche ». Sélectionnez « Canada », « Ensemble », « 1945 » à l'année la plus récente, puis cliquez sur le bouton « Extraire séries chronologiques ». Enfin, cliquez sur « Manipuler les données », choisissez la sortie « La variation en pourcentage, d'une période à l'autre » (en bas de l'écran) et cliquez sur le bouton « Extraire maintenant ». Vous obtenez le taux d'inflation pour toute la période.

a) Décrivez l'évolution du taux d'inflation.

b) Depuis 1945, déterminez le nombre de fois que le Canada a connu une déflation. Justifiez votre réponse.

c) À partir de quelle année le taux d'inflation semble-t-il être maîtrisé ? Pourquoi ?

CHAPITRE 4 Simulation de l'économie globale

Dans le jeu *Simulation de l'économie globale*, vous êtes le conseiller en chef pour toutes les questions économiques auprès du président ou du premier ministre du pays de votre choix. L'objectif principal est d'appliquer en temps opportun les politiques économiques appropriées dans le but d'améliorer la situation économique générale de votre pays.

1 Jouez une partie de 100 points contre deux autres pays gérés par l'ordinateur (c'est-à-dire conseillés par le professeur Huard).

Si c'est la première fois que vous utilisez la simulation, vous pouvez soit cliquer sur « Short Tutorial » (didacticiel abrégé) ou sur « Lesson Tutorial » (didacticiel détaillé) dans le menu principal, soit lire les instructions complètes qui accompagnent la simulation.

Si vous maîtrisez déjà le jeu, cliquez sur « New Game » (nouvelle partie) à partir de la fenêtre de départ.

Attention : lisez bien la notice concernant les pays de l'Union européenne partageant la même monnaie (zone euro) —> instructions du jeu.

2 De quel pays êtes-vous le conseiller économique en chef ?

3 Quelle est l'année que vous avez choisie pour faire cet exercice ? (Vous devez faire cet exercice entre la troisième et la dixième année de la simulation.)

4 À l'aide d'un modèle de l'interface principale (vous pouvez obtenir ce modèle en cliquant sur le fichier « Interface principale.pdf »), indiquez la position économique de votre pays ainsi que celle des autres pays de la partie. Dessinez le drapeau des pays ou utilisez une abréviation pour les désigner (ex.: CDN = Canada). Encerclez la position actuelle de votre pays.

5 À l'aide du diagramme ci-contre, donnez la direction que montre à ce moment-ci du jeu l'indicateur économique (encerclez le chiffre correspondant).

6 Si votre position économique se déplace suivant la direction actuelle de l'indicateur économique, le produit intérieur brut (PIB) de votre pays va-t-il augmenter, diminuer ou rester le même? Répondez à la même question pour le chômage et l'inflation.

7 Maintenant, cliquez sur le bouton «Economic Indicator» (indicateur économique), puis sur «Current Event» (événement de l'actualité

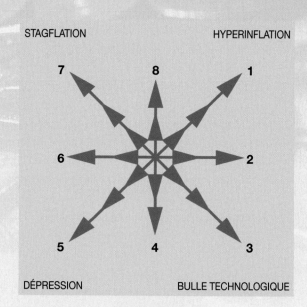

économique). Complétez la partie en sélectionnant à tour de rôle vos politiques budgétaire, commerciale et monétaire. Faites imprimer le pointage final et analysez vos résultats.

CHAPITRE 4   Appendice mathématique

QUELQUES MESURES STATISTIQUES D'USAGE EN ÉCONOMIE

Les médias emploient fréquemment des **indicateurs** pour donner de l'information sur des phénomènes économiques qui varient avec le temps ou dans l'espace. On parle, par exemple, du taux de chômage, des indices boursiers (indice S&P/TSX de la Bourse de Toronto, indice Dow Jones de la Bourse de New York, etc.) et de l'indice des prix à la consommation.

Lorsqu'on étudie un indicateur comme ceux mentionnés précédemment, il importe de bien comprendre ce que l'indicateur mesure, et, pour cela, il est utile de savoir comment on le calcule. Dans l'Appendice mathématique du chapitre 3 (voir p. 74), nous avons présenté la variation relative en pourcentage (mesure statistique qui sert à calculer la croissance du PIB réel et le taux d'inflation). Nous allons maintenant définir trois nouvelles mesures statistiques très utiles en économie: les taux, les indices et la moyenne.

Le taux

Le passage des fréquences aux taux (types de fréquences relatives) s'impose pour toute comparaison dans l'espace ou dans le temps. Un **taux** est le rapport entre deux quantités de même nature (on lui donne aussi le nom de **proportion**) ou de nature différente. Il s'exprime souvent en pourcentage (%), particulièrement lorsque les deux quantités sont de même nature. Le tableau A-4.1 en montre un exemple. Ainsi, pour obtenir le taux de réussite (de 100 % des cours) chez les garçons au collégial, on divise le nombre de garçons n'ayant échoué à aucun cours par le nombre total de garçons, puis on multiplie le résultat du quotient par 100:

$$\text{Taux de réussite (de 100 \%)} = \frac{908}{3036} \times 100$$

$$= 29,9 \%$$

Lorsqu'on exprime un taux en pourcentage, cela signifie qu'on choisit pour base de comparaison le nombre 100. Ainsi, sur 100 garçons, près de 30 n'ont

TABLEAU A-4.1	Répartition de 3036 garçons au collégial, selon le nombre de cours échoués en première session, Québec (échantillon 1992).

Nombre de cours échoués	Nombre d'étudiants	En %
0	908	29,9
1	658	21,7
2	486	16,0
3	345	11,4
4 ou plus	639	21,0
Total	**3036**	**100,0**

Source : données tirées de M. Gingras et R. Terrill, SRAM.

TABLEAU A-4.2	Évolution du prix de l'essence au Québec, 2002-2009.

Année	Prix (en ¢/litre)	Indice (2002 = 100)
2002	71,7	100,0
2003	76,5	106,7
2004	85,5	119,2
2005	96,7	134,9
2006	101,3	141,3
2007	105,5	147,1
2008	118,5	165,3
2009	96,4	134,4

Source : Régie de l'énergie du Québec.

échoué à aucun cours (ou ont réussi tous les cours). On peut également choisir comme base de comparaison, par exemple, le nombre 1 (comme nous le verrons au chapitre 9 lorsque nous étudierons le taux de change), 10, 1000 (indicateurs démographiques, tel le taux de natalité) ou même un nombre plus grand. En fait, on prend un multiplicateur d'autant plus grand que le phénomène est rare.

L'indice

Un **indice** est un nombre calculé sur une base de 100. Souvent à base temporelle, les indices facilitent l'interprétation de l'évolution d'une variable avec le temps, ainsi que la comparaison de variables ayant des unités ou des ordres de grandeur différents. On construit un indice en transformant les valeurs d'une variable en nombres, sur une échelle de base 100. La **période de base** ou de référence est établie à un niveau égal à 100, et l'indice des autres périodes se calcule simplement en faisant le rapport, multiplié par 100, des valeurs respectives de la variable à la période t et à la période de référence :

$$\text{Indice (à la période } t) = \frac{\text{valeur de la variable à la période } t}{\text{valeur de la variable à la période de référence}} \times 100$$

Le tableau A-4.2 donne le prix de l'essence (exprimé en cents par litre) au Québec, de 2002 à 2009. Ainsi, si le prix de l'essence en 2002 (année qui est considérée comme l'année de référence) est de 71,7 ¢ et qu'il est de 96,4 ¢ en 2009, alors l'indice prix de l'essence en 2009 est de :

$$\frac{96,4 \text{ ¢}}{71,7 \text{ ¢}} \times 100 = 134,4$$

Le nombre obtenu, soit 134,4, n'est pas un prix ; il ne représente pas non plus l'écart entre deux valeurs. Il indique seulement que le prix de l'essence en 2009 est égal à 134,4 % du prix de 2002 ; autrement dit, le prix de l'essence a augmenté de 34,4 % depuis 2002.

La moyenne

La **moyenne** est sans aucun doute l'une des mesures statistiques les plus populaires, car elle s'avère utile pour donner une idée d'ensemble d'une variable. Pour la calculer, il faut additionner toutes les données, puis diviser la somme par le nombre total de données. Toutefois, ce calcul ne prévaut que dans le cas de données isolées (pondération unitaire), ce qui est rarement le cas en économie. De façon plus générale, on doit additionner plusieurs fois la même valeur pour calculer la moyenne. Dans ce cas, le calcul de la moyenne s'effectue comme suit :

$$\text{Moyenne pondérée} = \frac{\text{somme des produits des valeurs par leur fréquence}}{\text{nombre total de données}}$$

Afin d'illustrer cette mesure, prenons l'exemple du taux de réussite (de 100 %) des garçons et des filles au collégial. Dans la mesure où les taux de réussite et le nombre de garçons et de filles sont connus, on peut aisément calculer le taux de réussite d'ensemble des étudiants au collégial, comme le montre la dernière ligne du tableau A-4.3.

Il est à noter qu'il est possible de se servir du poids relatif au lieu des fréquences pour calculer la moyenne. Dans l'exemple du taux de réussite des étudiants au collégial, on peut donc procéder de cette manière :

Moyenne pondérée =

$$= \frac{(3036 \times 29{,}9\,\%) + (3748 \times 41{,}9\,\%)}{6784}$$

$$= (0{,}45 \times 29{,}9\,\%) + (0{,}55 \times 41{,}9\,\%)$$

$$= 36{,}5\,\%$$

TABLEAU A-4.3   Calcul d'une moyenne pondérée.

Sexe	Fréquence	Taux de réussite (en %)
Garçons	3036	29,9
Filles	3748	41,9
Total	**6784**	**36,5**
		$\left(\dfrac{3036}{6784}\right) 29{,}9\,\% + \left(\dfrac{3748}{6784}\right) 41{,}9\,\%$

Source : données tirées de M. Gingras et R. Terrill, SRAM.

La Joconde, *vue de près,*
ressemble à un désert craquelé ;
il faut du recul pour apprécier
le mystère de son regard !

TENDANCES ET FORCES GLOBALES

OBJECTIFS

Après avoir lu ce chapitre, vous pourrez :

- reconnaître les tendances et les relations entre les principaux indicateurs macroéconomiques ;
- comprendre comment les principaux indicateurs macroéconomiques sont déterminés par les forces du marché ;
- expliquer graphiquement les causes de l'inflation et du chômage ;
- analyser les effets du multiplicateur des échanges sur le PIB.

Comment gérer les ressources rares de manière à améliorer de façon durable les conditions de vie d'une population ? Voilà la question fondamentale à laquelle tente toujours de répondre la science économique.

À chacun des trois principaux indicateurs macroéconomiques vus aux chapitres 3 et 4 correspond une situation idéale, un objectif à atteindre :

- la croissance économique, c'est-à-dire une augmentation soutenue du PIB réel ;

- la stabilité des prix, c'est-à-dire un taux d'inflation relativement bas ;

- le plein-emploi, c'est-à-dire la mise à contribution de toutes les ressources disponibles, particulièrement les ressources humaines, donc un faible taux de chômage.

L'incapacité d'une société à atteindre l'un ou l'autre de ces objectifs ne se traduit pas seulement par des données statistiques servant à alimenter les journaux et à justifier le travail des économistes ! Derrière ces indicateurs, il y a des milliers de personnes qui souffrent d'un environnement général défavorable, parce qu'elles n'ont plus rien pour nourrir leur famille, parce qu'il leur est impossible de trouver un emploi décent, parce que tout coûte si cher qu'avec un budget limité on ne peut même plus acheter l'essentiel, parce qu'il est impossible de prendre des décisions d'affaires pour l'avenir dans un environnement instable, agressif ou démotivant.

Quand on vit tous les jours dans un système économique complexe et performant, on peut en venir à en oublier la fragilité, comme ce fut souvent le cas au cours de l'histoire. Il est en effet facile, en période de prospérité économique, de relâcher la vigilance pourtant nécessaire à son maintien. Pour exercer cette vigilance, les acteurs économiques doivent comprendre et faire respecter les grands principes à la base de notre système économique qui permettent une amélioration de notre niveau de vie.

Dans ce chapitre, nous verrons comment se comportent les forces du marché global et comment les indicateurs économiques vus précédemment permettent d'en dégager les tendances.

5.1 TENDANCES ÉCONOMIQUES D'UN PAYS INDUSTRIALISÉ

Depuis la révolution industrielle, dont les débuts remontent au XVIIIe siècle en Angleterre, les recherches se sont intensifiées pour tenter de reproduire, de comprendre et d'expliquer l'évolution globale d'une économie industrialisée. Y parvenir nous permettrait en effet de mieux nous ajuster à cette évolution ou encore de prendre les moyens nécessaires pour prévenir les mauvais coups du sort. Bien qu'on arrive difficilement à trouver le modèle précis de l'évolution de la production globale d'un pays, on a été en mesure de constater que cette évolution ne se fait pas de façon complètement désordonnée, mais plutôt de façon cyclique, ce qui est déjà assez rassurant.

LES CYCLES ÉCONOMIQUES

Un **cycle économique** est constitué de phases de contraction de l'activité économique suivies de phases d'expansion, et il se répète à intervalles plus ou moins réguliers. La figure 5.1 illustre l'évolution de l'activité économique sur un certain nombre d'années. En partant d'un point précis et arbitraire de cette évolution, marqué par la première ligne verticale sur la figure, on observe d'abord une période d'«expansion» de l'activité économique (mesurée le plus souvent par le PIB réel). Cette croissance, forte au début, se fait à un rythme de moins en moins rapide (on parle alors de «ralentissement»), jusqu'à ce que soit atteint un «sommet»; la production se met ensuite à décroître: c'est la «récession». On suppose que la récession provoque un assainissement des conditions économiques générales qui permettra de stopper la décroissance, d'atteindre un «creux» et de favoriser de nouveau la «reprise» de l'activité économique.

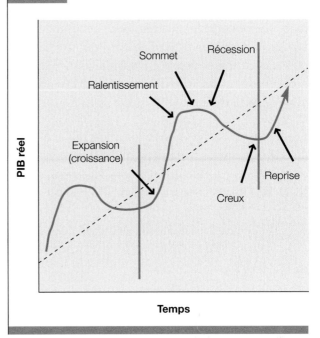

FIGURE 5.1 Cycle économique.

Sommet · Récession · Ralentissement · Expansion (croissance) · Reprise · Creux · PIB réel · Temps

Cycle économique Fluctuations du PIB réel composées d'une alternance de phases d'expansion, de ralentissement, de récession et de reprise.

Haïti est tristement habituée aux crises politiques, économiques et humanitaires, mais, malheureusement, aussi aux catastrophes naturelles: ouragans, séismes, etc.

En excluant les fluctuations de l'activité économique (les cycles économiques), on observe, sur une plus longue période, une tendance générale, représentée par la ligne pointillée sur la figure, correspondant à une croissance continuelle de l'activité économique et donc du niveau de vie. Mais en est-il ainsi dans la réalité ?

En observant la figure 5.2, qui illustre l'évolution du PIB réel du Canada depuis 1980, on s'aperçoit que la réalité ne s'éloigne pas trop du scénario idyllique. En effet, on constate que le PIB réel n'a reculé que trois fois, soit en 1982, en 1991 et en 2009. Toutes les autres années ont été marquées par une hausse de l'activité économique. Même la récente période de recul économique généralisée à l'échelle mondiale ne semble pas s'être prolongée plus de six trimestres au Canada puisque les données préliminaires de Statistique Canada, pour le premier trimestre de 2010 nous apprend que le PIB réel avait regagné tout le terrain perdu pendant la récession ou la crise économique (voir la rubrique « Liens entre la théorie et la réalité économiques » ci-après, qui explique la différence entre les deux concepts).

FIGURE 5.2 Évolution du PIB réel au Canada, 1980-2009.

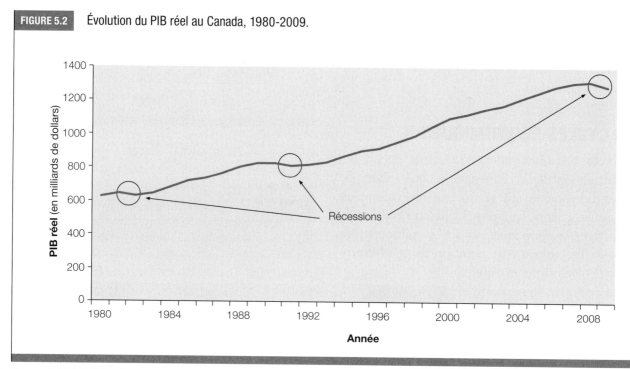

Source : adapté de Statistique Canada, CANSIM, tableau 380-0017.

Liens entre la **théorie** et la **réalité** économiques

RÉCESSION, CRISE ÉCONOMIQUE OU DÉPRESSION ?

À partir de la seconde moitié de l'année 2007, d'importants groupes financiers dans les pays les plus riches de la planète ont connu des problèmes de liquidités majeurs à la suite de l'effondrement des cours des produits financiers les plus risqués. De nombreux pays moins riches ont connu de telles situations au cours des cinquante dernières années, mais leur importance relative moindre dans l'économie mondiale n'a remis en question ni la croissance économique dans les pays riches, ni la gouvernance de l'économie mondiale. Cette fois, ce sont de grandes banques aux États-Unis et en Europe qui se sont retrouvées en faillite ou qui en ont été empêchées par les pouvoirs publics. Cette situation économique délicate a été suivie en 2009-2010 par la crise de la dette souveraine (dette de l'État) de certains pays d'Europe comme la Grèce, l'Espagne et la Hongrie. Des pays ayant un niveau économique moyen éprouvent ainsi des problèmes de remboursement ou de financement de leurs emprunts.

Cette situation a pour effet de contraindre sévèrement le financement des activités économiques à tous les niveaux, plongeant l'économie mondiale dans un ralentissement de la croissance, puis dans un recul de la production réelle. Lorsqu'il est question de cette période, les autorités parlent généralement d'une crise financière et économique. Dans le cas de 2008-2010, on parle aussi du plus sévère recul économique depuis la grande dépression des années 1930.

Alors, quelle est la différence entre une crise économique, une récession économique et une dépression ? Il n'y a guère de consensus dans la communauté scientifique pour distinguer nettement ces concepts. Si le concept de récession est généralement défini comme un recul du PIB réel durant au moins deux trimestre consécutifs, à partir de quel moment une récession devient-elle une crise ? Pour tenter de répondre, on pourrait utiliser deux éléments : l'ampleur de la situation et ses répercussions dans l'économie réelle. La **crise économique** se caractérise par une détérioration inhabituelle des conditions économiques révélée par la plupart des indicateurs de l'activité économique : la baisse du PIB réel est accompagnée d'une forte augmentation du taux de chômage et d'une baisse marquée de

l'emploi, des investissements et des dépenses de consommation. L'importance de ces perturbations entraîne nécessairement une certaine restructuration des règles de fonctionnement de l'économie. Par ailleurs, si cette crise économique est accompagnée d'une grave crise financière qui dure plusieurs trimestres, on parle généralement d'une **dépression**.

En se basant sur ces éléments, on peut qualifier de crise économique les difficultés économiques qu'ont eues les pays riches dès 2007-2008. Toutes les autorités économiques – Fonds monétaire international, Organisation de coopération et de développement économique, banques centrales – s'entendent pour dire que le recul économique a été significatif à plusieurs égards, même s'il n'a pas atteint les sommets dramatiques de la grande dépression des années 1930. De plus, cette crise constituera à coup sûr un tournant dans la gouvernance mondiale. Bien qu'il faille toujours jouer de prudence avec les prévisions, on peut

s'attendre entre autres à la mise en place d'une structure réglementaire des activités financières beaucoup plus élaborée pour chaque pays et à une collaboration beaucoup plus poussée à l'échelle internationale pour faire respecter ces règlements. Cette orientation marque une rupture certaine avec les trente dernières années, alors que le discours dominant de ces organismes de référence prônait généralement une déréglementation de l'activité économique. L'autre élément nouveau qui semble ressortir de cette crise, c'est que la reprise est surtout l'affaire de ce qu'on appelle les pays émergents alors que les pays riches devraient connaître une plus ou moins longue période de reprise de faible ampleur. Cette crise économique est-elle suffisamment grave pour la qualifier de dépression ? Malheureusement, comme il arrive très souvent, ce n'est qu'après coup qu'on pourra mesurer plus précisément l'ampleur des dégâts et savoir si cette crise est une dépression, mais il semble qu'on ait réussi à limiter la durée de la crise financière.

William A. Phillips (1914-1975) est un ingénieur néo-zélandais qui a consacré une grande partie de ses travaux à la modélisation économétrique (corrélation négative entre le taux de chômage et les salaires nominaux en Grande-Bretagne, par exemple).

Mettez vos connaissances en pratique

1 Quel a été le déclencheur de la crise de 2007 ? Quelle est sa particularité ?

2 Quelle est la définition générale d'une récession ?

3 Selon le texte, quels sont les deux grands éléments qui distinguent une récession d'une crise économique ?

4 Selon le texte, quels seraient les deux changements structurels qui accompagnent la crise économique de 2007-2009 ?

Crise économique Situation caractérisée par une forte baisse de l'activité économique, un taux de chômage élevé et une chute des investissements et de la consommation.

Dépression Crise économique accompagnée d'une crise financière.

Qu'est-ce qui pourrait expliquer le caractère cyclique de l'activité économique ? Sur ce point, les recherches ne sont pas concluantes. Les analyses les plus courantes suggèrent qu'après une période de croissance les entreprises effectuent une révision de leurs activités de production, qu'on appelle « rationalisation », ce qui entraîne un recul de l'activité économique. L'aspect cyclique de l'activité économique porte aussi à croire que les agents économiques ont un certain comportement de groupe, obéissant aux mêmes signaux et ajustant leurs activités de façon assez similaire en fonction de ceux-ci.

LES RELATIONS ENTRE LES PRINCIPAUX INDICATEURS MACROÉCONOMIQUES

Le taux de chômage et le taux d'inflation dépendent grandement de la phase du cycle économique. À la figure 5.3, on constate une relation inverse assez nette entre le taux de chômage et le PIB réel. Par exemple, lorsque l'économie canadienne est en récession, comme en 1991 et en 2009, le taux de chômage a tendance à augmenter. Inversement, il a tendance à diminuer durant les phases de croissance comme celle de 1993-2007. Concrètement,

cela signifie que les entreprises licencient des employés quand l'économie tourne au ralenti et qu'elles en embauchent quand l'économie se porte mieux.

Toutefois, lorsqu'on examine le taux d'inflation, on s'aperçoit que sa relation avec le PIB réel est bien moins claire. Théoriquement, on devrait observer une augmentation des prix lorsque l'économie croît et l'inverse lors d'une récession. Or, ce n'est pas toujours le cas. Par exemple, lorsqu'on observe l'évolution des principaux indicateurs au cours des années 1980, on s'aperçoit que le PIB était à la hausse, ce qui, comme on pouvait s'y attendre, fit baisser le taux de chômage ; cependant, le taux d'inflation demeura relativement stable. Par contre, lors de la récession mondiale de 2008-2009, les indicateurs réagirent selon le scénario prévisible : la récession fut en effet accompagnée d'une hausse du taux de chômage et d'une baisse prononcée du taux d'inflation.

Quant à la relation entre le taux d'inflation et le taux de chômage, on devrait normalement s'attendre à

FIGURE 5.3   Évolution indicielle des trois grands indicateurs macroéconomiques, au Canada, 1980-2009.

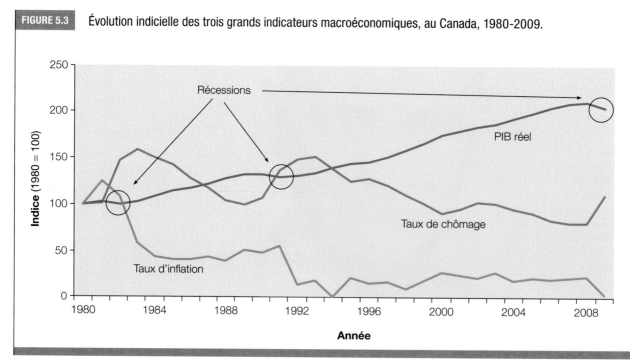

Source : adapté de Statistique Canada, CANSIM, tableaux 380-0017, 282-0002 et 326-0021.

La Chine est devenue en 2010 la 2ᵉ puissance économique mondiale derrière les États-Unis. Une des clés de ce succès : les salaires. Le coût horaire moyen d'un ouvrier y est de 0,70 $US contre 21 $US aux États-Unis.

ce qu'elle soit inverse : lorsque le taux de chômage diminue, signe d'une amélioration des conditions économiques générales, la pression sur les prix devrait augmenter, et cela devrait se traduire par une hausse du taux d'inflation. Et l'inverse devrait se produire lorsque le taux de chômage augmente. En observant la figure 5.4, on s'aperçoit que c'est habituellement le cas. Par exemple, au cours de la période 1994-2001, le taux de chômage a diminué alors que le taux d'inflation a augmenté modérément. Cependant, au cours de la période

1983-1988, les taux d'inflation et de chômage ne semblent pas avoir varié en sens inverse.

Comment expliquer ces variations parfois imprévisibles ? C'est parce que nous sommes habitués à porter notre attention sur une composante importante de l'activité économique, la demande, mais que nous oublions souvent de considérer aussi l'offre, c'est-à-dire le comportement des entreprises dans le processus de fixation des prix et de l'emploi (et donc du taux de chômage). En tenant compte des

FIGURE 5.4   Évolution des taux de chômage et d'inflation, au Canada, 1980-2009.

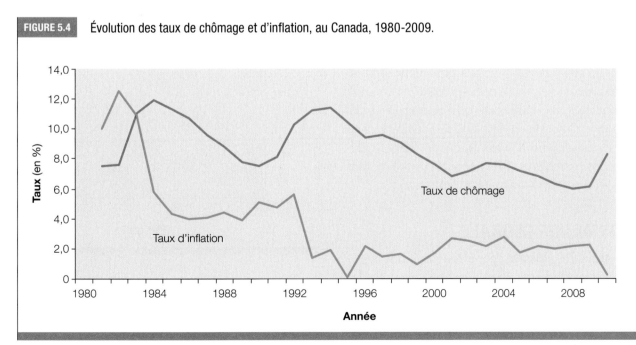

Source : adapté de Statistique Canada, CANSIM, tableaux 282-0002 et 326-0021.

deux groupes d'agents économiques, on peut expliquer plus adéquatement l'évolution des grands indicateurs économiques.

5.2 FORCES DU MARCHÉ GLOBAL

Pour comprendre l'évolution économique d'un pays, il faut avoir une vision globale de la vie en société. C'est ce qu'apporte la notion de marché. En effet, on peut répartir les millions de décisions des agents économiques en deux grandes composantes : des milliers d'entreprises qui fournissent des biens et services si les conditions générales le permettent, et des millions d'acheteurs qui se les procurent s'ils en ont la possibilité. Cet immense encan détermine le nombre de biens et services vendus (influant sur le PIB réel), leur prix de vente (influant sur l'indice implicite des prix ou le taux d'inflation) et la main-d'œuvre nécessaire à leur production (influant sur le taux de chômage). Nous retrouvons donc ici les trois grands indicateurs macroéconomiques dont nous avons parlé aux chapitres 3 et 4.

Comme pour les composantes de la vie économique en société (les marchés individuels), les économistes utilisent le modèle de l'offre et de la demande pour expliquer ce qui se passe globalement, à l'échelle d'un pays. Comprendre ce qui se passe dans nos sociétés, c'est comprendre les grandes variables qui influencent les deux grands groupes d'agents de la vie économique, les offreurs et les demandeurs. Pour ce faire, nous reprenons le modèle de l'offre et de la demande du chapitre 2, à la différence qu'il sera utilisé pour l'économie dans son ensemble. Cela nous servira de cadre d'analyse pour illustrer le fonctionnement global de nos marchés et nous permettra aussi d'expliquer les causes du chômage et de l'inflation.

LA DEMANDE GLOBALE

La **demande globale** (appelée « demande agrégée » par certains auteurs) représente l'ensemble des quantités de biens et services que les agents économiques sont disposés à acheter à différents niveaux de prix. Elle n'est ni plus ni moins que le PIB réel mesuré selon la méthode des dépenses. Rappelons que ces dépenses proviennent des consommateurs (C), des entreprises (I), des gouvernements (G) et des étrangers (X).

$$D^G = C + I + G + (X - M)$$

La courbe de la demande globale

La courbe de la demande globale illustre un barème théorique entre différents niveaux de prix globaux possibles et les quantités globales correspondantes de biens et services qu'aimeraient se procurer les agents économiques à l'échelle du pays. Bien sûr, ce barème n'existe pas réellement, quoiqu'on puisse tenter d'en dresser le portrait à l'aide d'une étude de marché, par exemple. Comme la loi de la demande que nous avons vue au chapitre 2 dans le cas d'un marché particulier, la loi de la demande globale est fondée sur le principe selon lequel, toutes choses étant égales par ailleurs, les agents économiques désireraient acheter une quantité moindre de biens et services lorsque le niveau des prix augmente et une quantité plus importante lorsque le niveau des prix diminue. La demande globale est représentée graphiquement à la figure 5.5.

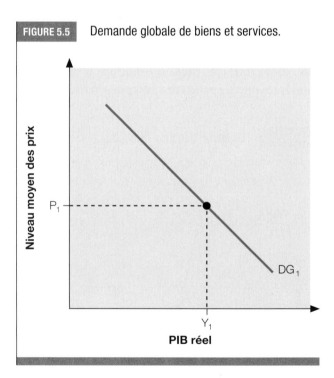

FIGURE 5.5 Demande globale de biens et services.

> **Demande globale** Ensemble des quantités de biens et services que les agents économiques sont disposés à acheter à différents niveaux de prix.

La pente négative de la demande globale s'explique principalement par deux effets, que nous avons vus au chapitre 2 :

● l'effet de revenu ;

● l'effet de substitution.

D'abord, une hausse du niveau moyen des prix signifie une perte du pouvoir d'achat autant pour les consommateurs que pour les entreprises, ce qui se traduit par une diminution des intentions d'achat. Ensuite, elle incite les agents économiques à retarder leurs achats ou encore à remplacer certains produits par des produits étrangers, devenus plus attrayants.

Les déterminants de la demande globale

Si les différents niveaux de prix expliquent les variations de la quantité demandée et la pente de la demande globale, d'autres facteurs, qui interviennent aussi dans les intentions d'achat des agents économiques, influent sur la quantité demandée, quel que soit le niveau de prix ; c'est alors toute la courbe de la demande qui se déplace, vers la gauche s'il y a diminution (DG_3), vers la droite s'il y a augmentation (DG_2). Ces déplacements sont illustrés à la figure 5.6.

On appelle ces facteurs qui affectent toute la demande globale les « déterminants de la demande globale ». On imagine aisément que ces déterminants sont innombrables, d'autant plus que notre analyse se situe à l'échelle globale de l'économie.

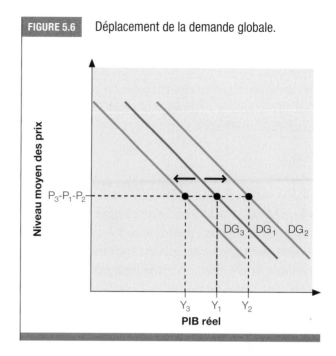

FIGURE 5.6 Déplacement de la demande globale.

Certaines variables ou certains déterminants sont cependant plus significatifs que d'autres. C'est ce que la science économique tente d'établir et de mesurer. Par exemple, on peut penser que des difficultés économiques affectant les pays étrangers, surtout les États-Unis dans le cas du Canada, puisqu'ils sont de loin notre principal partenaire commercial, auront pour effet de diminuer les intentions d'achat de biens et services au Canada et donc de diminuer la demande globale, et inversement lorsque la croissance économique est forte chez ces mêmes partenaires commerciaux. Le tableau 5.1 donne quelques exemples de ces déterminants de la demande globale de biens et services dans un pays.

TABLEAU 5.1 Principaux déterminants de la demande globale.

À la hausse	À la baisse
Hausse des revenus des consommateurs (C)	Baisse des revenus des consommateurs (C)
Confiance plus grande en l'avenir	Confiance moins grande en l'avenir
Plus d'agents économiques	Moins d'agents économiques
Augmentation des dépenses d'investissement (I)	Diminution des dépenses d'investissement (I)
Les politiques macroéconomiques*	
Baisse des impôts	Hausse des impôts
Hausse des dépenses publiques (G)	Baisse des dépenses publiques (G)
Baisse des taux d'intérêt	Hausse des taux d'intérêt
Dévaluation de la monnaie	Évaluation de la monnaie

* Les modalités des politiques macroéconomiques sont présentées en détail aux chapitres 6, 7 et 9.

L'OFFRE GLOBALE

L'offre globale désigne l'ensemble des quantités de biens et services que les entreprises sont disposées à offrir à différents niveaux de prix. Elle est donc directement associée à la production globale, c'est-à-dire au PIB réel (Y).

$$O^G = Y$$

La courbe de l'offre globale

Les entreprises productrices de biens et services réagissent elles aussi aux prix du marché, mais pas dans le même sens que les acheteurs. Pour les entreprises, une hausse du niveau des prix signifie généralement davantage de profits et donc la possibilité de produire de façon plus rentable ; inversement, une baisse du niveau des prix signifie moins de profits et une rentabilité plus faible. C'est la loi de l'offre. Cette loi concorde avec la loi générale des coûts croissants de court terme, selon laquelle, toutes choses étant égales par ailleurs, on utilise les ressources les plus productives au début de la production, de sorte que, à la fin, on a besoin de plus de ressources pour produire la même quantité. L'offre globale théorique de biens et services est représentée à la figure 5.7.

En observant bien le graphique, on remarque que les intentions de production augmentent généralement à mesure que le niveau moyen des prix augmente, mais que cette augmentation atteint un plafond. En effet, on estime qu'à partir d'un certain niveau, que nous avons appelé $Y_{plein-emploi}$ (c'est-à-dire la quantité de plein-emploi), la production globale ne peut plus augmenter, et ce, même si les prix continuent d'augmenter. Pourquoi ? Parce qu'à l'intérieur d'une certaine période (le court terme) les entreprises doivent composer avec des contraintes de ressources. On comprend bien que, si demain matin tous les pays du monde venaient acheter leurs biens et services au Canada, les entreprises canadiennes ne pourraient suffire à la demande, puisque leurs capacités physiques sont limitées et que la main-d'œuvre utile ne peut être multipliée du jour au lendemain.

Les déterminants de l'offre globale

Si les différents niveaux de prix expliquent les variations de la quantité offerte et la pente de l'offre globale, d'autres facteurs, qui interviennent aussi dans les intentions de produire des agents économiques, influent sur la quantité offerte, quel que soit le niveau des prix ; c'est alors toute la courbe de l'offre qui se déplace, vers la gauche s'il y a diminution (OG_3), vers la droite s'il y a augmentation (OG_2). Ces déplacements sont illustrés à la figure 5.8.

> **Offre globale**   Ensemble des quantités de biens et services que les entreprises sont disposées à offrir à différents niveaux de prix.

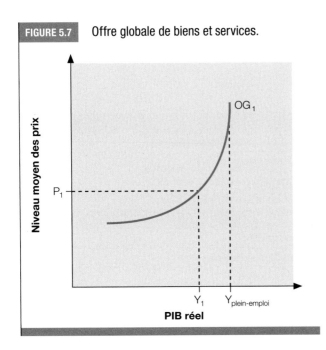

FIGURE 5.7   Offre globale de biens et services.

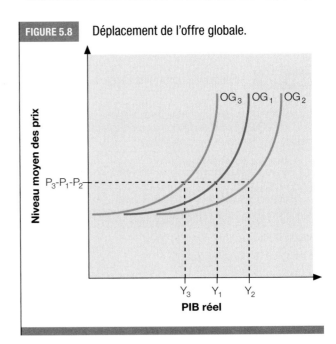

FIGURE 5.8   Déplacement de l'offre globale.

TABLEAU 5.2	Principaux déterminants de l'offre globale.	
À la hausse	**À la baisse**	
Baisse des coûts de l'énergie	Hausse des coûts de l'énergie	
Stabilité politique et sociale	Instabilité politique et sociale	
Baisse des coûts de la main-d'œuvre	Hausse des coûts de la main-d'œuvre	
Les politiques macroéconomiques*		
Baisse des impôts sur les bénéfices**	Hausse des impôts sur les bénéfices	
Subventions	Réglementations plus nombreuses	
Encadrement financier rigoureux	Accès restreint au capital de risque	

* Les modalités des politiques macroéconomiques sont présentées en détail aux chapitres 6, 7 et 9.

** Une variation des impôts peut aussi provoquer une modification des investissements (I) et donc de la demande globale.

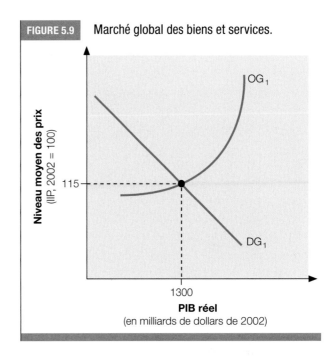

FIGURE 5.9 Marché global des biens et services.

Ces facteurs qui affectent toute l'offre globale sont appelés « déterminants de l'offre globale ». Comme pour la demande globale, ces déterminants sont innombrables, puisque notre analyse se situe à l'échelle globale de l'économie. Certaines variables ou certains déterminants sont cependant plus significatifs que d'autres. Par exemple, on peut penser (mais cela devra être prouvé) qu'une augmentation significative du fardeau fiscal des entreprises aura pour effet de diminuer les intentions des entreprises d'offrir des biens et services au Canada, et donc de diminuer l'offre globale, et inversement lorsque le fardeau fiscal diminue significativement. Le tableau 5.2 donne quelques exemples de ces déterminants de l'offre globale de biens et services dans un pays.

L'ÉQUILIBRE SUR LE MARCHÉ GLOBAL DES BIENS ET SERVICES

Nous savons que le marché global est composé d'agents économiques ayant le désir et la capacité de se procurer des biens et services (la demande globale solvable) et d'entreprises désireuses de les produire de façon profitable. Tous les jours, des millions de décisions de production et de consommation contribuent à déterminer les conditions macroéconomiques générales au pays : le niveau moyen des prix, la production et le chômage. Ce marché global est représenté graphiquement à la figure 5.9.

Évidemment, la réalité est beaucoup plus complexe, mais ce modèle relativement simple nous permet d'analyser les milliers d'événements de la réalité économique et de réduire la multiplicité des cas de l'économie globale à trois situations seulement : une économie de plein-emploi, une économie de sous-emploi et une économie de suremploi que l'on appelle généralement « économie inflationniste ». Voyons en détail ces trois types d'équilibre macroéconomique.

L'économie de plein-emploi

Le graphique de la figure 5.10 représente une économie qui affiche un niveau de production globale (PIB réel) de plein-emploi. Ici, les ressources sont utilisées au maximum, ce qu'on peut constater par la forme de la courbe de l'offre globale qui, au niveau de production de 1400 milliards (une valeur fictive), devient verticale. Même si la demande globale augmentait pour une raison ou pour une autre, la production ne pourrait augmenter au-delà de ce niveau maximal, du moins tant que les ressources demeureraient inchangées.

L'économie de plein-emploi, c'est la situation optimale : la croissance économique est soutenue, les

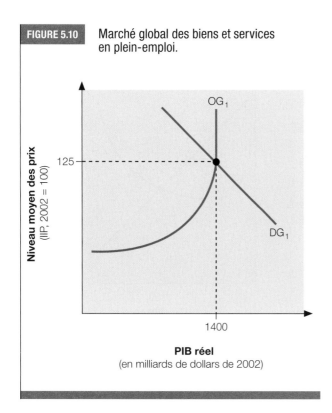

FIGURE 5.10   Marché global des biens et services en plein-emploi.

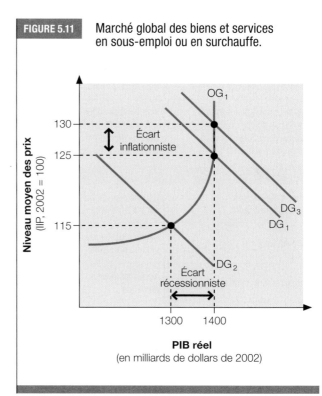

FIGURE 5.11   Marché global des biens et services en sous-emploi ou en surchauffe.

ressources productives sont pleinement utilisées et le niveau des prix est stable et acceptable. Si on pouvait y maintenir l'économie globale de façon permanente, ce serait l'idéal. Mais les innombrables forces qui viennent perturber les échanges entre les agents économiques font que l'économie globale se retrouve la plupart du temps en situation de sous-emploi ou de suremploi.

L'économie de sous-emploi ou de suremploi

Pour plusieurs raisons, il peut arriver que les intentions d'achat des agents économiques (C, I, G, X) ne correspondent pas exactement à ce que les entreprises aimeraient offrir en utilisant toutes les ressources disponibles. L'économie globale se retrouve alors en situation de sous-emploi ou de suremploi.

La situation de sous-emploi survient quand la demande globale est insuffisante pour l'utilisation maximale des capacités des entreprises. Cette situation est représentée à la figure 5.11, lorsque l'économie globale est en équilibre entre OG_1 et DG_2, avec un niveau des prix égal à 115 et

un PIB réel de 1300 milliards de dollars de 2002. On constate alors que les entreprises pourraient produire pour un montant supérieur, puisque leur production maximale correspond à 1400 milliards de dollars de 2002. Cet écart de production est appelé « écart récessionniste ».

Il se peut aussi que les agents économiques veuillent acheter davantage de biens et services que ce que les entreprises peuvent fournir, du moins à court terme. Cette situation est aussi représentée à la figure 5.11, lorsque l'économie globale est en équilibre entre OG_1 et DG_3, avec un niveau des prix égal à 130 et un PIB réel de 1400 milliards de dollars de 2002. Dans ce cas, on constate qu'une demande globale DG_3 plus élevée qu'une demande globale DG_1 n'a pas eu pour effet de faire augmenter la production réelle de biens et services ; l'offre globale est verticale, c'est donc que les entreprises fonctionnent à plein régime. Tout ce que cette demande globale excédentaire a provoqué, c'est un niveau des prix plus élevé, donc un taux d'inflation plus élevé. L'écart entre le niveau des prix du plein-emploi et ce niveau des prix résultant d'une demande excédentaire est appelé « écart inflationniste ». Cela signifie, dans la réalité, qu'une demande globale qui dépasse ce que les entreprises peuvent offrir, compte tenu de leurs capacités de production, ne se traduit que par un taux d'inflation plus élevé.

5.3 EXPLIQUER LA RÉALITÉ À L'AIDE DU MODÈLE DE L'OFFRE ET DE LA DEMANDE GLOBALES

Les modèles théoriques doivent nous permettre de réfléchir avec méthode, certes, mais aussi nous aider à comprendre le monde dans lequel nous vivons. C'est ce que fait le modèle de l'offre et de la demande globales. On peut en effet l'utiliser pour expliquer des événements qui se sont produits dans le passé, ou encore pour prédire ce qui adviendrait si tel ou tel événement se produisait.

LES CAUSES DU CHÔMAGE CONJONCTUREL

Les pages économiques des journaux annoncent qu'une hausse du taux de chômage est survenue pendant la dernière année au Canada. Comment expliquer une telle situation à l'aide du modèle d'équilibre global ?

On sait qu'habituellement une hausse du taux de chômage est associée à une baisse de l'activité économique et donc à une baisse du PIB réel. Selon le modèle global, une telle situation ne peut avoir que deux explications : une baisse de la demande globale ou encore une baisse de l'offre globale, comme le démontrent les figures 5.12 et 5.13.

À la figure 5.12, on voit que le point d'équilibre se déplace sur la courbe de l'offre, le niveau moyen des prix passant de 115 à 110 et le PIB réel, de 1300 à 1250. À la figure 5.13, c'est sur la courbe de la demande que se déplace le point d'équilibre, le niveau moyen des prix et le PIB réel passant, dans ce cas, de 115 à 120 et de 1300 à 1250 respectivement.

LES CAUSES DE L'INFLATION

Pour contrôler l'inflation, il faut évidemment être en mesure d'en expliquer les causes. Bien que, dans

la réalité, plusieurs facteurs puissent être à l'origine d'une hausse du niveau moyen des prix, on observe invariablement un excès de la demande globale de biens et services par rapport à la capacité de production des entreprises.

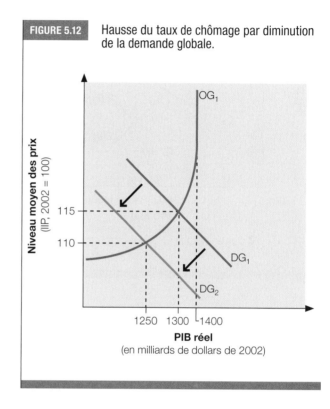

FIGURE 5.12 Hausse du taux de chômage par diminution de la demande globale.

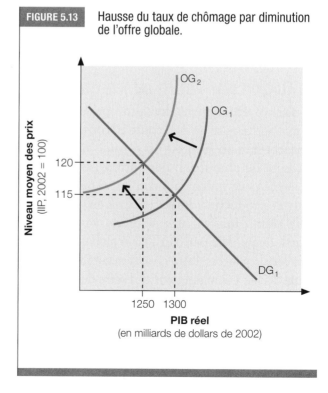

FIGURE 5.13 Hausse du taux de chômage par diminution de l'offre globale.

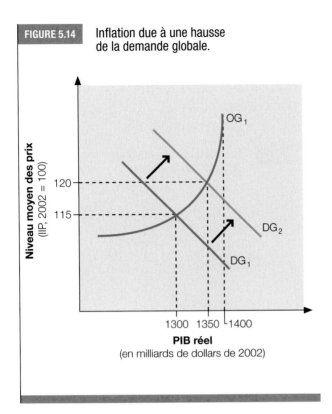

FIGURE 5.14 Inflation due à une hausse de la demande globale.

L'inflation par la demande

Une augmentation non anticipée de la demande globale aura pour effet de faire augmenter le niveau moyen des prix (voir la figure 5.14). Même si une telle inflation est accompagnée d'une hausse du PIB réel, et donc d'une certaine amélioration des conditions économiques, elle pourrait, si elle était excessive, créer des conditions défavorables pour les périodes subséquentes.

L'inflation par l'offre ou les coûts

En science économique, lorsqu'on parle de coûts, on n'entend pas ce qu'il en coûte au consommateur pour obtenir un bien ou un service, mais plutôt les coûts de production des entreprises. Ainsi, si un événement influe de façon importante sur les coûts de production des entreprises en général (on parle alors d'une variable significative, comme la hausse du prix du pétrole), l'offre globale se déplacera vers la gauche. Cette situation est illustrée à la figure 5.15. Ce déplacement de l'offre devrait avoir pour conséquences une diminution du PIB réel et une augmentation rapide du niveau moyen des prix. On appelle **stagflation** cette crise de l'offre qui combine chômage et inflation. Le même phénomène joue également en sens inverse.

Voilà comment s'expliquent les situations où le taux de chômage et le taux d'inflation augmentent simultanément, comme celle dont il était question à la figure 5.4.

LA RELATION ENTRE L'INFLATION ET LE CHÔMAGE

Nous venons de voir que le modèle de l'offre et de la demande globales constitue un cadre d'analyse efficace pour bien comprendre les causes du chômage et de l'inflation. Toutefois, puisqu'il ne les place pas à l'avant-plan, ce modèle ne permet pas de déduire facilement la relation entre les deux.

En novembre 1958, William A. Phillips (1914-1975), ingénieur néo-zélandais, publia, dans la revue *Economica*, un article faisant apparaître une relation inverse entre le niveau de chômage et le pourcentage de variation des salaires en Grande-Bretagne, de 1861 à 1957. Quelques années plus tard, certains

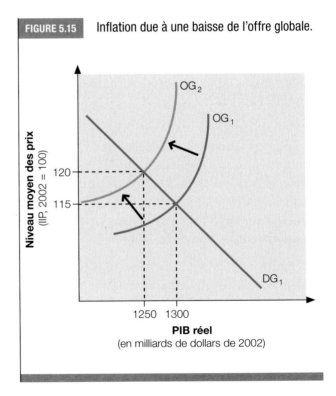

FIGURE 5.15 Inflation due à une baisse de l'offre globale.

| Stagflation | Conjoncture économique défavorable caractérisée par la coexistence d'un chômage et d'une inflation relativement élevés. |

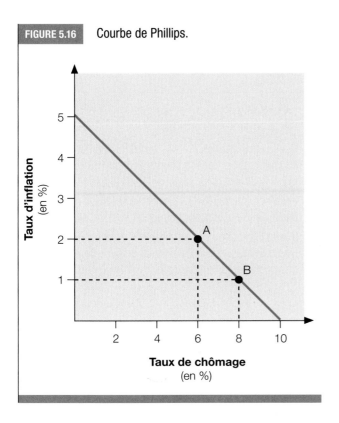

FIGURE 5.16 Courbe de Phillips.

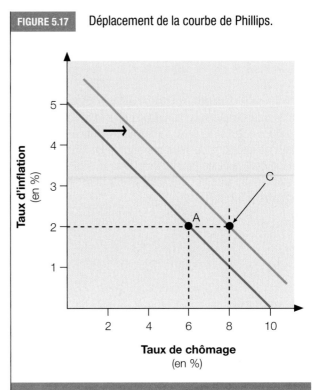

FIGURE 5.17 Déplacement de la courbe de Phillips.

économistes américains trouvèrent que le niveau des salaires était représentatif du niveau moyen des prix et que leur évolution correspondait au taux d'inflation. C'est ainsi qu'on considéra que la **courbe de Phillips** faisait partie intégrante de la macroéconomie dans les années 1960.

La représentation graphique de la relation inflation-chômage, illustrée à la figure 5.16, démontre que, toutes choses étant égales par ailleurs, le taux d'inflation est élevé lorsque le taux de chômage est faible (au point A), et vice versa (au point B). Mais d'où provient cette corrélation négative entre ces deux malaises de l'économie ? En réalité, elle n'est que le reflet du modèle offre globale – demande globale. Quand la demande globale croît (voir la figure 5.14), la demande de biens et services et de main-d'œuvre est élevée, de sorte que l'inflation augmente et le chômage baisse. À l'inverse, lorsque la demande globale diminue (voir la figure 5.12), la demande de biens et services et de main-d'œuvre est faible, de sorte que l'inflation baisse et le chômage augmente.

Mais la courbe de Phillips ne pouvait expliquer les situations où le taux de chômage et le taux d'inflation diminuaient simultanément. Cela se produit lorsque surviennent des changements structurels qui font se déplacer toute la courbe de Phillips (voir la figure 5.17) et qui se répercutent la plupart du temps sur l'offre globale. Par exemple, une réglementation plus sévère du marché du travail entraînerait un déplacement de la courbe de Phillips vers la droite. Ainsi, pour un même taux d'inflation, le taux de chômage serait plus élevé (point C de la figure 5.17) ; de même, pour un même taux de chômage, le taux d'inflation serait plus élevé. On observerait donc une augmentation simultanée du taux de chômage et du taux d'inflation à la suite du changement survenu sur le marché du travail.

> **Courbe de Phillips** Courbe qui montre la relation négative entre l'inflation et le chômage.

Liens entre la **théorie** et la **réalité** économiques

LA RELATION ENTRE L'INFLATION ET LE CHÔMAGE

La figure 5.18 illustre la relation entre le taux d'inflation et le taux de chômage au Canada pour la période 1994-2009. En 2008, le taux d'inflation était de 2,3 % et le taux de chômage de seulement 6,1 %. En 2009, le scénario était quelque peu inversé : le taux d'inflation était relativement près de zéro, alors que le taux de chômage s'élevait à 8,1 %.

Mettez vos connaissances en pratique

1. Quelle est la relation entre le taux d'inflation et le taux de chômage au Canada pour la période 1994-2009 ?

2. Sur quelle théorie la réponse obtenue en 1 repose-t-elle ? En d'autres mots, qu'est-ce qui explique une telle relation entre le taux de chômage et le taux d'inflation ?

3. Quelle distinction fondamentale y a-t-il entre l'analyse que vous avez faite en 1 et l'analyse de la limite des possibilités de production (voir le chapitre 1) ?

FIGURE 5.18 Courbe de Phillips au Canada, 1994-2009.

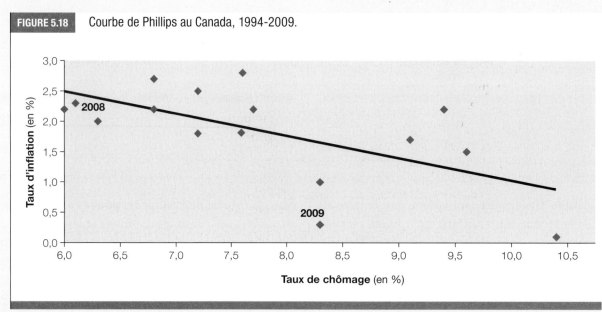

Source : adapté de Statistique Canada, CANSIM, tableaux 326-0021 et 282-0002.

Actualité économique

LA BAISSE DE LA MONNAIE UNIQUE

Un niveau de 1,20 dollar [pour 1 euro] est bien plus favorable à la compétitivité de la zone euro que le cours de 1,50 dollar du début de l'année [2010]. Il représente une bonne nouvelle pour des économies qui tournent au ralenti avec un moteur domestique doublement grippé par la crise et les plans de rigueur. Certains économistes […] vont encore plus loin

en proclamant que la chute ordonnée de l'euro constituerait la meilleure chance de sauvetage de l'Union européenne. Le schéma traditionnel de reprise passe par la stimulation des exportations. […] La profitabilité des entreprises sera ainsi améliorée, ce qui profitera à l'emploi et aux revenus.

Mettez vos connaissances en pratique

1. À l'aide du modèle de l'offre et de la demande globales, expliquez pourquoi la baisse de l'euro ne serait pas nécessairement inflationniste pour les pays de la zone.

Source : Sébastien Julian et Emmanuel Lechypre, « Europe : la diète ou la purge », *L'Expansion*, 1er juillet 2010.

5.4 MULTIPLICATEUR DES ÉCHANGES

À la section 5.2, nous avons présenté trois états statiques de l'économie globale : l'équilibre macroéconomique de long terme, une économie de sous-emploi et une économie en surchauffe inflationniste. Résumée de cette façon, l'évolution de l'économie globale semble assez facile à maîtriser et ne devrait pas poser de difficulté particulière à nos dirigeants. Toutefois, une observation même sommaire du monde dans lequel nous vivons suffit à nous convaincre que les défis à relever sont de taille. C'est qu'une dynamique macroéconomique, lorsqu'elle est enclenchée, n'est pas facile à maîtriser ou à détourner de sa route. Cela s'explique en partie par le **multiplicateur des échanges**, parfois appelé « retombées économiques ».

Le principe du multiplicateur est assez simple : 1 $ dépensé par un agent économique constitue un revenu pour un autre qui le dépensera en tout ou en partie, et ainsi de suite. C'est la dynamique des échanges globaux qui engendre la croissance économique d'une période à l'autre, lorsque les conditions favorables aux échanges sont réunies. Cet effet multiplicateur est illustré à la figure 5.19.

Supposons qu'au départ l'économie globale se trouve au point a, en situation de sous-emploi. À la suite d'une augmentation des dépenses d'un groupe d'agents économiques (dans le secteur de la construction résidentielle, par exemple), la demande globale augmente et l'économie globale se retrouve au point b. Or, si on tient compte des revenus qu'ont perçus les différents agents économiques et qui leur permettent de dépenser davantage, l'effet final induit est plus important que les seules dépenses du secteur de la construction. Ainsi, à la fin, l'économie globale se retrouve non pas au point c, impossible à atteindre étant donné les capacités de production, mais au point f, beaucoup plus près du plein-emploi que le point a (dans l'appendice de ce chapitre, nous démontrons pourquoi l'effet multiplicateur d'une dépense initiale n'est pas infini).

Bien sûr, l'effet multiplicateur des dépenses des agents économiques ne fonctionne pas toujours aussi efficacement : des fuites dans la cascade des dépenses viennent en réduire l'ampleur (voir le tableau 5.3). Comme l'effet multiplicateur se produit autant dans le sens positif que dans le sens négatif, on peut comprendre l'effet boule de neige de l'évolution d'une économie globale. Lorsqu'à la suite d'un choc important (une crise énergétique, par exemple) les agents économiques cessent de dépenser, l'effet multiplicateur peut faire sombrer assez rapidement l'économie globale. Aux chapitres 6 et 7, nous verrons comment il est possible d'éviter le pire grâce à certains instruments de la politique économique.

FIGURE 5.19 Effet multiplicateur des dépenses des agents économiques.

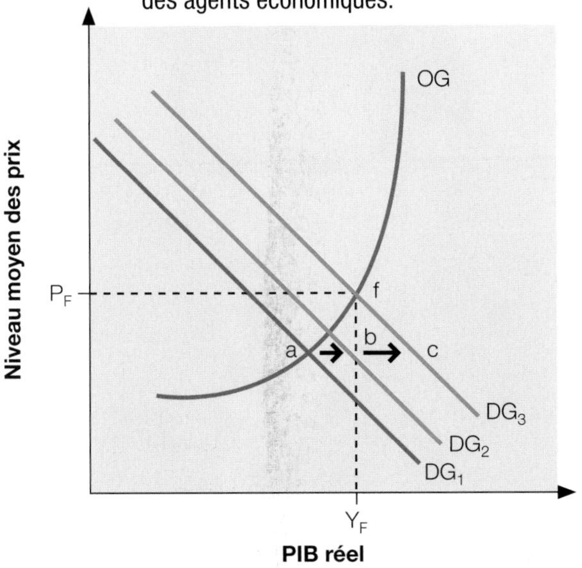

TABLEAU 5.3	Effet multiplicateur : les injections et les fuites.
Les injections	
Dépenses des agents économiques (C, I)	
Mesures gouvernementales	
Exportations	
Les fuites	
Épargnes des agents économiques (C, I, G)	
Impôts et taxes	
Importations	

Multiplicateur des échanges Concept utilisé par John Maynard Keynes qui montre comment une variation des dépenses autonomes des agents économiques peut provoquer une variation plus importante du revenu global.

Actualité économique

FAIBLE ÉPARGNE, FORT ENDETTEMENT

Le contexte canadien actuel est particulier dans la mesure où la baisse draconienne des taux d'intérêt a engendré un devancement des dépenses de consommation, la plus forte composante de l'économie. La croissance ahurissante d'environ 4 % des dépenses des ménages au cours de chacun des trois derniers trimestres ne pourra se poursuivre. Certes le bilan financier des ménages canadiens est encore bien plus sain que celui des ménages américains puisque les prix des maisons sont maintenant 4,2 % au-dessus de leur sommet d'avant la récession, un record de tous les temps. En revanche, le phénomène naturel qui accompagne un tel effet de richesse en période de bas taux d'intérêt est un changement du taux d'épargne. La forte poussée de la consommation canadienne s'est effectuée au détriment de l'épargne. Alors que le taux d'épargne est de 6,4 % aux États-Unis, celui des ménages canadiens vient de reculer de près de 250 points de base, à seulement 2,8 %. Ainsi, le passé ne sera pas garant de l'avenir pour l'économie canadienne. La bonne performance de la consommation a été faite plus tôt au détriment de l'avenir.

Source : BANQUE NATIONALE GROUPE FINANCIER, *Le mensuel économique*, septembre 2010, p. 6-7.

Mettez vos connaissances en pratique

1. À l'aide du modèle de l'offre et de la demande globales, expliquez et représentez graphiquement pourquoi les spécialistes de la Banque nationale prévoyaient un avenir moins positif pour l'économie globale canadienne à l'été 2010.

2. Au cours de la période visée par ce court texte, l'économie canadienne s'est-elle comportée conformément aux prévisions des spécialistes de la Banque nationale ? Effectuez une courte recherche des données économiques récentes pour le vérifier.

Évolution de la pensée économique

L'ÉCONOMIE GLOBALE EN ÉQUILIBRE PERMANENT ?

Faut-il laisser agir les forces du marché ou intervenir ? Deux visions s'affrontent depuis deux siècles : le libéralisme et l'interventionnisme.

Adeptes du libéralisme, les théoriciens de la pensée classique, comme Adam Smith (1723-1790) et Jean-Baptiste Say (1767-1832), soutiennent que, dans une situation de concurrence parfaite où les forces du marché sont libres d'agir (il n'y a donc aucune intervention gouvernementale), l'économie globale revient toujours, à la longue, à un équilibre général de plein-emploi. Selon eux, toute intervention de l'État fausse les signaux sur lesquels se fondent les agents économiques pour prendre les décisions qui permettent de corriger rapidement les dysfonctionnements des échanges.

Jean-Baptiste Say (1767-1832), économiste classique français très célèbre dont la principale contribution est la loi de Say : l'offre crée sa propre demande, ce qui revient à dire que la création d'un produit trouverait toujours un débouché à d'autres produits.

Selon les interventionnistes, comme John Maynard Keynes ou John Kenneth Galbraith, une économie globale laissée à elle-même pourrait se retrouver pendant une période relativement longue en déséquilibre global de sous-emploi ou d'inflation exagérée, ce qui aurait, on s'en doute, des conséquences désastreuses sur le niveau de vie de la population. Ainsi, tandis qu'une approche, dite keynésienne, prône l'intervention de l'État pour corriger les déséquilibres macroéconomiques, l'autre, dite classique, considère qu'une telle intervention serait nuisible.

Les théoriciens modernes de l'école classique, dont Milton Friedman, représentent verticalement l'offre globale de long terme, comme dans la figure 5.20, c'est-à-dire qu'elle correspond toujours au niveau des capacités de production présentes dans l'économie.

Qui a tort, qui a raison ?

Réunissez deux économistes, vous aurez trois opinions, dit-on. Mais voyons plutôt le consensus qui se dégage des faits. Peu d'experts recommandent de laisser les marchés complètement libres de fonctionner à leur guise, bien que la plupart des économistes s'entendent pour dire que les forces du marché sont de puissants mécanismes qui ont fait leurs preuves en matière de gestion des ressources. Néanmoins, on considère généralement que le coût d'option qu'entraîne la décision de laisser le marché global revenir de lui-même au plein-emploi sans inflation exagérée est si élevé qu'on ne peut se permettre de le faire. Une politique économique appropriée doit donc compenser les faiblesses du marché à résoudre lui-même les problèmes de chômage et d'inflation excédentaires en un temps raisonnable. Les modalités d'application d'une telle politique seront expliquées dans les deux chapitres suivants.

FIGURE 5.20 Équilibre de long terme selon les théoriciens modernes de l'école classique.

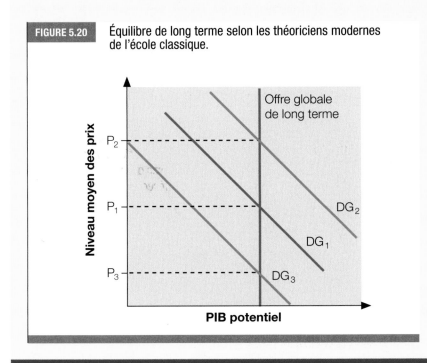

En un clin d'œil

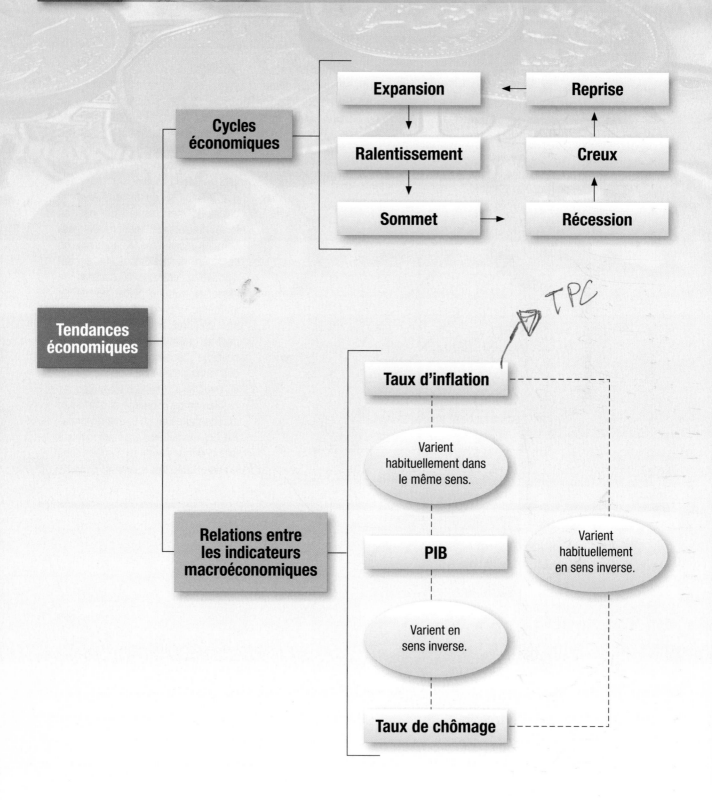

Demande globale

Ensemble des quantités de biens et services que les agents économiques sont disposés à acheter à différents niveaux de prix.

Déterminants

- Revenus des consommateurs
- Niveau de confiance
- Agents économiques
- Dépenses d'investissement
- Impôts
- Dépenses publiques
- Taux d'intérêt

Forces du marché global

Équilibre

Équilibre de suremploi

La demande globale excède l'offre globale.

Équilibre de plein-emploi

Les ressources sont utilisées au maximum.

Équilibre de sous-emploi

Le PIB réel est insuffisant pour que soient utilisées toutes les ressources.

Offre globale

Ensemble des quantités de biens et services que les entreprises sont disposées à offrir à différents niveaux de prix.

Déterminants

- Coût de l'énergie
- Stabilité politique et sociale
- Coût de la main-d'œuvre
- Impôts sur les bénéfices
- Subventions
- Accès au capital de risque

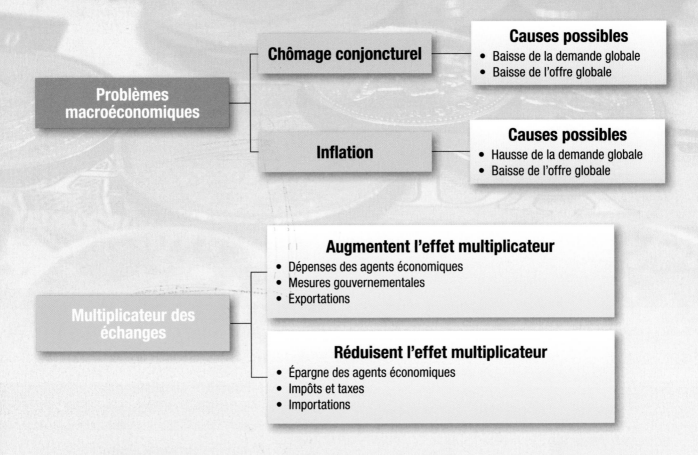

Problèmes macroéconomiques

Chômage conjoncturel
- **Causes possibles**
  - Baisse de la demande globale
  - Baisse de l'offre globale

Inflation
- **Causes possibles**
  - Hausse de la demande globale
  - Baisse de l'offre globale

Multiplicateur des échanges

Augmentent l'effet multiplicateur
- Dépenses des agents économiques
- Mesures gouvernementales
- Exportations

Réduisent l'effet multiplicateur
- Épargne des agents économiques
- Impôts et taxes
- Importations

CHAPITRE 5 Testez vos connaissances

QUESTIONS À COURT DÉVELOPPEMENT

1. Peut-on dire que, dans la réalité, l'évolution de l'économie est prévisible ?

2. Qu'est-ce qui caractérise une crise économique ?

3. Quelle est la relation habituelle entre le PIB réel et le taux de chômage ? entre le PIB réel et le taux d'inflation ?

4. Comment peut-on expliquer la pente positive de l'offre globale ?

5. Comment peut-on expliquer la pente négative de la demande globale ?

6. Quelles sont les trois conditions macroéconomiques devant être remplies pour qu'une économie globale soit en équilibre de plein-emploi ?

7. Quels sont les déterminants qui pourraient influer positivement sur la demande globale ?

8. Trouvez un déterminant qui, dans la réalité, pourrait expliquer une inflation généralisée par les coûts à l'échelle d'un pays.

9. Quelles sont, à l'échelle globale, les deux principales causes du chômage conjoncturel ? Quelles sont celles de l'inflation ?

10. Si, en voulant défendre un projet particulier, on parle de retombées économiques importantes, à quel concept économique fait-on allusion ?

PROBLÈMES

1. À l'aide du modèle de l'offre et de la demande globales, représentez les effets sur l'économie albertaine des événements suivants.

a) Une croissance marquée de la démographie

b) Une hausse du prix du pétrole

c) Une augmentation des investissements privés

2 Le tableau ci-dessous indique les niveaux de l'offre et de la demande globales observés au Canada en 2009.

a) Tracez sur un graphique les courbes de l'offre et de la demande globales.

b) Trouvez le PIB réel et le niveau moyen des prix à l'équilibre.

c) En supposant que, pour l'année 2010, l'indice des prix s'élève à 125 et le PIB réel d'équilibre à 1350, calculez le taux d'inflation et la variation relative en pourcentage du PIB réel.

d) Les réponses obtenues en c) peuvent-elles découler d'un déplacement de l'offre globale ou de la demande globale? Justifiez votre réponse.

e) En vous appuyant sur un exemple concret, dites ce qui pourrait provoquer un tel déplacement et expliquez son effet sur le chômage.

Niveau moyen des prix (IIP)	Offre globale	Demande globale
	PIB réel (en milliards de dollars de 2002)	
105	1150	1450
110	1200	1400
115	1250	1350
120	1300	1300
125	1350	1250
130	1400	1200
135	1450	1150

3 Expliquez et représentez graphiquement l'effet sur l'économie globale qu'aurait une période d'instabilité politique majeure due à des conflits entre des groupes de la société. S'agit-il d'un déterminant de la demande globale, d'un déterminant de l'offre globale ou des deux?

4 Voici un extrait du *Rapport sur la politique monétaire de la Banque du Canada* de juillet 2010 (p. 17):

«Au premier trimestre de 2010, le niveau du PIB réel a remonté pour se rapprocher du sommet atteint avant la récession, sous l'effet des mesures de relance budgétaire en cours, de la vigueur des dépenses de consommation et de la robustesse des investissements dans le logement.»

À l'aide du modèle de l'offre et de la demande globales, expliquez et représentez graphiquement cette affirmation de la Banque du Canada en représentant initialement l'économie canadienne en sous-emploi.

5 Compte tenu de ce que vous avez lu dans ce chapitre, dites quel serait le danger d'une générosité subite et excessive des autorités gouvernementales destinée à stimuler la demande globale.

6 Voici un extrait des *Perspectives économiques de l'OCDE* (n° 87, mai 2010, p. 33):

«Plusieurs facteurs pourraient contrarier la reprise de l'investissement dans le court terme: le taux d'utilisation des capacités reste proche des points bas historiques dans les secteurs industriels, les taux de locaux inoccupés restent élevés dans de nombreux segments de l'immobilier commercial et les banques sont soumises à des pressions continues pour reconstituer leurs bilans. Pour autant, les marges de croissance de l'investissement des entreprises sont considérables étant donné que la reprise prend de l'ampleur.»

En utilisant le modèle de l'offre et de la demande globales, dans quel état se trouve l'économie globale selon la description qui en est donnée dans cet extrait? Expliquez votre raisonnement.

7 Dans sa publication *Perspectives économiques de l'OCDE* (mai 2010, p. 238), cet organisme établit des scénarios de prévision pour ses pays membres. À la suite de la crise économique de 2008-2009, elle souligne que:

«Le scénario [de prévision] intègre une diminution de la production potentielle par suite des effets de la crise, de sorte que, par rapport aux projections à moyen terme de l'OCDE datant d'avant la crise, le niveau de la production potentielle pour l'ensemble de la zone subit une baisse d'environ 3 %. Cet écart est principalement dû au ralentissement des taux d'activité et de la population en âge de travailler, qui est bien plus une conséquence des évolutions démographiques que des retombées de la crise. »

Démontrez cette réduction du PIB potentiel observée dans la zone des pays membres de l'OCDE à l'aide du modèle de l'offre et de la demande globales.

CHAPITRE 5 Question d'intégration

Le modèle de l'offre et de la demande globales fournit une représentation générale et théorique de la réalité économique. Reliez les éléments de ce modèle aux indicateurs de la réalité économique présentés aux chapitres 3 et 4.

CHAPITRE 5 Laboratoires informatiques

Le but des laboratoires informatiques est d'amener l'élève, à partir d'un traitement de données incorporé dans le site de Statistique Canada, à utiliser de façon relativement simple des outils statistiques (tableaux, graphiques, mesures relatives) permettant de décrire et d'expliquer la conjoncture économique canadienne et mondiale. Pour une explication plus détaillée de la marche à suivre, voir l'avant-propos, pages IV à VI.

1 L'activité économique telle que représentée par le PIB évolue selon des cycles. Une telle évolution est étroitement liée au taux de chômage. Prévoir l'évolution du PIB permet d'anticiper les tendances du chômage.

Recueillez des données sur le PIB réel canadien. Vous les trouverez en consultant le didacticiel de Statistique Canada (http://estat.statcan.ca). Cliquez sur « Recherche dans CANSIM sur E-STAT » et inscrivez le numéro 380-0017, puis cliquez sur « Recherche ». Il s'agit du PIB exprimé en dollars de 2002. Pour extraire cette série, sélectionnez les options « Aux prix constants de 2002 » et « Produit intérieur brut (PIB) aux prix du marché ». Vous pouvez sélectionner la période correspondant à la série désirée.

Sélectionnez la période allant de « 1980 » à l'année la plus récente. Pour terminer, cliquez successivement sur les boutons « Extraire séries chronologiques » et « Extraire maintenant ».

a) Commentez l'évolution du PIB réel de 1980 à l'année la plus récente.

b) Relevez les périodes d'expansion et de récession ainsi que les sommets et les creux.

2 Comme il a été mentionné précédemment, le taux de chômage est directement lié aux cycles économiques.

Toujours dans le didacticiel de Statistique Canada, inscrivez le numéro 282-0002, puis cliquez sur « Recherche sur E-STAT ». Ensuite, sélectionnez les options « Canada », « Taux de chômage », « Les deux sexes » et « 15 ans et plus ». Sélectionnez de nouveau la période allant de « 1980 » à l'année la plus récente, puis cliquez successivement sur les boutons « Extraire séries chronologiques » et « Extraire maintenant ».

a) Décrivez l'évolution du taux de chômage.

b) Comparez la courbe à celle du cycle économique. Repérez-vous les trois périodes de récession ?

CHAPITRE 5 Simulation de l'économie globale

Dans le jeu *Simulation de l'économie globale*, vous êtes le conseiller en chef pour toutes les questions économiques auprès du président ou du premier ministre du pays de votre choix. L'objectif principal est d'appliquer en temps opportun les politiques économiques appropriées dans le but d'améliorer la situation économique générale de votre pays.

1   Jouez une partie de 100 points contre un maximum de six autres pays gérés par l'ordinateur (c'est-à-dire conseillés par le professeur Huard).

Si c'est la première fois que vous utilisez la simulation, vous pouvez soit cliquer sur « Short Tutorial » (didacticiel abrégé) ou sur « Lesson Tutorial » (didacticiel détaillé) dans le menu principal, soit lire les instructions complètes qui accompagnent la simulation.

Si vous maîtrisez déjà le jeu, cliquez sur « New Game » (nouvelle partie) à partir de la fenêtre de départ.

Attention : lisez bien la notice concernant les pays de l'Union européenne partageant la même monnaie (zone euro) —> instructions du jeu.

2   De quel pays êtes-vous le conseiller économique en chef ?

3   Contre combien de pays gérés par l'ordinateur jouez-vous ?

4   Quelle est l'année que vous avez choisie pour faire cet exercice ? (Vous devez faire cet exercice entre la troisième et la dixième année de la simulation.)

5   Examinez le diagramme de la demande globale et de l'offre globale ci-dessus. En présumant que votre situation économique est à E_0, donnez la direction que montre, à ce moment-ci du jeu, l'indicateur économique (encerclez le chiffre correspondant) :

Direction : E_1 E_2 E_3 E_4 E_5 E_6 E_7 E_8

6   Quel changement ou quelle combinaison de changements de la demande globale et de

Demande globale (DG) et offre globale (OG)

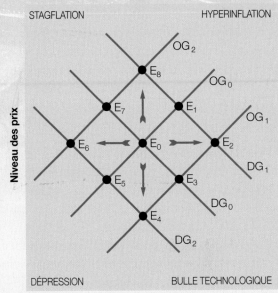

l'offre globale la direction de l'indicateur économique laisse-t-elle prévoir ? (Encerclez une réponse.)

+DG   +DG&+OG   +OG   −DG&+OG

−DG   −DG&−OG   −OG   +DG&−OG

7   Cliquez maintenant sur « Economic Indicator » (indicateur économique). Est-ce que votre pays a pris la direction prévue ou est-ce que l'indicateur économique a changé de direction ?

8   Cliquez maintenant sur le bouton « Current Event » (événement de l'actualité économique). Quel est l'événement qui survient ?

9   Quel changement ou quelle combinaison de changements de la demande globale et de l'offre globale cet événement de l'actualité économique cause-t-il ?

+DG   +DG&+OG   +OG   −DG&+OG

−DG   −DG&−OG   −OG   +DG&−OG

Aucun

10   Complétez la partie. Faites imprimer le pointage final et analysez vos résultats.

CHAPITRE 5   Appendice mathématique

LE MODÈLE KEYNÉSIEN SIMPLE ET LE MULTIPLICATEUR

John Maynard Keynes fut sans contredit l'économiste le plus influent du XXe siècle. L'une de ses préoccupations était d'expliquer les désordres globaux d'une économie. Cela se comprend, puisqu'il a vécu les deux grandes guerres et, entre les deux, la Grande Dépression qui a frappé tout l'Occident.

Selon Keynes, pour qu'une économie globale soit en équilibre, il doit y avoir correspondance entre les dépenses des agents économiques et les revenus générés par la production. Or, ce n'est pas toujours le cas, car, bien qu'elles dépendent du revenu global, les dépenses des agents économiques subissent l'influence de nombreux autres éléments, comme nous l'avons vu dans ce chapitre.

Toutefois, il existe un mécanisme fondamental qui rétablit cet équilibre entre le revenu global et les dépenses globales. Si les agents économiques ne dépensent pas suffisamment l'argent reçu, les stocks des entreprises s'accumulent et la production doit s'ajuster à la baisse.

À l'inverse, si les dépenses excèdent le revenu global, les entreprises ont tendance à augmenter la production, et les revenus suivent. Ainsi, pour un niveau de revenu global généré par la production, il n'existe qu'un seul niveau de dépenses des agents économiques pour que l'économie soit en équilibre.

L'équilibre macroéconomique simplifié

La figure A-5.1 représente ce mécanisme d'équilibre macroéconomique. La droite à 45° représente toutes les combinaisons possibles où les revenus correspondent exactement aux dépenses (Y = C). Les dépenses de consommation (C) correspondent à la fonction simplifiée suivante :

$$C_t = b + mY_t$$

où m est la pente, et b, l'ordonnée à l'origine[1].

---

1. Dans ce modèle, nous supposons qu'il n'y a pas d'impôt, donc que le revenu disponible correspond au revenu global.

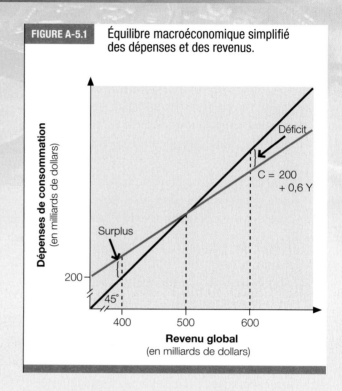

FIGURE A-5.1 Équilibre macroéconomique simplifié des dépenses et des revenus.

Supposons que $b = 200$ (milliards de dollars) et $m = 0,60$. La fonction de consommation est donc :

$$C_t = 200 + 0,6Y_t$$

Ainsi, on suppose que les dépenses de consommation autonomes s'établissent à 200 et qu'elles augmentent dans une proportion de 0,6 pour chaque dollar de revenu supplémentaire (Y). Les consommateurs ne dépensent pas tout le revenu supplémentaire puisqu'ils épargnent. La proportion consommée du revenu supplémentaire, que les économistes appellent **propension marginale à consommer (PmC)**, correspond à la pente de la droite de consommation.

$$PmC = \frac{\Delta C}{\Delta Y} = \frac{C_2 - C_1}{Y_2 - Y_1}$$

La PmC est toujours positive, car plus on est riche, plus on dépense ; et elle est inférieure à 1, car la hausse de la consommation est moins rapide que la hausse du revenu. Par exemple, si la PmC est égale à 0,6, cela signifie que, pour chaque dollar de revenu additionnel, le particulier augmentera sa consommation de 0,60 $. Le reste s'ajoutera à l'épargne.

La portion de la droite qui se situe au-dessus de la courbe à 45° correspond à un surplus de dépenses par rapport à la production et au revenu, alors qu'il y aurait déficit de consommation pour les niveaux de revenu supérieurs au revenu d'équilibre de 500.

L'effet multiplicateur

Si les dépenses de consommation autonomes passaient à 300, le nouveau revenu d'équilibre s'établirait à 750, comme on peut le voir à la figure A-5.2.

On remarque que, pour une augmentation des dépenses de 100 $, le revenu global a augmenté de 250 $, c'est-à-dire que la dépense supplémentaire a été multipliée par 2,5. C'est le fameux multiplicateur keynésien. Comment avons-nous trouvé ces chiffres ? Par un raisonnement mathématique... simple lorsqu'on le sait. Nous avons mentionné qu'en théorie, lorsqu'il y a un équilibre macroéconomique, $C = Y$. Donc, la fonction de consommation, à l'équilibre, peut s'écrire ainsi :

$$C = Y_e = 200 + 0,6 Y_e$$

Ce système ne comporte qu'une équation et une inconnue : Y.

$$Y_e = 200 + 0,6 Y_e$$

En ramenant tous les termes en Y à gauche de l'égalité et en mettant en facteur le membre de gauche de l'équation, on obtient successivement :

$$Y_e - 0,6\, Y_e = 200$$

$$Y_e(1 - 0,6) = 200$$

$$Y_e = \frac{1}{1 - 0,6} \times 200$$

$$Y_e = 2,5 \times 200$$

$$Y_e = 500$$

Qu'arrive-t-il lorsque les dépenses de consommation augmentent de 100 $?

$$Y_e = 2,5 \times 300$$

$$Y_e = 750$$

Donc, le **multiplicateur keynésien**, M, correspond dans ce cas-ci à

$$\frac{1}{1 - 0,6} \quad \text{ou} \quad \frac{1}{1 - PmC}$$

Une théorie révolutionnaire

Ce que Keynes démontra, c'est que l'équilibre obligatoire entre le revenu global et les dépenses globales des agents économiques, un équilibre du plein-emploi macroéconomique donc, ne supposait pas nécessairement que l'économie ait atteint le niveau de plein-emploi des ressources. C'est pourquoi il proposa que l'on donne un coup de pouce à l'économie afin qu'un niveau d'emploi satisfaisant soit atteint et qu'ainsi de nombreuses familles puissent jouir d'un niveau de vie acceptable. Or, en l'absence d'une demande suffisante des agents économiques privés, ce coup de pouce ne pouvait venir que de l'État.

Pas si révolutionnaire que cela, dites-vous ? Il faut bien sûr se replacer dans le contexte de l'époque, alors que l'économie libérale dominait la pensée économique et que la moindre intervention de l'État était associée au monstre socialiste et communiste, c'est-à-dire à l'enfer ! Pour pouvoir stimuler l'économie lors d'une situation d'équilibre de sous-emploi, l'État n'avait d'autre choix que l'endettement, tout aussi inconcevable à l'époque. Il fallut malheureusement une deuxième guerre mondiale pour que la légitimité d'une certaine intervention de l'État soit enfin reconnue... et que le nom de Keynes passe à l'histoire !

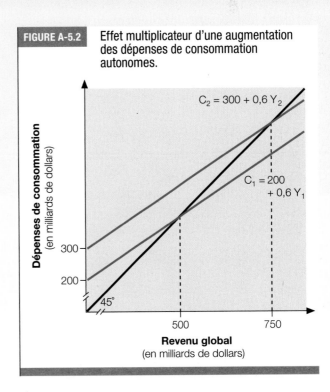

FIGURE A-5.2 Effet multiplicateur d'une augmentation des dépenses de consommation autonomes.

3
PARTIE

RÔLE DE L'ÉTAT DANS L'ÉCONOMIE

DORS MAINTENANT, C'EST LUI QUI NE DORT PAS
Pierre-Noël Giraud

C'est une des histoires que je préfère. J'aime sa profonde sagesse et son humanité. Elle énonce une évidence : une créance, telle celle de Samuel sur Moïshe, n'est jamais qu'une simple promesse de recevoir de l'argent dans l'avenir. Rien ne permet d'être absolument sûr que cette promesse sera tenue, car de l'avenir nul ne peut être certain. La finance dans son ensemble n'est donc jamais qu'un « commerce de promesses ».

Au temps des tsars, dans une chambre sur cour du quartier juif de Simferopol (Crimée), en pleine nuit, Moïshe, incapable de trouver le sommeil, se tourne et se retourne dans son lit. Rachel, sa femme, finit par lui demander :

– Qu'as-tu, mon cher mari, qu'est-ce donc qui te tourmente ainsi ?

– Je ne veux pas t'inquiéter, dit Moïshe.

– Si, dis-le-moi, je veux tout partager avec toi.

– Connais-tu Samuel, notre voisin d'en face ?

– Bien sûr, je le connais.

– Eh bien, je dois lui rendre mille roubles demain matin, et je ne les ai pas.

– Ce n'est que cela, dit Rachel.

Elle se lève, ouvre la fenêtre et appelle Samuel dans la nuit, à travers la cour endormie.

– Samuel, Samuel !

– Que se passe-t-il ? crie Samuel, surgissant à sa fenêtre, très inquiet. Les Cosaques ? Un pogrom ?

– Non, Samuel, rassure-toi. Tu connais mon mari, Moïshe ?

– Oui, je le connais, bien sûr !

– Tu sais qu'il te doit mille roubles ?

– Et comment ! Il doit me les rendre demain. J'y compte bien, car j'en ai absolument besoin.

– Eh bien, mon cher Samuel, il ne te les rendra pas, car il ne les a pas.

Et Rachel ferme la fenêtre, se recouche, dit à son mari :

– Dors maintenant, c'est lui qui ne dort pas.

Source : *Le Commerce des promesses. Petit traité de la finance moderne*, Paris, Éditions du Seuil, 2001.

POLITIQUE BUDGÉTAIRE ET FINANCES PUBLIQUES

L'économie est un cheval puissant, mais seule la politique peut en être le cavalier et lui imprimer un rythme enfin humain.

John Maynard Keynes (1883-1946), économiste anglais

OBJECTIFS

Après avoir lu ce chapitre, vous pourrez :

- reconnaître le rôle de l'État dans l'économie ;
- expliquer les effets d'une politique budgétaire sur l'économie ;
- distinguer les composantes d'un budget ;
- analyser les conséquences du déficit budgétaire et de la dette publique.

Peu de gens n'ont rien à redire contre l'État. Mais bien peu pourraient complètement s'en passer. Et voilà que resurgit la grande question qui préoccupe les économistes en particulier et tous les analystes de la vie en société de façon générale : pour améliorer le niveau de vie des populations, doit-on laisser les agents économiques entièrement libres de prendre leurs décisions ou vaudrait-il mieux contrôler, planifier le fonctionnement des marchés ? Répondre à cette question revient à juger de la pertinence de l'intervention de l'État dans l'économie. Vif débat, qui peut avoir lieu aussi bien dans les couloirs feutrés des universités que sur la place publique, lors d'élections. Bien que la question semble assez théorique et très loin de la réalité, la réponse, quelle qu'elle soit, a des conséquences directes sur notre façon de vivre au quotidien. Trop souvent, d'ailleurs, la façon de défendre son point de vue sur cette question économique a pris la forme de guerres civiles ou de guerres entre États. Il vaut donc la peine de s'arrêter pour y réfléchir de façon méthodique.

Nous avons vu brièvement au chapitre 1 que les tenants de l'école classique considéraient comme nuisible toute intervention de l'État dans l'économie, alors que les socialistes prônaient au contraire la gestion de toutes les ressources par l'État. Si tous ou presque s'entendent aujourd'hui pour dire que ni l'un ni l'autre des modèles économiques extrêmes ne sont souhaitables, il n'en va pas de même pour le dosage de libéralisme et de socialisme qui donnerait les meilleurs résultats quant à la croissance économique et à l'amélioration des conditions de vie. Cela n'a rien de bien surprenant, tant les conditions de vie changent dans le temps et dans l'espace ; il est en effet peu probable qu'une norme stricte puisse déterminer une fois pour toutes et de façon satisfaisante l'espace économique dévolu à l'initiative privée et celui attribué à l'État. Or, s'il n'existe pas de large consensus sur le « combien » (dans quelle mesure l'État devrait intervenir), il en existe un sur le « comment » : comment il devrait intervenir et, surtout, comment évaluer cette intervention. C'est ce que nous vous présentons dans ce chapitre.

6.1 ÉTAT

L'**État** est composé de toutes les institutions dont s'est dotée une communauté : le gouvernement, l'appareil administratif public, les sociétés d'État, les infrastructures, les lois, etc. On confond souvent État et gouvernement. À strictement parler, le gouvernement ne représente que les personnes chargées de gérer l'ensemble de l'appareil public.

Au Canada, comme dans la plupart des pays du monde, c'est le texte de la Constitution qui établit la répartition des pouvoirs entre les différents paliers de gouvernement, soit le gouvernement fédéral, les gouvernements provinciaux et les gouvernements municipaux (voir la figure 6.1). Chaque gouvernement peut légiférer à sa guise dans son champ de compétence, et on ne peut modifier la Constitution qu'en suivant des règles strictes ; cela assure une certaine stabilité dans la conduite des affaires du pays.

Lorsqu'on observe l'organigramme de la figure 6.1, on s'aperçoit de la complexité des structures publiques en place. Alors que la mission du gouvernement central du

Canada consiste essentiellement à assurer les services touchant simultanément l'ensemble des Canadiens, comme la protection du territoire, les affaires extérieures ainsi qu'une certaine redistribution des ressources financières entre les personnes et les provinces, les gouvernements des provinces et des municipalités financent davantage les services de proximité : santé, services sociaux et éducation dans le cas des provinces, rues, routes, loisirs, services de protection contre les incendies dans le cas des municipalités. Chaque gouvernement peut former des entreprises publiques autonomes (des sociétés d'État), dont il est partiellement ou entièrement propriétaire, de façon à rendre plus indépendants de l'appareil politique certains aspects de la gestion des ressources publiques. Le découpage de ces responsabilités, constamment remis en question, permet en principe une gestion optimale du patrimoine commun que la population canadienne a voulu se donner.

DEUX NIVEAUX D'INTERVENTION

En science économique, l'analyse porte essentiellement sur deux aspects : l'aspect structurel et l'aspect conjoncturel. Étudier la **structure** de notre système économique, c'est en étudier les caractéristiques fondamentales ; en étudier la **conjoncture**, c'est en étudier les caractéristiques particulières au cours d'une période donnée.

Ministère des Finances du Canada, à Ottawa.

État Ensemble des institutions publiques d'une nation.

Structure économique Caractéristiques fondamentales d'un système économique.

Conjoncture économique Caractéristiques particulières d'un système économique au cours d'une période donnée.

FIGURE 6.1 Organigramme du secteur public.

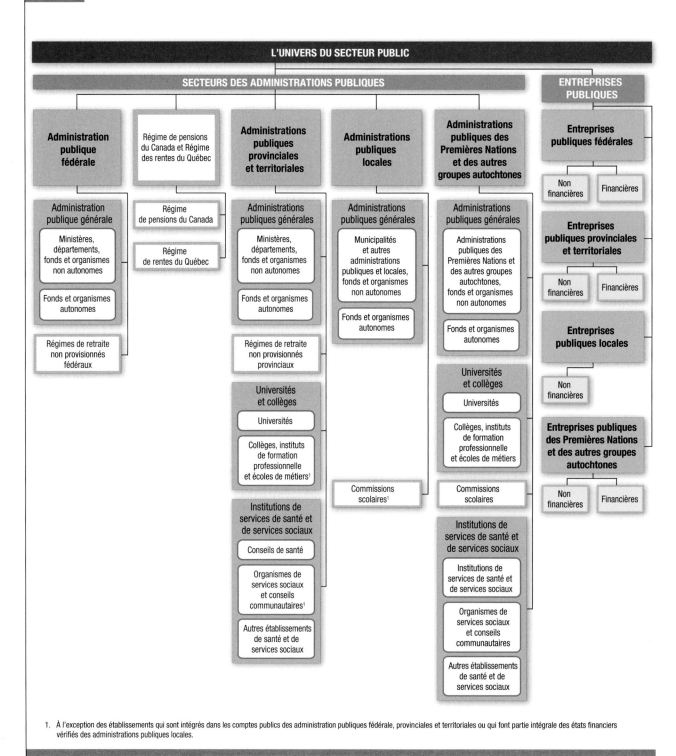

1. À l'exception des établissements qui sont intégrés dans les comptes publics des administration publiques fédérale, provinciales et territoriales ou qui font partie intégrale des états financiers vérifiés des administrations publiques locales.

Source : *Guide du secteur public du Canada*, Statistique Canada, 2008, n° 12-589-X au catalogue.

Ainsi, lorsqu'on dit que l'économie canadienne est basée à la fois sur les échanges et sur une certaine intervention de l'État (économie mixte), cela correspond à un trait structurel de son fonctionnement. Il en va de même lorsqu'on traite de la répartition géographique ou sectorielle de l'activité économique : on suppose que ces éléments ne changeront pas du jour au lendemain, à moins de circonstances particulières. Par contre, si l'économie canadienne connaît une période de ralentissement, on dira que la conjoncture est défavorable. En fait, étudier la structure économique du Canada revient à le situer dans son évolution globale, souvent en comparaison avec les autres économies du monde, alors qu'en étudier la conjoncture économique revient à se demander où en est l'économie canadienne dans le cycle économique.

Certaines mesures économiques que prend l'État visent plus particulièrement l'un ou l'autre de ces aspects, tandis que d'autres agissent sur les deux. Par exemple, un désinvestissement dans le secteur de l'éducation publique changerait considérablement la répartition entre le secteur public et le secteur privé en éducation, et il influerait aussi sur l'évolution de l'activité économique courante en ralentissant la croissance de la demande globale ; cette mesure gouvernementale aurait donc des répercussions structurelles et conjoncturelles.

Les objectifs structurels

On s'entend généralement pour dire qu'une économie structurellement saine assure à la population un niveau de vie qui est satisfaisant et qui s'améliore. Pour atteindre cet objectif global, l'État devrait viser une gestion efficace des ressources, d'une part, et une répartition adéquate des revenus et de la richesse, d'autre part.

La gestion efficace des ressources

Quand les conditions du marché libre ne sont pas favorables, l'État devrait adopter des mesures pour obtenir davantage des ressources humaines et physiques. Par exemple, il devrait intervenir lorsque les activités économiques privées génèrent des externalités positives ou négatives importantes. Les **externalités négatives** sont des nuisances que des agents économiques occasionnent sans avoir

à assumer les coûts qu'elles engendrent. Pensons notamment à une entreprise qui se débarrasserait de ses déchets dans un cours d'eau ; ce sont les autres entreprises ou citoyens situés en aval qui devraient payer pour éliminer ces nuisances, s'ils le pouvaient. On parle d'**externalités positives** lorsqu'un agent économique assume des coûts pour générer des bénéfices qui ne lui reviennent pas. Pensons à un propriétaire de restaurant qui engagerait des sommes importantes en publicité afin d'attirer la clientèle, mais qui verrait celle-ci, une fois sur place, se diriger vers son concurrent. Il peut aussi s'agir d'une entreprise qui dépense pour la formation de ses employés, mais qui les verrait ensuite démissionner pour obtenir un salaire plus élevé ailleurs, dans une entreprise qui ne paierait pas de tels coûts de formation.

Ces effets externes ont pour conséquence la réduction des dépenses et des investissements, car ils représentent des risques supplémentaires. Ainsi, à moins que l'État n'intervienne pour contrôler les règles du jeu, tout le développement économique s'en trouve handicapé.

L'efficacité économique n'est pas toujours au rendez-vous non plus dans le cas des biens publics ou semi-publics. Un bien est dit « public » lorsqu'il est impossible d'instaurer un système de paiement privé ou si, en instaurant un tel système, on réduisait l'accès à un point tel que c'est toute la société qui serait perdante. Les parcs nationaux, les rues des villes ou le réseau d'aqueduc sont des exemples de biens publics[1] ou semi-publics.

Externalités positives	Bénéfices que produit un agent économique sans en tirer directement profit.
Externalités négatives	Nuisances que des agents économiques occasionnent sans avoir à assumer les coûts qu'elles engendrent.

---

1. Dans le cas des parcs nationaux, il est intéressant de noter que, en raison du coût prohibitif qu'entraîneraient l'instauration et le contrôle d'un système de paiement par visiteur, les autorités de certains parcs comptent sur l'honnêteté et la conscience des utilisateurs en installant des boîtes de paiement automatique. Mais une entreprise privée pourrait-elle s'offrir le luxe de compter sur la bonne volonté de sa clientèle pour mener à bien ses affaires ?

Actualité économique

LE POIDS DE L'ÉTAT NE DIMINUE PAS

Après presque trente ans de pression du libéralisme, le poids des recettes fiscales (impôts et cotisations sociales) dans le produit intérieur brut (PIB) est supérieur à ce qu'il était au début des années 1980, aussi bien au sein de la zone euro que dans l'ensemble de l'OCDE, qui rassemble les pays riches : 30,9 % en 1980 dans la zone OCDE contre 35,8 % en 2007 (de 31 à 33,3 % au Canada, de

26,4 à 28,3 % aux États-Unis, de 33,3 à 38 % en Europe). En fait, de nombreux secteurs des dépenses publiques ont continué à croître plus vite que le PIB durant cette période, sous la pression de la demande sociale et des transformations démographiques, sociales et économiques. C'est le cas notamment des retraites, des dépenses de soins ou de l'éducation.

Mettez vos connaissances en pratique

1 Comment mesure-t-on le poids de l'État dans l'économie ?

2 Comment peut-on expliquer l'augmentation du poids de l'État dans l'économie au cours des trente dernières années ?

3 Peut-on dire que la tendance des pays les plus riches est de se diriger vers davantage de libéralisme ou vers davantage de socialisme ?

Source : données tirées de OCDE, OECD.Stat Extracts, [en ligne], <http://stats.oecd.org/index.aspx?lang=fr> (page consultée le 16 septembre 2010).

La répartition adéquate des revenus et de la richesse

Pour un grand nombre de raisons, certaines d'ordre naturel, d'autres d'ordre culturel, les individus et les familles n'ont pas tous les mêmes possibilités de réussite sur le plan économique. Il s'agit d'une caractéristique structurelle, donc fondamentale, de la vie en société. Or, de grands écarts de revenus ou de richesse, entre les individus comme entre les sociétés, sont peu propices à l'amélioration générale des conditions de vie, ne serait-ce qu'à cause des tensions qu'ils engendrent continuellement. En effet, de telles tensions finissent par faire fuir les investissements productifs, l'innovation et le capital financier, éléments essentiels à la production de biens et services qui satisfont les besoins de la population. Il revient donc à l'État de réduire l'ampleur des inégalités en redistribuant les revenus et la richesse, de même qu'en développant un ensemble de mesures propres à assurer des possibilités égales de s'en sortir dans notre système économique basé essentiellement sur la concurrence.

Les objectifs conjoncturels

L'État peut aussi influer sur l'évolution de l'économie afin d'atteindre certains objectifs globaux ; il tente alors d'améliorer la stabilité des échanges de façon à obtenir une croissance modérée sur une longue période. Nous avons expliqué au chapitre précédent que, par l'interdépendance entre les agents économiques (l'effet multiplicateur des

dépenses), les échanges connaissent d'importantes fluctuations qui peuvent parfois dégénérer en crise ou en dépression si aucun mécanisme n'assure un certain contrôle. Les échanges évoluent globalement en cycles non périodiques (c'est-à-dire qu'ils ne se reproduisent pas à des fréquences bien déterminées) et d'amplitude variée. Outre les dérapages majeurs que peut connaître l'activité économique, ces variations imprévisibles ont pour effet global de créer de l'incertitude, bête noire dans la prise des décisions importantes des agents économiques.

On comprend aisément qu'une période de récession se transformant en dépression n'est pas souhaitable, tant les effets dévastateurs se font sentir cruellement sur l'emploi, le pouvoir d'achat et donc le niveau de vie. Ce qui est toutefois paradoxal, c'est que même les périodes de croissance économique doivent être surveillées de près, puisqu'elles risquent de créer une situation inflationniste dégénérant en hyperinflation, aussi destructrice pour le niveau de vie des populations que les dépressions associées à la déflation. Il faut donc assurer une gestion des affaires économiques de manière à pousser la machine économique dans le sens de la croissance, mais une croissance modérée non inflationniste.

LES MESURES STRUCTURELLES

De nos jours, dans les pays les plus industrialisés, l'appareil de l'État a pris une ampleur considérable. Au cours des ans, surtout depuis la Seconde

Guerre mondiale, on a mis en place un ensemble de mesures qui touchent tous les aspects de la vie en société : politique, culturel, artistique, spirituel, etc., et bien sûr économique. Dans le but général d'obtenir davantage de nos ressources, d'assurer une répartition plus équitable des revenus et de la richesse et de stabiliser les échanges qui ne le font pas d'eux-mêmes (ce sont là les trois grands objectifs de l'intervention de l'État dans la vie économique), les mesures visant à améliorer plus particulièrement l'aspect structurel d'une économie sont les suivantes : lois, services sociaux universels, programmes de transfert, nationalisation. Nous verrons par la suite les mesures qui concernent plus spécifiquement l'amélioration conjoncturelle de l'économie, soit la politique budgétaire (voir les sections 6.2 à 6.4 du présent chapitre) et la politique monétaire (voir le chapitre 7).

Les lois

Les nombreuses lois qui encadrent maintenant l'activité économique d'un pays n'ont pour but premier que de créer un environnement propice au développement économique de ce pays sur une longue période. Par exemple, en rééquilibrant le rapport de force entre les employés et les employeurs, les lois du travail contribuent à créer un environnement de travail plus favorable et à améliorer le niveau de vie en général, ce qui entraîne des retombées économiques ; les lois de l'environnement visent à assurer une certaine pérennité des ressources et donc à favoriser le niveau de vie futur ; le Code des professions protège la population de même que les professionnels et assure ainsi une expansion de certains secteurs des services ; les lois du secteur financier, dont il sera amplement question au chapitre suivant, sont là pour assurer la crédibilité des établissements financiers et de la monnaie, crédibilité sans laquelle notre niveau de vie serait de beaucoup moins élevé.

Cependant, certains diront qu'une telle multiplication de contraintes, parce qu'elle nuit à l'initiative économique, finit par devenir improductive. « On ne peut plus rien faire ! » se plaisent à répéter les représentants du milieu des affaires, qui, il faut le dire, sont généralement allergiques à toute forme de réglementation. Il faut toutefois convenir qu'une réglementation trop lourde devient improductive si ses inconvénients surpassent ses effets bénéfiques. Ici encore, l'intervention est bien délicate, tant les variables en cause sont nombreuses et complexes.

Les services sociaux universels

L'une des façons pour l'État d'intervenir dans l'économie consiste à rendre accessibles à tous, indépendamment de toute considération financière ou autre, des biens ou des services. On pense notamment aux services de santé, à de nombreux services sociaux ou à l'enseignement primaire et secondaire offerts au Canada. Dans de tels cas, les prix ne peuvent plus jouer leur rôle de mécanisme régulateur pour équilibrer l'offre et la demande. Il revient donc aux agents économiques d'agir avec discernement lors de l'utilisation de ces services, dont la disponibilité est déterminée collectivement selon les ressources que l'on est prêt à y consacrer collectivement.

L'inconvénient de l'accessibilité universelle, c'est la difficulté d'en contrôler l'efficacité comme l'équité. C'est pourquoi elle ne s'applique habituellement qu'aux biens et services jugés vraiment essentiels par la population, tellement essentiels, par exemple, que le fait d'en priver des personnes ou des familles serait nettement plus grave que peuvent l'être les abus inhérents à un système public difficile à contrôler. Dans ce type d'intervention, là encore, l'évaluation objective n'est pas facile à faire, d'où la difficulté de trancher nettement entre les mérites d'un système privé, ceux d'un système public et ceux d'une intervention différente s'appuyant sur d'autres outils de la politique économique.

Les programmes de transfert

Pour assurer une meilleure équité entre les personnes, entre les familles et entre les régions, l'État transfère à des individus, à des entreprises ou à d'autres administrations une partie des impôts et des taxes perçus. Ce sont les **programmes de transfert**.

Programme de transfert Partie des impôts et des taxes perçus que l'État transfère à des individus, à des entreprises ou à d'autres administrations pour assurer une meilleure équité entre les personnes, entre les familles et entre les régions.

Le programme d'aide sociale[2] en est un exemple. Le programme d'assurance-emploi du gouvernement fédéral assure un certain transfert de ressources entre les personnes qui y cotisent et celles qui perdent leur emploi dans certaines circonstances. Les programmes de pension publics fédéral et provinciaux assurent aussi un certain transfert entre les personnes actives sur le marché du travail et les personnes ayant pris leur retraite définitive à partir d'un certain âge. Il existe aussi, au gouvernement fédéral, le régime de péréquation qui prévoit un transfert allant des provinces plus riches vers les provinces plus pauvres. Ce ne sont là que quelques exemples de redistribution de la richesse par l'État au Canada.

La nationalisation

Un autre moyen pour l'État d'intervenir dans le fonctionnement des marchés, c'est de jouer le rôle d'un agent économique privé par l'intermédiaire d'une entreprise partiellement ou entièrement sous son contrôle. Ainsi, une telle entreprise poursuit des objectifs qui visent à faire bénéficier l'ensemble de la collectivité plutôt que seuls les propriétaires privés. Les enjeux doivent être de taille pour que l'État décide de remplacer l'entreprise privée dans un secteur d'activité.

Il en est ainsi lorsque le travail des propriétaires privés va à l'encontre de l'intérêt collectif. Par exemple, on a estimé que c'était le cas, au Québec comme dans de nombreux pays du monde, dans le secteur des vins et spiritueux. Laisser l'entreprise privée maximiser le développement de ce secteur pour empocher le maximum de profits pourrait engendrer une société fortement dépendante de l'alcool, ce qui aurait de graves conséquences.

Dans le domaine de l'électricité, le raisonnement est tout autre : une entreprise privée qui s'attribue le monopole d'un cours d'eau en y érigeant un barrage peut en tirer un maximum de profits et ainsi jouir de la maîtrise absolue d'une ressource essentielle ; or, la production d'énergie est importante pour le développement de bien d'autres secteurs de la vie économique.

Les mesures que nous venons de décrire visent-elles à améliorer la conjoncture économique du pays ou plutôt à en améliorer la structure économique ? Comme nous l'avons mentionné précédemment, elles peuvent agir sur les deux aspects de l'économie, selon qu'elles relèvent plus fondamentalement des grands principes de fonctionnement de notre société ou qu'elles visent plutôt, ou également, à améliorer les conditions économiques pendant une période bien déterminée.

6.2 POLITIQUE BUDGÉTAIRE CONJONCTURELLE

Il existe deux instruments dont le but évident est d'améliorer la conjoncture économique quand celle-ci connaît des dérapages plus ou moins importants ; ce sont les **politiques budgétaire** (ensemble des mesures que l'État prend pour influer sur la conjoncture économique en faisant varier ses dépenses et ses revenus) et **monétaire** (ensemble des mesures que la banque centrale prend pour influer sur la conjoncture économique en faisant varier la quantité de monnaie en circulation). La première fait l'objet de la présente section, tandis que la seconde sera traitée dans le chapitre suivant, puisqu'il faudra d'abord, pour en saisir toute la portée, expliquer le rôle de la monnaie dans le jeu économique.

L'ORIENTATION DE LA POLITIQUE BUDGÉTAIRE

L'État (ou le gouvernement) peut tenter, à l'aide de son budget, de diriger l'économie dans le sens de ses objectifs prioritaires liés à la conjoncture : croissance, plein-emploi, stabilité des prix. Pour espérer y arriver et assurer une certaine stabilité des échanges,

> **Politique budgétaire** Ensemble des mesures que l'État prend pour influer sur la conjoncture économique en faisant varier ses dépenses et ses revenus.
>
> **Politique monétaire** Ensemble des mesures que la banque centrale prend pour influer sur la conjoncture économique en faisant varier la quantité de monnaie en circulation.

---

2. La Constitution canadienne oblige toutes les provinces à offrir un tel programme de soutien de dernier recours aux personnes seules et aux familles.

il devrait gérer ses revenus et ses dépenses de façon anticyclique, c'est-à-dire à contre-courant. Voyons ce que cela signifie concrètement.

En période de ralentissement ou de récession

Si l'économie progresse au ralenti et que l'on craint un effondrement des échanges (encore l'effet multiplicateur), l'État peut se servir de sa capacité financière pour inverser la tendance et favoriser le retour à la croissance. Agissant contre le cycle économique, il augmentera ses dépenses si celles du secteur privé sont déficientes, ou il laissera aux agents économiques une plus grande marge de manœuvre en réduisant les impôts et les taxes ; on parlera alors d'une **politique expansionniste**. On espère ainsi que, en augmentant le paramètre G de l'équation C + I + G + X – M, on verra la demande globale se stabiliser ou même s'accroître, ce qui entraînerait une hausse du PIB réel.

La figure 6.2 illustre les effets d'une politique budgétaire expansionniste sur la demande globale. Celle-ci se déplace vers la droite (de DG_1 à DG_2), entraînant une hausse du PIB (de 1300 à 1350) et, par conséquent, une baisse du chômage.

En période de croissance

Les périodes de croissance économique peuvent toujours donner lieu à un emballement des échanges qui se traduirait par une hyperinflation. Si tel est le cas, le gouvernement peut ralentir la croissance et s'assurer qu'elle demeure dans des limites acceptables. Il peut le faire en réduisant ses dépenses ou en augmentant les impôts et les taxes, ce qui devrait avoir pour effet de réduire le revenu disponible des agents économiques privés. On parle alors d'une **politique restrictive**, qui se répercute sur la demande globale, la faisant passer de DG_1 à DG_2, et qui ramène l'inflation à un niveau plus confortable (de 130 à 125). La figure 6.3 illustre les effets d'une politique budgétaire restrictive. Remarquez que, dans le cas présenté, le PIB n'a pas diminué, puisque le niveau de la demande globale demeure suffisant pour assurer une pleine utilisation des ressources (PIB potentiel), tout en diminuant les pressions inflationnistes.

Politique expansionniste Politique mise en œuvre par l'État pour favoriser la croissance économique et la création d'emplois.

Politique restrictive Politique mise en œuvre par l'État pour ralentir la croissance économique et enrayer l'inflation.

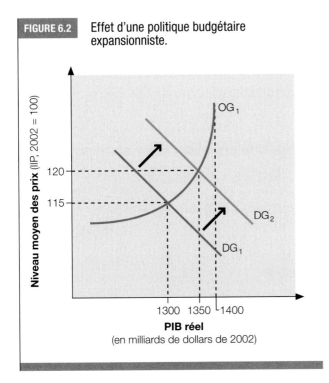

FIGURE 6.2 Effet d'une politique budgétaire expansionniste.

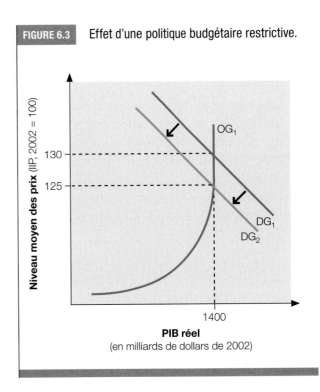

FIGURE 6.3 Effet d'une politique budgétaire restrictive.

LES INSTRUMENTS DE LA POLITIQUE BUDGÉTAIRE

Nous venons de voir que, selon la conjoncture économique, la politique budgétaire peut être expansionniste, si elle vise à stimuler l'économie pour accroître la création d'emplois, ou restrictive, si elle consiste à freiner la croissance économique de manière à enrayer les pressions inflationnistes. Mais, concrètement, comment l'État arrive-t-il à ses fins ? À l'aide des deux types d'instrument budgétaire dont il dispose : les mesures discrétionnaires et les stabilisateurs automatiques.

Les mesures discrétionnaires

Lorsqu'un État change les paramètres de son budget (les sommes allouées aux différents postes du budget) de façon à influer sur l'évolution de l'activité économique, on dit qu'il emploie des **mesures discrétionnaires**. Bien sûr, ce ne sont pas tous les paramètres du budget de l'État qui peuvent être ainsi manipulés à la discrétion des autorités, car un grand nombre d'éléments font l'objet de contrats. Par exemple, le poste budgétaire le plus important de l'État est celui des salaires versés aux employés de la fonction publique et parapublique. Fixés en vertu de conventions collectives, ces salaires ne peuvent évidemment pas être changés du jour au lendemain. Certains États ont procédé, par voie législative, à des baisses de salaires dans le secteur public, mais non sans avoir dû démontrer l'urgence d'une telle mesure. En plus de ces obstacles juridiques, il faut aussi compter sur les obstacles politiques qui limitent d'autant la marge de manœuvre des États. En effet, si la population réagit normalement assez bien aux politiques budgétaires expansionnistes, recevant avec plaisir les largesses gouvernementales (surtout s'il y a un ralentissement économique), elle n'accueille jamais avec grand enthousiasme les contraintes qu'entraîne une politique budgétaire restrictive.

Les stabilisateurs automatiques

Comme on peut le constater, la marge de manœuvre dont disposent les États pour appliquer une politique budgétaire stabilisatrice n'est pas très grande. Toutefois, les programmes publics existants ont eux-mêmes un effet stabilisant. Lorsque l'activité économique évolue au ralenti, des entreprises ferment leurs portes, ce qui fait augmenter le chômage et la pauvreté. Cela a pour conséquence une augmentation de la demande pour les services de l'État, telles l'assurance-emploi ou l'aide sociale, donc une croissance automatique des dépenses budgétaires. Inversement, si l'économie se porte mieux, le nombre de requérants des services de l'État diminue ; il se produit alors une diminution des dépenses et une augmentation des revenus. Les **stabilisateurs automatiques** correspondent donc aux politiques et aux programmes gouvernementaux qui changent automatiquement selon la performance de l'économie et qui ont pour effet de la stabiliser.

Outre les programmes d'assurance-emploi et d'aide sociale, d'autres programmes ont un rôle stabilisateur, bien que ce ne soit pas évident à première vue. Le système d'enseignement public voit sa clientèle automatiquement augmenter lors des périodes de ralentissement économique, car certaines personnes ne trouvant pas d'emploi décident de retourner aux études. L'impôt progressif (voir la section 6.3) contribue aussi à stabiliser l'économie. Les barèmes de l'impôt sont tels que l'on passe à un taux d'imposition plus élevé lorsque le revenu augmente. Ainsi, en période de croissance économique, les personnes qui voient leur situation financière s'améliorer passent à un taux d'imposition supérieur, ce qui permet à l'État d'augmenter ses revenus et limite d'autant les dépenses privées ; cela contribue à ralentir la croissance et à prévenir les poussées inflationnistes. Le principe s'applique inversement lorsque l'activité économique ralentit.

6.3 CONTRAINTES BUDGÉTAIRES

Comme tous les agents économiques, l'État (ou le gouvernement) doit exercer sa mission et chercher

---

Mesures discrétionnaires   Mesures que l'État prend pour influer sur l'évolution de l'activité économique.

Stabilisateurs automatiques   Mesures qui changent automatiquement selon la performance de l'économie et qui ont pour effet de la stabiliser.

à atteindre les objectifs économiques qu'on lui fixe tout en respectant ses limites budgétaires. Car, loin d'être infini, l'espace budgétaire dépend largement de la capacité des agents économiques privés à payer les taxes et les impôts qui serviront à financer les programmes mis en place.

LA FISCALITÉ

Recueillir des fonds du public n'est pas chose facile. Cela repose sur un contrat social non écrit, en vertu duquel la population accepte de payer les importantes sommes nécessaires au financement des institutions communes. Pour cette raison, on considère généralement que l'impôt doit être efficace, c'est-à-dire que les impôts et taxes ne doivent pas avoir pour effet de réduire la taille de l'économie globale (que l'on mesure le plus souvent par le PIB réel), mais bien de l'augmenter. Or, si, par sa forme ou son ampleur, l'impôt décourage les agents économiques de travailler, de créer, d'investir, d'épargner, de consommer, il nuira bien plus à la productivité qu'il n'ajoutera au bien-être économique. L'impôt doit aussi être équitable, c'est-à-dire que les agents économiques qui possèdent davantage devraient en principe supporter un fardeau fiscal plus lourd; et les personnes qui se situent à un niveau économique équivalent devraient supporter à peu près le même fardeau fiscal. C'est pourquoi on considère généralement que l'**impôt sur le revenu** doit être **progressif**[3]: le taux marginal d'imposition des tranches de revenu les plus élevées devrait être supérieur au taux d'imposition des tranches de revenu inférieures.

À titre d'exemple, le tableau 6.1 donne les taux d'imposition prévus par les barèmes d'imposition provinciale et fédérale au Québec pour l'année 2010. Notons qu'il ne faut pas confondre le taux d'imposition moyen (impôt total ÷ revenu × 100) et le taux d'imposition marginal (taux d'imposition par tranche de revenu).

Ce qui vient compliquer ce portrait théorique, c'est la batterie d'exemptions et de crédits d'impôt que les différents gouvernements ont ajoutés à la loi

| TABLEAU 6.1 | Taux d'imposition provincial et fédéral selon le revenu des contribuables québécois pour l'année 2010. |

FISCALITÉ PROVINCIALE		FISCALITÉ FÉDÉRALE	
Tranches de revenu (en $)	**Taux d'imposition (en %)**	**Tranches de revenu (en $)**	**Taux d'imposition (en %)**
0 – 38 570	16	0 – 40 970	15,5
38 570 – 77 140	20	40 970 – 81 941	22
77 140 et plus	24	81 941 – 127 021	26
		127 021 et plus	29

Sources: ministère du Revenu du Québec, 2010, et Agence du revenu du Canada, 2010.

fiscale au cours des années pour orienter l'activité économique dans une direction ou une autre, ou pour répartir autrement le fardeau fiscal. Par exemple, une tendance que l'on observe depuis quelques années en Amérique du Nord est un glissement du fardeau fiscal allant de l'**impôt sur le revenu** (impôt perçu directement par l'État) vers les **taxes indirectes** (taxes perçues par les entreprises et remises par la suite à l'État).

Le tableau 6.2 offre un portrait de l'évolution des recettes budgétaires globales au Canada de 2005 à 2009 pour les quatre principaux paliers de gouvernement.

On y constate que l'impôt sur le revenu des particuliers demeure la principale source des finances publiques prises globalement et qu'il a augmenté de 22 % au cours de la période étudiée, alors que l'impôt sur le revenu des corporations a crû de 7,1 %. On constate que la crise économique a

Impôt progressif	Taux d'imposition qui croît à mesure que la dernière tranche de revenu augmente.
Impôt sur le revenu	Impôt perçu directement par l'État.
Taxes indirectes	Taxes perçues par les entreprises et remises par la suite à l'État.

---

3. Par opposition à un impôt proportionnel, qui signifie un taux d'imposition unique.

TABLEAU 6.2 Évolution des recettes et des dépenses consolidées des administrations fédérale, provinciales, territoriales et locales, en millions de dollars, de 2005 à 2009.

	2005	2006	2007	2008	2009	% du total, 2009	Δ %, de 2005 à 2009
Recettes	**499 676**	**533 031**	**561 238**	**600 575**	**585 799**		**17,2**
Impôts sur le revenu des particuliers	155 136	167 276	179 869	193 525	189 222	32,3	22,0
Impôts sur le revenu des corporations	46 928	50 966	58 131	67 642	50 277	8,6	7,1
Impôts sur l'exploitation minière et forestière	530	757	970	1 192	1 747	0,3	229,6
Impôts directs des non-résidants	4 822	6 159	6 896	7 109	7 410	1,3	53,7
Impôts fonciers et impôts connexes	46 721	49 509	51 277	53 882	54 862	9,4	17,4
Impôts sur la masse salariale	8 933	9 403	9 683	10 193	10 450	1,8	17,0
Taxes générales de vente	66 352	69 461	67 419	72 094	67 001	11,4	1,0
Taxes sur les carburants	12 700	13 016	13 025	13 462	13 528	2,3	6,5
Taxes sur les boissons alcoolisées et le tabac	9 673	9 024	8 595	8 634	8 565	1,5	-11,5
Bénéfices sur la vente des boissons alcooliques	3 703	3 975	4 252	4 478	4 594	0,8	24,1
Bénéfices remis tirés des jeux du hasard	6 395	6 438	6 375	6 546	6 697	1,1	4,7
Droits de douane	3 041	3 429	3 651	3 803	4 055	0,7	33,3
Primes d'assurance-maladie	3 206	3 258	3 268	3 457	3 390	0,6	5,7
Contributions aux régimes de sécurité sociale	31 995	32 768	34 280	34 448	35 404	6,0	10,7
Taxes et permis provenant de l'exploitation des ressources naturelles	925	1 142	1 818	1 490	1 652	0,3	78,6
Immatriculation, droits et permis d'utilisation de véhicules automobiles	3 111	6 067	3 345	3 524	3 557	0,6	14,3
Ventes de biens et de services	41 275	43 376	45 310	50 113	53 625	9,2	29,9
Revenus de placements	38 600	45 357	46 744	48 323	54 068	9,2	40,1
Autres recettes	15 630	11 650	16 330	16 660	15 695	0,4	0,4
Dépenses	**487 365**	**516 669**	**545 533**	**580 922**	**594 594**		**22,0**
Services généraux de l'administration publique	18 792	20 074	20 857	21 505	22 822	3,8	21,4
Protection de la personne et de la propriété	41 096	43 299	46 396	50 689	50 790	8,5	23,6
Transports et communications	21 172	24 838	26 280	29 966	32 197	5,4	52,1
Santé	94 497	99 531	107 497	114 245	121 577	20,4	28,7
Services sociaux	125 372	131 586	139 662	150 898	151 869	25,5	21,1
Éducation	77 140	84 760	87 455	92 722	95 732	16,1	24,1
Conservation des ressources et développement de l'industrie	18 652	19 760	21 078	21 360	19 975	3,4	7,1
Environnement	11 903	13 158	14 420	15 516	16 933	2,8	42,3
Loisirs et culture	13 476	14 268	15 008	15 809	16 306	2,7	21,0

Travail, emploi et immigration	2 328	2 480	2 619	2 917	2 395	0,4	2,9
Logement	3 880	4 527	4 942	5 544	6 120	1,0	57,7
Affaires extérieures et aide internationale	5 556	5 585	6 500	6 211	6 508	1,1	17,1
Planification et aménagement des régions	2 057	2 235	2 338	2 524	2 775	0,5	34,9
Établissements de recherche	1 823	1 859	2 023	2 332	2 268	0,4	24,4
Service de la dette	47 686	46 969	47 566	47 383	45 384	7,6	−4,8
Autres dépenses	1 935	1 738	894	1 303	945	0,2	−51,2
Surplus (+) ou déficit (−)	**12 312**	**16 362**	**15 705**	**19 653**	**−8 795**		

Note : année financière se terminant le 31 mars.

Source : adapté de Statistique Canada, CANSIM, tableau 385-0001.

particulièrement affecté la profitabilité des entreprises en 2009, ce qui a occasionné une chute de plus de 17 milliards de dollars pour les administrations publiques par rapport à 2008 (= 50 277 − 67 642).

Si on compare les recettes fiscales du gouvernement du Québec avec celles du gouvernement du Canada, on constate certaines différences (voir les figures 6.4 et 6.5). L'impôt sur le revenu des particuliers, par exemple, représente seulement 28 % des recettes du gouvernement du Québec, alors

qu'il constitue près de la moitié des recettes du gouvernement fédéral. Il en va de même pour les recettes provenant des impôts sur le revenu des sociétés, 6 % au provincial comparativement à 13 % au fédéral. Par ailleurs, une proportion significative des recettes du gouvernement du Québec, soit 23 %, provient des transferts du gouvernement fédéral effectués dans le cadre du programme de péréquation et des contributions du gouvernement fédéral au financement des programmes sociaux de

FIGURE 6.4 Répartition des recettes du gouvernement du Québec, 2010-2011.

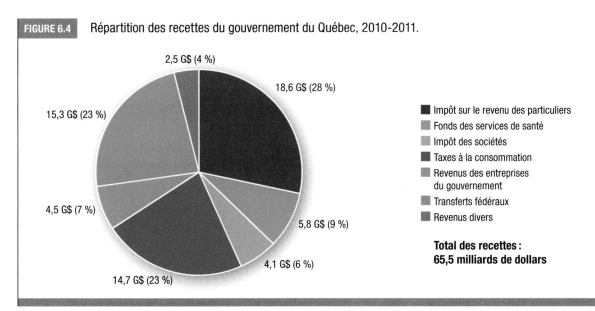

2,5 G$ (4 %)

18,6 G$ (28 %)

15,3 G$ (23 %)

4,5 G$ (7 %)

14,7 G$ (23 %)

4,1 G$ (6 %)

5,8 G$ (9 %)

■ Impôt sur le revenu des particuliers
■ Fonds des services de santé
■ Impôt des sociétés
■ Taxes à la consommation
■ Revenus des entreprises du gouvernement
■ Transferts fédéraux
■ Revenus divers

**Total des recettes :
65,5 milliards de dollars**

Source : ministère des Finances du Québec, Budget 2010-2011 (prévisions).

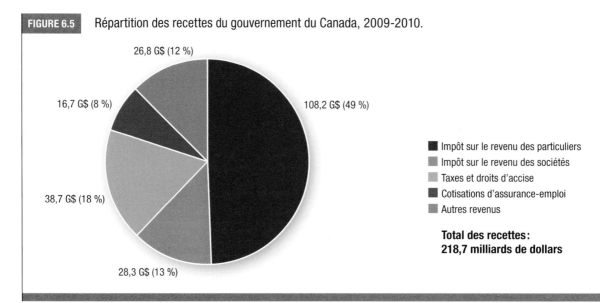

FIGURE 6.5 Répartition des recettes du gouvernement du Canada, 2009-2010.

26,8 G$ (12 %)

16,7 G$ (8 %)

108,2 G$ (49 %)

38,7 G$ (18 %)

28,3 G$ (13 %)

■ Impôt sur le revenu des particuliers
■ Impôt sur le revenu des sociétés
■ Taxes et droits d'accise
■ Cotisations d'assurance-emploi
■ Autres revenus

Total des recettes :
218,7 milliards de dollars

Source : ministère des Finances du Canada, *La revue financière*, mars 2010 (prévisions).

compétence provinciale. Au total, ce sont 585,8 milliards de dollars que les différents paliers de gouvernement au Canada ont prélevés sous la forme d'impôts et de taxes de toutes sortes pour l'exercice financier 2008-2009 (voir le tableau 6.2), alors que ce montant était de 499,7 milliards de dollars en 2004-2005 ; cela représente une augmentation de près de 17,2 %.

LES DÉPENSES

Les dépenses du gouvernement du Québec et celles du gouvernement du Canada reflètent leurs missions respectives (voir les figures 6.6 et 6.7). Si le gouvernement fédéral dépense davantage pour les pensions de vieillesse, l'assurance-emploi et les transferts, le gouvernement du Québec consacre la

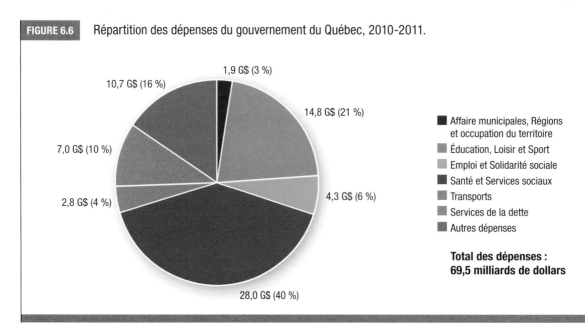

FIGURE 6.6 Répartition des dépenses du gouvernement du Québec, 2010-2011.

1,9 G$ (3 %)

10,7 G$ (16 %)

14,8 G$ (21 %)

7,0 G$ (10 %)

2,8 G$ (4 %)

4,3 G$ (6 %)

28,0 G$ (40 %)

■ Affaire municipales, Régions et occupation du territoire
■ Éducation, Loisir et Sport
■ Emploi et Solidarité sociale
■ Santé et Services sociaux
■ Transports
■ Services de la dette
■ Autres dépenses

Total des dépenses :
69,5 milliards de dollars

Source : ministère des Finances du Québec, Budget 2010-2011 (prévisions).

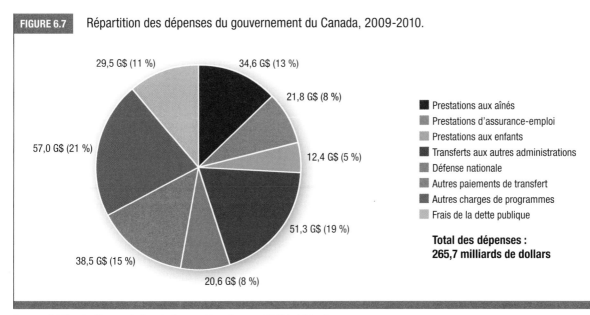

FIGURE 6.7 Répartition des dépenses du gouvernement du Canada, 2009-2010.

- Prestations aux aînés
- Prestations d'assurance-emploi
- Prestations aux enfants
- Transferts aux autres administrations
- Défense nationale
- Autres paiements de transfert
- Autres charges de programmes
- Frais de la dette publique

**Total des dépenses :
265,7 milliards de dollars**

Source : ministère des Finances du Canada, *La revue financière*, mars 2010 (prévisions).

majeure partie de son budget à la santé et aux services sociaux, d'une part, et à l'éducation, au loisir et au sport, d'autre part. Dans les deux cas, le **service de la dette**, remboursement des emprunts arrivés à échéance et des intérêts courus, absorbe encore une partie importante des ressources ; il représentait en effet, pour l'exercice financier 2010-2011, 10 % des dépenses du gouvernement du Québec et 11 % des dépenses du gouvernement fédéral pour l'exercice 2009-2010.

Service de la dette Partie du budget d'un gouvernement consacrée au remboursement de la dette et des intérêts courus.

Actualité économique

LA POLITIQUE ÉCONOMIQUE CONTRACYCLIQUE

La crise conduit à repenser les cadres de politique économique. Dans la plupart des pays de l'OCDE, la crise économique a mené l'action publique à un point de rupture. Mais, à l'heure où les économies se ressaisissent, il est temps de tirer des enseignements sur la façon dont les politiques peuvent mieux prévenir la formation de déséquilibres majeurs et les désalignements des prix des actifs, à l'origine de la crise. En outre, la conception des politiques devrait également tendre à renforcer la capacité des économies à faire face à des chocs négatifs sur la production de grande ampleur.

La politique économique devra être plus prudente pendant les phases de reprise. Un des enseignements qui découle de la gravité de la récession est que la politique économique, et ce, dans divers domaines, devra faire preuve d'une plus grande prudence pendant les phases de reprise et se montrer capable de créer des marges de sécurité plus amples pour permettre de réagir à des chocs négatifs prononcés. Les principales conclusions des travaux récents de l'OCDE sur la politique économique contracyclique sont les suivantes :

- […] La capacité de réaction de la politique budgétaire face à une récession est contrainte, au départ, par les niveaux des déficits budgétaires et de l'endettement. Plus la situation budgétaire est défavorable, plus faible est la réactivité effective et potentielle des pouvoirs publics face à des chocs négatifs. Des règles budgétaires peuvent aider à prévenir la prochaine récession en permettant une consolidation plus rapide durant la phase de reprise. Mais des règles inadaptées peuvent avoir un effet déstabilisateur et induire des comportements qui tendent à respecter la règle à la lettre, mais non son esprit. [...]

- Les ajustements des politiques structurelles, notamment dans des domaines de la fiscalité et du logement, peuvent améliorer la résilience de l'économie face aux chocs et influer sur le niveau d'endettement des ménages et des entreprises.

- Dans plusieurs cas de figures, une plus grande coordination des politiques serait souhaitable. La réglementation effective des secteurs financiers gagnerait d'une plus grande coordination internationale visant à renforcer les règles de jeu uniformes et minimiser les possibilités d'arbitrages réglementaires. Face à des chocs communs de grande ampleur, une coordination internationale des réponses budgétaire et monétaire serait appropriée.

Mettez vos connaissances en pratique

1. En revoyant la théorie de ce chapitre, distinguez une politique économique structurelle d'une politique économique conjoncturelle.

2. L'OCDE semble indiquer que les gouvernements des pays victimes de la crise économique n'ont pas suffisamment appliqué une politique économique contracyclique. Pourquoi ?

3. Selon l'OCDE, quelle est la condition générale pour qu'un État puisse appliquer une politique économique conjoncturelle expansionniste efficace ?

4. Une meilleure réglementation financière concertée à l'échelle internationale relève-t-elle d'une politique économique structurelle ou conjoncturelle ?

Source : *Perspectives économiques de l'OCDE*, n° 87, mai 2010, p. 326-327, [en ligne], <http://www.oecd.org/dataoecd/45/22/45305135.pdf> (page consultée le 19 novembre 2010).

Actualité économique

LES RELANCES BUDGÉTAIRES EFFICACES

Les mesures budgétaires, telles que la réduction des impôts et l'augmentation des dépenses, sont un élément essentiel de la réaction des gouvernements à la crise financière mondiale. Tous les pays du Groupe des Vingt ont pris des initiatives budgétaires pour contrecarrer la récession déclenchée à la mi-2007 par une crise financière et bancaire née sur le marché américain du crédit immobilier. Destinées à stimuler la demande globale, elles devraient s'élever à quelque 2 % du PIB des pays du G-20 en 2009 et à 1,6 % en 2010.

[...]

L'essentiel de la stimulation a consisté en une majoration des crédits budgétaires.

En 2009, plus des deux tiers des mesures discrétionnaires ont été des dépenses et le reste des réductions d'impôts. Les investissements en infrastructures représentent près de la moitié de la stimulation dans les économies émergentes du G-20, contre à peu près 20 % dans les économies avancées. Les allégements fiscaux, notamment sur les sociétés et les revenus personnels, sont un élément significatif de la relance budgétaire dans les économies avancées.

[...] La politique budgétaire s'avère particulièrement efficace pour réduire la durée des récessions. On peut en conclure qu'une orientation budgétaire fermement anticylique – qui

contrecarre la tendance de l'économie en allégeant les impôts ou en majorant les dépenses – est alors appropriée et que la stimulation doit être forte, assez durable, diversifiée [...] et soutenable. [...] Cependant, dans les pays assez lourdement endettés, [...] les effets bénéfiques de l'expansion budgétaire ont été annulés par le niveau élevé d'endettement.

(Les économies avancées du G-20 sont l'Allemagne, l'Australie, le Canada, la Corée du Sud, les États-Unis, la France, l'Italie, le Japon et le Royaume-Uni et l'Union européenne. Les économies émergentes sont l'Afrique du Sud, l'Arabie Saoudite, l'Argentine, le Brésil, la Chine, l'Inde, l'Indonésie, le Mexique, la Russie et la Turquie.)

Source : F BALDACCI, Emanuele et Sanjeev GUPTA. «Les relances budgétaires efficaces», *Finances et développement*, décembre 2009, p. 33-37 (extraits), [en ligne], <http://www.imf.org/external/pubs/ft/fandd/fre/2009/12/pdf/baldacci.pdf> (page consultée le 19 novembre 2010).

Mettez vos connaissances en pratique

1. Quelle est la distinction entre des mesures budgétaires discrétionnaires et non discrétionnaires ?

2. Le texte donne deux exemples de mesures discrétionnaires adoptées par les gouvernements du G-20. Quelles sont-elles ?

3. Les mesures de relance adoptées par les gouvernements sont-elles anticycliques ? Pourquoi ?

4. Quel devrait être l'effet des mesures de relance adoptées par les gouvernements du G-20 sur leurs déficits publics et sur la dette publique ?

5. Les auteurs précisent les conditions pour qu'une relance budgétaire donne des résultats. Quelles sont-elles ?

6. Selon les auteurs, il semble qu'un effet d'éviction se produise pour les pays les plus lourdement endettés. Qu'est-ce que cela signifie ?

6.4 DÉFICITS ET DETTE PUBLIQUE

Pour pouvoir appliquer leurs politiques économiques, en particulier lorsque la conjoncture défavorable engendre une diminution des revenus et une augmentation des dépenses, les autorités gouvernementales doivent pouvoir recourir aux **déficits budgétaires** et aux emprunts. Un déficit budgétaire survient lorsque, au cours d'un exercice financier (généralement un an), le **solde budgétaire** est négatif, c'est-à-dire lorsque les dépenses globales excèdent les revenus globaux tirés des impôts et des taxes.

Pour financer les déficits, les États doivent emprunter. La **dette publique** totale représente la somme totale des engagements financiers de l'État envers ses créanciers, à un moment donné. De toutes les administrations publiques canadiennes, c'est évidemment l'État fédéral qui a la dette la plus importante. Au 31 mars 2009, la dette portant intérêt du gouvernement fédéral se chiffrait à 710,2 milliards de dollars. Si on retranche de cette dette les actifs financiers et non financiers, la dette fédérale résultant des déficits accumulés atteignait la somme de 463,7 milliards de dollars à la fin mars 2009 (voir la figure 6.8) ; cela représente 29,0 % du PIB annuel du Canada (c'est ce qu'on appelle le **poids de la dette**, voir la figure 6.9).

FINANCER ET PAYER UNE DETTE

Lorsque les fonds deviennent insuffisants pour les projets à réaliser, il faut rechercher un financement, autrement dit, s'endetter. Financer une dette signifie prendre les moyens pour obtenir ce financement, contracter une dette. Les États financent leur manque à gagner (déficits et projets particuliers, généralement des projets d'investissement) en émettant des obligations et des bons du Trésor, alors que les ménages obtiennent généralement leur financement auprès d'établissements financiers.

Une fois la dette contractée, il faut la rembourser ; c'est ce qu'on appelle payer une dette. Le paiement s'échelonne habituellement sur plusieurs périodes et se fait à partir des revenus.

L'État ne finance pas ses déficits en empruntant à sa banque centrale, car, comme nous le verrons au chapitre 7, c'est là une façon de procéder non

Déficit budgétaire Excédent des dépenses globales sur les revenus globaux de l'État au cours d'une période donnée.

Solde budgétaire Différence entre les revenus et les dépenses publiques au cours d'un exercice financier donné. Lorsque les dépenses excèdent les revenus (solde < 0), il y a *déficit budgétaire*. Quand les revenus excèdent les dépenses (solde > 0), il y a *surplus budgétaire*. Finalement, il y a *équilibre budgétaire* lorsque les dépenses correspondent aux revenus (solde = 0).

Dette publique Somme totale des engagements financiers de l'État envers ses créanciers, à un moment donné.

Poids de la dette Pourcentage de la dette par rapport au PIB.

recommandée. Comme les agents économiques privés, il doit passer par les marchés financiers en émettant des titres de financement (obligations ou bons du Trésor transigés par l'entremise des courtiers en valeurs mobilières). La figure 6.8 illustre la provenance des sommes constituant la dette fédérale au 31 mars 2009.

Toutefois, une partie des engagements financiers de l'État ne requiert pas un financement immédiat sur les marchés financiers ; c'est le cas des contributions devant être versées aux régimes de retraite, mais dont les sommes ne sont pas exigibles immédiatement. Ces sommes sont simplement inscrites aux registres comptables de l'État comme montants à payer. Si on observe l'évolution de la dette fédérale représentant les déficits cumulés, c'est-à-dire celle qui ne correspond à aucun actif ou celle qui est encourue lorsqu'un ralentissement de l'activité économique amène un gouvernement à enregistrer un déficit (voir la figure 6.9), on constate qu'elle perd de l'ampleur en proportion du PIB depuis l'exercice 1995-1996 (une baisse de près de 40 points

Jim Flaherty, ministre des Finances du Canada, prononce un discours devant les membres de la Chambre des communes, mars 2010.

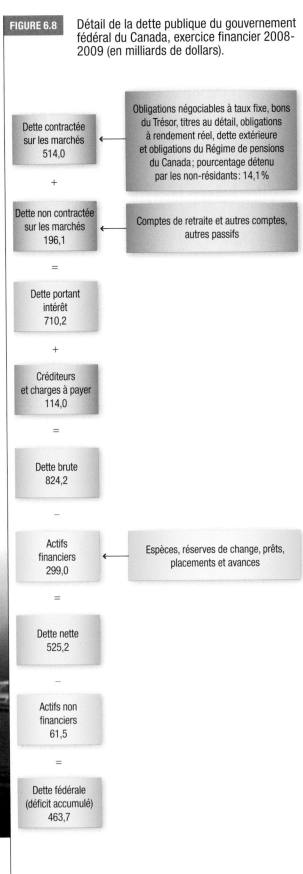

FIGURE 6.8 Détail de la dette publique du gouvernement fédéral du Canada, exercice financier 2008-2009 (en milliards de dollars).

Dette contractée sur les marchés
514,0
→ Obligations négociables à taux fixe, bons du Trésor, titres au détail, obligations à rendement réel, dette extérieure et obligations du Régime de pensions du Canada ; pourcentage détenu par les non-résidents : 14,1 %

+

Dette non contractée sur les marchés
196,1
→ Comptes de retraite et autres comptes, autres passifs

=

Dette portant intérêt
710,2

+

Créditeurs et charges à payer
114,0

=

Dette brute
824,2

−

Actifs financiers
299,0
→ Espèces, réserves de change, prêts, placements et avances

=

Dette nette
525,2

−

Actifs non financiers
61,5

=

Dette fédérale (déficit accumulé)
463,7

Source : ministère des Finances du Canada, tableaux de référence financiers, 2009.

FIGURE 6.9 Évolution de la dette du gouvernement fédéral, Canada, de 1995-1996 à 2009-2010.

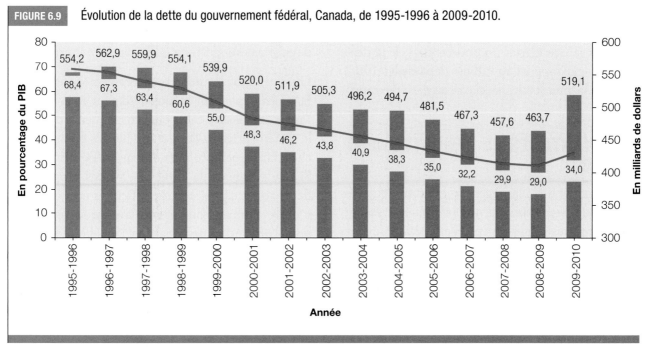

Source : ministère des Finances du Canada, tableaux de référence financiers, tableau 15.

de pourcentage) et en valeur absolue depuis l'exercice 1996-1997. Toutefois, cette tendance semble s'être inversée depuis le 27 janvier 2009, quand le ministre des Finances, Jim Flaherty, a déposé un budget contenant des mesures discrétionnaires interventionnistes de l'ordre de 23 milliards de dollars pour lutter contre la récession. Résultat : entre 2008-2009 et 2009-2010, la dette est passée de 463,7 milliards à 519,1 milliards de dollars, soit une augmentation de 55,4 milliards de dollars ou de 5 % en pourcentage du PIB (34 % – 29 %).

Pour comparer la situation financière du Canada avec les autres économies industrialisées, il faut tenir compte de l'ensemble des administrations publiques du pays. La figure 6.10 illustre le poids de

FIGURE 6.10 Dette publique dans divers pays de l'OCDE, en 2008.

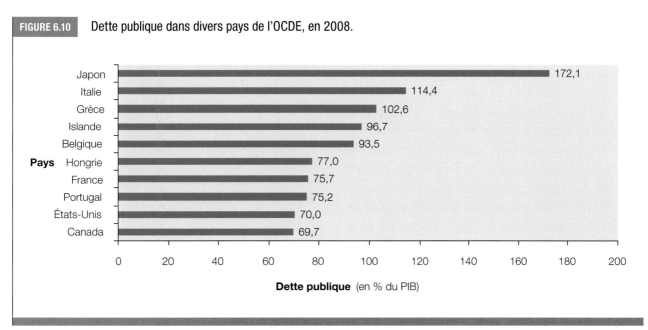

Source : *Panorama des statistiques de l'OCDE 2010 : Économie, environnement et société*, OECD Publishing © OECD (2011).

la dette[4] dans la zone de l'OCDE. En 2008, les plus endettés du monde industrialisé sont le Japon, l'Italie et la Grèce, avec un pourcentage de la dette publique par rapport au PIB qui dépasse les 100 %. Le Canada, quant à lui, se classe au dixième rang.

LES AVANTAGES DE L'ENDETTEMENT PUBLIC

Il peut y avoir des avantages à s'endetter. Vous êtes sceptique ? S'endetter signifie utiliser les ressources financières mises de côté par certains agents économiques pour les rendre productives et ainsi améliorer le niveau de vie. Par exemple, un État qui s'endette pour bâtir un réseau routier de qualité favorise le développement d'activités économiques nouvelles qui lui permettront d'élargir son assiette fiscale et donc de rembourser ses dettes dans l'avenir.

On comprend bien qu'il ne s'agit pas de s'endetter pour s'endetter. S'endetter pour acheter des armes, des votes ou des châteaux luxueux, comme cela s'est déjà vu dans de nombreux pays, risque davantage de détruire les bases de la société, de l'assiette fiscale et, par conséquent, des capacités futures de remboursement plutôt que de favoriser l'essor de l'activité économique.

LES DÉSAVANTAGES DE L'ENDETTEMENT PUBLIC

S'endetter consiste à remettre à plus tard le paiement des dépenses faites aujourd'hui. Or, l'État, comme l'agent économique privé, doit pouvoir effectuer ses paiements et il a besoin pour cela de l'argent provenant des impôts et des taxes. Ce sont donc les contribuables de demain qui devront faire les sacrifices nécessaires pour rembourser les dettes contractées aujourd'hui, ce qui pose un problème d'équité entre les générations. De plus, toutes les ressources qui devront servir à rembourser une dette devenue énorme ne pourront évidemment pas être employées à d'autres fins, ce

qui risque de paralyser l'activité économique de ces futures générations. Il est donc clair que l'État ne devrait pas s'endetter au-delà d'une certaine limite.

Lorsque l'État alourdit considérablement le fardeau fiscal en dépensant inconsidérément et en s'endettant outre mesure, cela a pour conséquence d'évincer le secteur privé et donc d'annuler les effets recherchés. On appelle ce phénomène **effet d'éviction**. Si l'endettement de l'État atteint des proportions démesurées en période de difficultés économiques, il entre alors en concurrence avec le secteur privé pour l'utilisation de l'épargne, laquelle se fait plus rare étant donné le ralentissement économique. La pression financière de l'État crée une pression à la hausse sur les taux d'intérêt pratiqués au pays, ce qui décourage les investisseurs privés d'entreprendre des projets majeurs propres à sortir l'économie de sa situation défavorable. L'effet net de l'endettement de l'État sur la demande globale est donc amoindri, sinon nul, voire, dans le pire des scénarios, contraire à l'objectif poursuivi.

Il n'existe pas de consensus clair sur l'existence d'un niveau universel souhaitable de l'endettement, même si, dans de nombreux cas, on a établi des barèmes pour juger de l'endettement des agents économiques,

| Effet d'éviction | Diminution des dépenses de consommation et d'investissement causée par la poussée des taux d'intérêt, résultant d'une expansion fiscale financée par un accroissement des emprunts de l'État. |

---

4.   Des engagements financiers bruts des administrations publiques.

des familles ou des entreprises[5]. En fait, juger de la pertinence d'une dette relève de la subjectivité. Alors, place aux débats! D'un côté, le Japon a une dette publique qui frôle les 180 % de son PIB annuel, mais cela lui a permis de passer, depuis la Seconde Guerre mondiale, d'un niveau de sous-développement généralisé à un niveau d'industrialisation parmi les plus élevés de la planète. D'un autre côté, les États-Unis ont maintenu un niveau de croissance très élevé pendant la même période avec un endettement public beaucoup plus modéré (pour l'adhésion à la monnaie unique, soit l'euro, on a fixé le plafond d'endettement souhaitable à 60 % du PIB annuel).

On peut néanmoins retenir certaines balises pour l'analyse de l'endettement public.

- On ne s'endette pas pour l'épicerie (les dépenses courantes), mais seulement pour des actifs qui serviront pendant une assez longue période. Cela signifie qu'une famille ne devrait pas s'endetter pour acquérir des produits et services d'utilisation courante (nourriture, vêtements, essence, logement), mais pour une auto qui sert au travail, les études des enfants, la maison. Un État ne devrait pas s'endetter pour payer ses employés, mais plutôt pour développer les infrastructures du pays : réseaux d'égout et d'aqueduc, écoles.

- Le niveau d'endettement doit être compatible avec un service de la dette qui ne grève pas tout le budget annuel de fonctionnement.

- Le niveau d'endettement doit permettre un heureux compromis entre le présent et l'avenir. Il est généralement assez sage de penser au lendemain, mais il faut quand même manger tous les jours. Rembourser une dette revient à sacrifier le présent pour privilégier l'avenir. Mais vaut-il la peine de se sacrifier pendant 30 ans pour connaître 20 ans d'allégresse en fin de vie ? Voilà une question que se posent encore souvent les agents économiques lorsqu'ils ont à prendre des décisions dans la vie quotidienne.

Sur le plan mondial, la part de la dette publique par rapport au PIB est passée de 63 % en 2008 à 80 % en 2010. Pour le Japon, ce serait près de 200 %.

---

5. À titre d'exemple, lorsqu'elles accordent un prêt pour l'achat d'une maison, les banques considèrent généralement que le montant consacré au remboursement du capital et des intérêts ne doit pas dépasser le tiers du revenu brut du ménage pour une période donnée.

Malgré la récession de 2009, les Canadiens n'ont cessé de s'endetter, de sorte que leur dette représentait en 2010 148 % de leur revenu annuel disponible.

Actualité économique

L'ALBERTA EFFACE SA DETTE

Judy Monchuk

L'Alberta est devenue la seule province canadienne à ne plus avoir de dettes.

La dette de la province de l'Ouest s'élevait à 23 milliards de dollars il y a dix ans [en 1994] et la presque totalité de ce montant avait été contractée entre 1982 et 1992 après la chute des cours pétroliers.

Il faut remonter aux années 60 pour trouver une situation similaire dans une province canadienne. La Colombie-Britannique n'avait aucune dette à la fin des années 60.

Ralph Klein avait promis que l'Alberta ne replongerait plus dans le rouge. « Jamais plus le gouvernement de cette province et ses citoyens devront utiliser des impôts pour rembourser la dette », avait dit le premier ministre.

Mettez vos connaissances en pratique

1 Quelle politique budgétaire a permis à l'Alberta de rembourser sa dette ?

2 Que penser de la promesse de l'ex-premier ministre de l'Alberta de ne jamais plus contracter de dettes ? Était-elle réaliste et économiquement souhaitable ?

Source : *La Presse canadienne.*

Actualité économique

DIFFICILE DE DIMINUER LA DETTE ÉLEVÉE DU QUÉBEC

Marcelin Joanis et Claude Montmarquette

Depuis l'atteinte de l'équilibre budgétaire en 1998-1999, le gouvernement du Québec s'en est essentiellement tenu à maintenir le « déficit zéro » et à laisser le ratio dette-PIB diminuer grâce à l'effet combiné de l'inflation – qui favorise les débiteurs – et de la croissance économique. Le gouvernement du Québec a enregistré de modestes surplus budgétaires au cours de quatre exercices consécutifs (de 1998-1999 à 2001-2002) pour un total de 582 millions de dollars,

soit 0,7 % de sa dette en 1998-1999. Celle-ci s'est toutefois accrue de 9,0 % depuis 1998-1999 en raison de deux déficits (694 millions de dollars en 2002-2003 et 364 millions de dollars en 2003-2004), d'une croissance de 71,6 % de la dette représentant les immobilisations, de réinvestissements dans les sociétés d'État (8,5 milliards de dollars) et de certains ajustements. Cette stratégie a néanmoins permis au gouvernement du Québec de réduire la taille relative de sa dette publique, qui est passée de 47 % du PIB, en 1997-1998, à 37,4 %, en 2003-2004.

Mettez vos connaissances en pratique

1 Qu'est-ce que l'équilibre budgétaire ?

2 Comment la croissance économique permet-elle de réduire le poids de la dette du gouvernement du Québec ?

3 Pourquoi la dette du gouvernement du Québec augmente-t-elle si le gouvernement ne fait plus de déficit budgétaire ?

4 Trouvez des conséquences négatives du maintien d'un ratio d'endettement élevé pour un gouvernement.

Source : JOANIS, Marcelin et Claude MONTMARQUETTE. « La problématique de la dette publique au Québec : causes, conséquences, solutions », *Rapport bourgogne*, [en ligne], <http://cirano.qc.ca/pdf/publication/2005RB-06.pdf> (page consultée le 23 septembre 2007).

Évolution de la pensée économique

POUR OU CONTRE L'ÉTAT ?

Lorsque le régime impérial était le régime politique dominant sur la planète, il n'était pas inapproprié d'associer l'État aux empereurs. Depuis l'avènement des nations, les gouvernements en place, plus ou moins démocratiques selon le cas, ont pour fonction de gérer les institutions qui appartiennent à l'ensemble de la collectivité. La théorie économique du bien public regorge de millions de pages qui font état de vifs débats sur le rôle qu'on voudrait lui voir jouer dans la vie économique d'une nation. Selon les époques, cependant, des courants idéologiques dominent.

D'après les théoriciens classiques des XVIIIe et XIXe siècles, dont Adam Smith (1723-1790), David Ricardo (1772-1823) et John Stuart Mill (1806-1873), l'intervention de l'État dans le jeu économique devait être limitée et consister essentiellement à offrir des biens publics indispensables ou à corriger certaines imperfections du marché (les monopoles).

En réaction à cette idéologie libérale et surtout pour dénoncer les injustices des débuts de l'industrialisation par lesquelles se détérioraient les conditions de vie de la population, il se développa un courant révolutionnaire qui exigeait de l'État une intervention beaucoup plus musclée : Karl Marx (1818-1883) réclama rien de moins que l'abolition complète de la propriété privée pour éliminer la tendance naturelle des capitalistes à exploiter les travailleurs et à engendrer des crises. Des critiques moins radicaux comme Robert Owen (1771-1858) prônèrent davantage des solutions de rechange, telles des lois permettant la création de coopératives et de syndicats.

Devant ces critiques, les tenants de la théorie libérale affinèrent leurs arguments en ajoutant l'outil mathématique à leurs démonstrations ; c'est ce que l'on appela « le courant néoclassique ». L'économiste français Léon Walras (1834-1910) développa, à l'aide d'outils mathématiques, la théorie de l'équilibre général, démontrant que, sans l'intervention de l'État, les forces du marché libre conduisaient à un équilibre général de l'économie et à la maximisation du bien-être de la population. Pour lui, comme pour Alfred Marshall (1842-1924) et les autres économistes de l'école néoclassique, le rôle de l'État était limité et ne dépassait guère celui que voulaient lui voir jouer les tenants de l'école classique.

Durant la première moitié du XXe siècle, les travaux révolutionnaires de John Maynard Keynes (1883-1946) et de ses disciples, les keynésiens, firent la démonstration qu'une économie libérale pouvait connaître des périodes prolongées de sous-emploi et de crises. Dans ce contexte, il n'y avait que l'État pour sortir l'économie de ces périodes de marasme aux conséquences désastreuses. Ce n'est cependant qu'après la Seconde Guerre mondiale que l'on mit en pratique les idées de Keynes et que le rôle de l'État prit de l'ampleur. Les crises pétrolières des années 1970 mirent brusquement fin à cette tendance, les difficultés économiques liées à l'explosion des coûts de l'énergie faisant renaître le courant de la théorie libérale, que l'on rebaptisa « néolibéralisme ».

CHAPITRE 6 En un clin d'œil

État

Niveaux d'intervention

Structure
Caractéristiques fondamentales d'un système économique.

Objectifs
- Gestion efficace des ressources
- Répartition adéquate des revenus et de la richesse

Conjoncture
Caractéristiques particulières d'un système économique au cours d'une période donnée.

Objectif
Stabilité des échanges

Mesures structurelles

Lois

Services sociaux universels
Services de santé, éducation, etc.

Programmes de transfert
Aide sociale, assurance-emploi, péréquation, etc.

Nationalisation
Remplacement de l'entreprise privée par l'État dans un secteur d'activité.

Politique budgétaire conjoncturelle

Orientation

Expansionniste
En période de ralentissement ou de récession.

Restrictive
En période de croissance.

Instruments

Mesures discrétionnaires
Mesures que l'État prend pour influer sur l'évolution de l'activité économique.

Stabilisateurs automatiques
Mesures qui changent automatiquement selon la performance de l'économie et qui ont pour effet de la stabiliser.

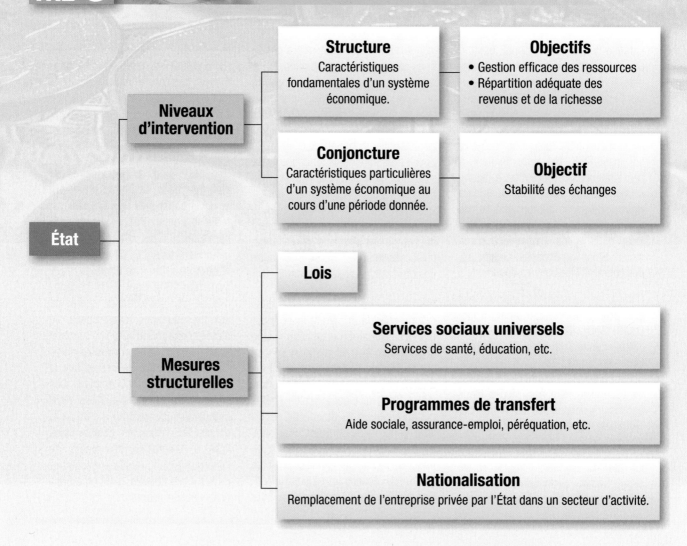
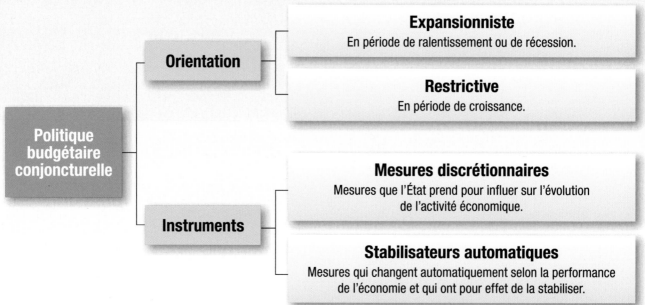

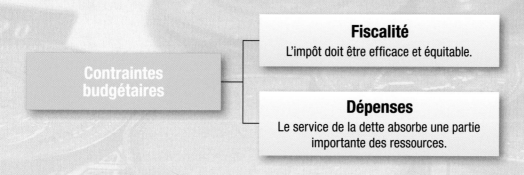

Contraintes budgétaires

Fiscalité
L'impôt doit être efficace et équitable.

Dépenses
Le service de la dette absorbe une partie importante des ressources.

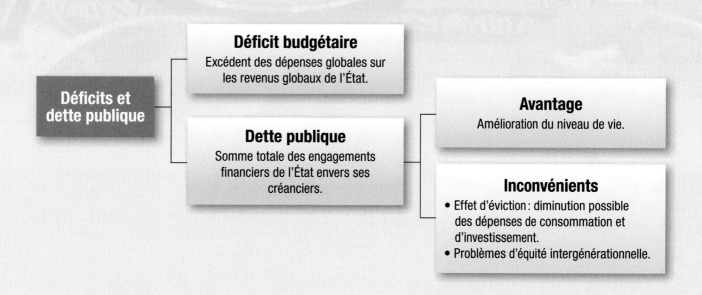

Déficits et dette publique

Déficit budgétaire
Excédent des dépenses globales sur les revenus globaux de l'État.

Dette publique
Somme totale des engagements financiers de l'État envers ses créanciers.

Avantage
Amélioration du niveau de vie.

Inconvénients
- Effet d'éviction : diminution possible des dépenses de consommation et d'investissement.
- Problèmes d'équité intergénérationnelle.

CHAPITRE 6 Testez vos connaissances

QUESTIONS À COURT DÉVELOPPEMENT

1 Quelle est la différence formelle entre l'État et le gouvernement ?

2 Quelle est la différence entre une intervention de l'État de nature structurelle et une intervention de l'État de nature conjoncturelle ?

3 Outre la politique budgétaire, quelles sont les quatre autres principales mesures de la politique économique ?

4 Quel est l'objectif d'une politique budgétaire restrictive ? d'une politique budgétaire expansionniste ?

5 Quels sont les deux types d'instrument de la politique budgétaire ?

6 Comment définit-on un régime d'imposition efficace ? un régime d'imposition équitable ?

7 Quels sont, en général, les deux principaux postes de dépenses et de revenus du gouvernement fédéral ? du gouvernement du Québec ?

8 Quelle différence y a-t-il entre le déficit budgétaire et la dette publique ?

9 Dites quels sont les aspects positifs et négatifs de la dette publique.

10 Expliquez pourquoi la dette publique a potentiellement un effet d'éviction.

PROBLÈMES

1 Quel serait l'effet final d'une politique budgétaire qui prévoirait à la fois une augmentation des paiements de transfert (pensions de vieillesse, aide sociale, etc.) et une hausse des impôts ?

2 En suivant les régimes d'impôt provincial et fédéral sur le revenu des contribuables pour l'année 2010 (voir le tableau 6.1, p. 141), déterminez le montant en impôt que devra payer un contribuable québécois dont le revenu annuel est de 85 000 $.

3 À partir des données du tableau 6.2 (p. 142-143) et de celles du tableau 3.3 (p. 64) concernant le PIB nominal, peut-on dire que le poids de l'État a tendance à diminuer ou à augmenter au Canada depuis quelques années ?

4 À partir des données de la figure 6.9 (p. 149) concernant la dette du gouvernement fédéral, répondez aux questions suivantes.

a) À partir de quel moment la dette, en valeur absolue, du gouvernement fédéral a-t-elle commencé à croître de nouveau ?

b) Calculez le déficit budgétaire pour l'exercice financier 2008-2009.

c) La situation financière du gouvernement fédéral s'est-elle améliorée ou détériorée durant cette période ? Justifiez votre réponse.

5 Les données ci-après, en milliards de dollars, portent sur les revenus et les dépenses du gouvernement fédéral du Canada durant la récession de 2008-2009.

– Prestations aux aînés : 33,4

– Prestations d'assurance-emploi : 16,3

– Prestations pour enfants : 12,3

– Impôt sur le revenu des particuliers : 116,0

– Impôt sur le revenu des sociétés : 29,5

– Frais de la dette : 31,0

– Principaux transferts aux provinces, territoires et villes : 46,5

– TPS : 25,7

– Cotisations d'assurance-emploi : 16,9

– Autres revenus : 45,0

– Autres dépenses : 99,4

Source : adapté de ministère des Finances du Canada, *La revue financière*, mars 2009.

a) Calculez le solde budgétaire du Canada en 2008-2009.

b) Calculez le montant de la dette en 2008-2009 si elle était de 457,6 milliards de dollars en 2007-2008.

c) Calculez le poids de la dette du Canada en 2008-2009, sachant que le PIB est de 1527,3 milliards de dollars.

6 En ce qui concerne les finances publiques du Québec, combien, selon vous, rapporterait chaque année...

a) une réduction de 10 % du salaire des députés ?

A) 1,5 million   C) 12,5 millions
B) 7,5 millions   D) 49,5 millions

b) une réduction de la moitié des postes de fonctionnaires des ministères de l'Éducation et de la Santé ?

A) 35 millions   C) 150 millions
B) 75 millions   D) 500 millions

c) une hausse de 1 $ des tarifs de garderie (de 7 à 8 $ par jour par enfant) ?

A) 35 millions   C) 150 millions
B) 75 millions   D) 500 millions

d) une hausse de 10 % des droits de scolarité des universités ?

A) 35 millions   C) 150 millions
B) 75 millions   D) 500 millions

e) un ticket modérateur de 25 $ imposés aux adultes à chaque visite chez le médecin ?

A) 35 millions   C) 150 millions
B) 75 millions   D) 500 millions

f) une réduction de 5 % du salaire des employés de l'État ?

A) 300 millions   C) 1,6 milliard
B) 900 millions   D) 2,4 milliards

g) une hausse de 5 % des impôts du Québec de tous les contribuables ?

A) 300 millions   C) 1,6 milliard
B) 900 millions   D) 2,4 milliards

h) une hausse de 5 % des impôts du Québec des contribuables gagnant plus de 100 000 $?

   A) 300 millions   C) 1,6 milliard
   B) 900 millions   D) 2,4 milliards

i) une hausse de 10 % des tarifs d'électricité ?

   A) 300 millions   C) 1,6 milliard
   B) 900 millions   D) 2,4 milliards

Source : VAILLES, Francis. «Le péage sur les routes avant les tarifs d'électricité», *La Presse affaires*, 25 février 2010, [en ligne], <http://library.eureka.cc/WebPages/Document/DocumentPDF.aspx?DocName=news%c2%b720100225%c2%b7LA%c2%b70069&PageIndex=0> (page consultée le 22 novembre 2010).

7 «L'économie du Burdistan a connu des difficultés au cours de l'année qui vient de s'écouler. Le PIB réel a diminué pour le sixième trimestre consécutif, tandis que le taux de chômage a gagné deux points, pour s'établir à 11,5 %. Ce ralentissement n'a pas été suffisant pour freiner la hausse des prix, alors que le taux d'inflation se maintenait à 5,4 %. Pendant ce temps, les autorités gouvernementales devaient faire face à une lourde dette, puisque celle-ci a atteint 82 % du PIB du pays au cours de l'année qui vient de s'écouler.»

a) Quelle politique budgétaire pourriez-vous suggérer au gouvernement du Burdistan ?

b) Expliquez et représentez graphiquement les effets que devrait avoir votre suggestion de politique budgétaire sur l'économie globale du Burdistan.

c) À quelles difficultés les autorités gouvernementales devraient-elles s'attendre lors de l'application de votre politique économique ?

d) Quels outils de la politique économique structurelle pourraient appuyer votre politique budgétaire et en accroître l'efficacité ?

CHAPITRE 6 Question d'intégration

Le chapitre 6 présente les grands éléments de la politique budgétaire d'un gouvernement pouvant influer sur l'évolution de l'économie globale réelle. Au chapitre 1, nous avons vu qu'au cours des deux derniers siècles différents courants de pensée ont préconisé des orientations originales à donner à la vie économique d'une société. En passant en revue ces courants de pensée, imaginez ce qu'ils pouvaient suggérer de faire avec la politique budgétaire d'un pays (imaginez les mesures concrètes qu'auraient suggérés les classiques, les marxistes, les keynésiens, les néolibéraux).

CHAPITRE 6 Laboratoires informatiques

Le but des laboratoires informatiques est d'amener l'élève, à partir d'un traitement de données incorporé dans le site de Statistique Canada, à utiliser de façon relativement simple des outils statistiques (tableaux, graphiques, mesures relatives) permettant de décrire et d'expliquer la conjoncture économique canadienne et mondiale. Pour une explication plus détaillée de la marche à suivre, voir l'avant-propos, pages IV à VI.

1 Afin de connaître les plus récentes données sur l'état des finances du gouvernement fédéral, consultez le site du ministère des Finances du Canada à http://www.fin.gc.ca/fin-fra.asp. Une fois sur le site, cliquez sur le lien «Publications et rapports» situé à gauche de l'écran, puis choisissez «La revue financière» et «Les résultats financiers de mars [de l'année la plus récente]». Enfin, déplacez le curseur vers le bas pour obtenir les tableaux relatifs aux résultats financiers du gouvernement fédéral.

a) Commentez le solde budgétaire du gouvernement du Canada pour l'exercice financier en cours.

b) Quelle est la source de revenu qui a connu la plus forte augmentation ? Aide : voir la dernière colonne du tableau portant sur les revenus.

c) Quelle est la source des dépenses qui a connu la plus forte augmentation ? Aide :

voir la dernière colonne du tableau portant sur les charges.

2 Toujours dans le site du ministère des Finances du Canada, consultez « Les résultats financiers de mars [de l'année la plus récente] », voir au numéro 1 la marche à suivre pour y accéder.

a) Mettez à jour les données des figures 6.5 et 6.7, p. 144 et 145.

b) Notez-vous des changements dans les données relatives aux divers postes de revenus et de dépenses ?

CHAPITRE 6 Simulation de l'économie globale

Dans le jeu *Simulation de l'économie globale*, vous êtes le conseiller en chef pour toutes les questions économiques auprès du président ou du premier ministre du pays de votre choix. L'objectif principal est d'appliquer en temps opportun les politiques économiques appropriées, y compris la politique budgétaire, dans le but d'améliorer la situation économique générale de votre pays.

1 Jouez une partie de 100 points contre un maximum de six autres pays gérés par l'ordinateur (c'est-à-dire conseillés par le professeur Huard).

Si c'est la première fois que vous utilisez la simulation, vous pouvez soit cliquer sur « Short Tutorial » (didacticiel abrégé) ou sur « Lesson Tutorial » (didacticiel détaillé) dans le menu principal, soit lire les instructions complètes qui accompagnent la simulation.

Si vous maîtrisez déjà le jeu, cliquez sur « New Game » (nouvelle partie) à partir de la fenêtre de départ.

Attention : lisez bien la notice concernant les pays de l'Union européenne partageant la même monnaie (zone euro) —> instructions du jeu.

2 De quel pays êtes-vous le conseiller économique en chef ?

3 Contre combien de pays gérés par l'ordinateur jouez-vous ?

4 Quelle est l'année que vous avez choisie pour faire cet exercice ? (Vous devez faire cet exercice entre la troisième et la dixième année de la simulation.)

5 Examinez le diagramme de la demande globale et de l'offre globale ci-dessous. En présumant que votre situation économique est à E_0, donnez la direction que montre, à ce moment-ci du jeu, l'indicateur économique (encerclez le chiffre correspondant).

Demande globale (DG) et offre globale (OG)

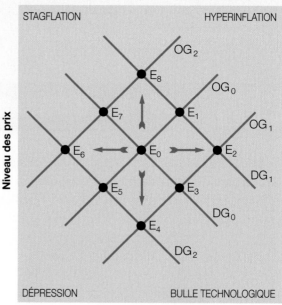

Production = PIB réel

6 Quel changement ou quelle combinaison de changements de la demande globale et de l'offre globale la direction de l'indicateur économique laisse-t-elle prévoir ? (Encerclez une réponse.)

+DG   +DG&+OG   +OG   –DG&+OG

–DG   –DG&–OG   –OG   +DG&–OG

Cliquez maintenant sur « Economic Indicator » (indicateur économique), puis sur « Current Event » (événement de l'actualité économique). Cliquez ensuite sur le bouton « Economic Policy » (politique économique). Vous êtes maintenant à l'interface des politiques.

7 À l'aide d'un modèle de l'interface principale (vous pouvez obtenir ce modèle en cliquant sur le fichier « Interface principale.pdf »), indiquez la position économique de votre pays ainsi que celle des autres pays de la partie. Dessinez le drapeau des pays ou utilisez une abréviation pour les désigner (ex. : CDN = Canada). Encerclez la position actuelle de votre pays.

8 Compte tenu de la position actuelle de votre pays et dans l'hypothèse où vous avez accès à toutes les politiques budgétaires (Fiscal Policy), quelle est celle que vous choisiriez à ce moment-ci ?

+GS ou –GS —> Dépenses publiques (Government Spending)

+T ou –T —> Impôts (Taxes)

+E ou –E —> Paiements de transfert (Entitlements)

+IR ou –IR —> Réglementation de la production (Industry Regulations)

Aucune

9 Est-ce que la politique budgétaire choisie est actuellement disponible parmi les options indiquées ?

10 Sélectionnez maintenant votre politique budgétaire. Choisissez ensuite les autres politiques (commerciale et monétaire). Complétez le jeu. Faites imprimer le pointage et analysez vos résultats.

CHAPITRE 7

MONNAIE ET POLITIQUE MONÉTAIRE

*L'inflation est partout et toujours
un phénomène monétaire.*

Milton Friedman (1912-2006), économiste américain,
Prix Nobel d'économie en 1976

OBJECTIFS

Après avoir lu ce chapitre, vous pourrez :

- reconnaître le rôle de la monnaie dans la vie économique ;
- identifier les rôles de la Banque du Canada et des établissements financiers ;
- expliquer les effets d'une politique monétaire sur l'économie.

Qu'est-ce qui fait à la fois courir et râler tout le monde ? Beaucoup de réponses sont sans doute possibles, mais s'il en est une qui fait l'unanimité, c'est bien l'argent ! Dès l'enfance, on apprend qu'il faut de l'argent pour se procurer les gâteries ou les jouets que l'on convoite. On imagine alors ses parents comme une banque inépuisable dont on peut obtenir de l'argent en usant de charme ou de pleurs. Plus tard, cependant, on comprend qu'il faut normalement travailler fort pour en gagner.

L'argent, on l'aura vite compris, est une chose rare, tout comme les biens et les ressources. Mais à quoi sert-il exactement ? Essayons d'imaginer un monde où il n'y en aurait pas. Que se passerait-il ? Eh bien, nous n'aurions d'autre possibilité que de produire nous-mêmes ce dont nous avons besoin, c'est-à-dire être auto-suffisants, ou d'échanger le fruit de notre production contre celui des autres, ce qu'on appelle « faire du troc ». Pour les nostalgiques de la société artisanale ou les apôtres de la simplicité volontaire, ce type de société doit sembler bien attrayant. Toutefois, le problème de l'autosuffisance ou du troc, c'est qu'ils réduisent considérablement l'efficacité : l'absence de spécialisation des travailleurs ou même une spécialisation limitée comportent un coût d'option qui se traduit par une disponibilité globale moindre de biens et de services. En fait, même pour les adeptes de la simplicité volontaire, l'efficacité que permet l'argent présente un avantage : cela laisse plus de temps pour les activités d'épanouissement humain.

Dans ce chapitre, nous nous pencherons d'abord sur la monnaie et son utilité, puis nous décrirons le fonctionnement du système bancaire canadien. Par la suite, nous verrons comment l'État, par des politiques monétaires, peut encore agir sur l'économie.

7.1 QU'EST-CE QUE LA MONNAIE ?

La **monnaie** (terme que l'on utilise en science économique pour parler de l'argent) est un outil que les humains ont inventé pour faciliter les échanges. Il peut s'agir d'un bien existant ou fabriqué, pourvu qu'il soit :

- accepté de tous ;

- indestructible lors de son utilisation ;

- relativement rare ;

- divisible.

Au cours de l'histoire, toutes sortes de monnaies ont été utilisées. Il y eut d'abord les biens tangibles : pierres précieuses, denrées non périssables, coquillages, etc. Par la suite apparurent les premières formes de la monnaie que l'on connaît aujourd'hui : des papiers signés par des autorités reconnues.

Au Canada, on utilisa d'abord des fourrures ou des cartes à jouer comme instrument d'échange, puis les premiers billets de banque furent créés par les banques privées. La fiabilité de ces billets était toutefois soumise aux aléas des affaires de ces banques, en plus de subir les hauts et les bas d'une économie en construction. Il fallut attendre 1866 pour voir les premiers billets de banque émis par le gouvernement du Canada, des billets à cours légal, garantis par des réserves d'or. Ce dollar canadien naissant[1] n'empêchait pas les banques privées d'émettre leurs propres billets, ce qu'elles firent jusqu'en 1935, année où fut constituée la Banque du Canada. Bien que la monnaie canadienne actuelle satisfasse aux quatre critères mentionnés ci-dessus, nous verrons qu'il faut exercer une étroite surveillance pour qu'il en demeure ainsi.

LES FORMES DE MONNAIE

Il existe essentiellement deux formes de monnaie : la monnaie fiduciaire et la monnaie scripturale.

La monnaie fiduciaire

La **monnaie fiduciaire** est la forme de monnaie connue de tous, celle à laquelle on pense spontanément lorsqu'on parle de monnaie. Elle est composée des pièces et des billets de banque en circulation et repose entièrement sur la confiance des utilisateurs, sa valeur intrinsèque ne correspondant aucunement à sa valeur nominale (valeur inscrite sur le billet ou la pièce). Le métal contenu dans une pièce de un dollar, par exemple, vaut en effet beaucoup moins qu'un dollar. Auparavant, les billets de

La durée de vie moyenne des billets de banque canadiens : 100 $: de 7 à 9 ans ; 50 $: de 4 à 6 ans ; 20 $: de 2 à 4 ans ; 5 $ et 10 $: entre 1 et 2 ans.

Monnaie Outil inventé par les humains pour faciliter les échanges.

Monnaie fiduciaire Monnaie dont la valeur repose entièrement sur la confiance des utilisateurs.

---

1. Pour en savoir plus, lisez *Le dollar canadien : une perspective historique*, de James Powell (disponible sur le site de la Banque du Canada à la section « Publications », à <http://www.banqueducanada.ca>).

banque et les pièces en circulation au Canada (aussi appelés « le numéraire ») étaient convertibles, c'est-à-dire que les banques qui les émettaient s'engageaient à les convertir en métal précieux sur demande. Les banques privées ne pouvaient en effet faire autrement que d'offrir une telle garantie si elles voulaient que les clients aient suffisamment confiance en leurs billets pour les garder en leur possession.

La monnaie scripturale

La **monnaie scripturale** est la monnaie qui existe sous forme d'écritures dans les établissements financiers. Évidemment, ce ne sont pas toutes les écritures qui font office de monnaie, mais seulement celles qui nous servent à effectuer nos transactions, c'est-à-dire les dépôts. Cette forme de monnaie ne nécessite aucun support matériel, si ce n'est le papier qui sert à l'impression des fichiers informatiques faisant état des écritures comptables effectuées par l'établissement financier.

Avant l'avènement de l'électronique, la transparence et la crédibilité du système financier exigeaient que ces jeux d'écritures soient rapportés dans des reçus et des rapports comptables. C'est encore le cas aujourd'hui, mais ces rapports sont conservés dans des mémoires d'ordinateurs et transmis par voie électronique.

Même si la forme de monnaie à laquelle on pense le plus souvent est le « liquide » que l'on transporte sur soi, c'est la monnaie scripturale que l'on utilise le plus de nos jours pour effectuer des transactions, surtout les plus importantes. En effet, la grande majorité des dépenses que l'on fait au cours d'une année sont payées par chèques tirés sur un compte de banque. Notons en passant que les cartes de débit et de crédit ne sont pas de la monnaie, mais plutôt des instruments permettant de transiger la monnaie.

L'UTILITÉ DE LA MONNAIE

Bien sûr, la monnaie a une fonction d'échange, comme nous venons de le voir. Cependant, elle possède encore deux grandes utilités dans le système économique complexe qui est le nôtre : elle sert de réserve de valeur et d'unité de compte.

Une réserve de valeur

La monnaie sert de réserve de valeur, autrement dit de moyen d'épargne. C'est sans conteste la meilleure façon que nous ayons trouvée d'étaler notre consommation dans le temps. À l'époque où l'activité économique reposait principalement sur la production agricole, il était fort difficile d'accumuler de la richesse en vue de la retraite, puisqu'on ne disposait alors que de denrées périssables ! Grâce à la monnaie, il est possible d'accumuler de la valeur pour l'utiliser plus tard. Bien sûr, la monnaie n'est pas le seul moyen d'accroître son actif (on pourrait posséder des terrains ou des actions, par exemple), mais elle demeure le moyen le plus commode de le faire.

Une unité de compte

La monnaie sert aussi à mesurer la valeur relative des biens et services ; c'est pourquoi on dit qu'elle est une unité de compte. On le sait, c'est par les valeurs monétaires que l'on parvient à estimer la valeur de la production d'un pays. La monnaie permet aussi de comparer la valeur de plusieurs biens ou de plusieurs services. Dans une économie de marché comme la nôtre, c'est donc le marché, parfait ou imparfait, qui détermine la valeur monétaire des biens et services, du travail (le salaire) et des capitaux (les taux d'intérêt). Cette fonction qui consiste à attribuer une valeur aux biens et aux personnes est parfois fortement critiquée, mais c'est encore la moins mauvaise que l'on ait trouvée ; d'autant plus que les avantages qu'elle présente surpassent largement ses inconvénients.

LES INDICATEURS DE LA MONNAIE

Nous avons vu que la monnaie canadienne, comme celle de tous les pays, d'ailleurs, prend la forme de pièces et de billets de banque, mais surtout de dépôts divers dans les établissements financiers, et qu'elle sert non seulement à effectuer des transactions, mais aussi à évaluer le produit de l'activité humaine et à entreposer de la valeur. Il est

> **Monnaie scripturale** Monnaie qui existe sous forme d'écritures dans les établissements financiers.

important de ne pas tenir pour acquis cet ingénieux système, car on risquerait ainsi de le fragiliser.

Il peut sembler facile, à première vue, de mesurer la quantité de monnaie présente à un moment donné dans l'économie. En effet, si on suit la démarche présentée au chapitre 3 au sujet du PIB, on n'aurait qu'à mesurer la valeur totale des pièces et des billets en circulation (chose facile, puisqu'ils passent par les établissements financiers) et à ajouter la valeur des dépôts dans ces mêmes établissements. En réalité, cependant, étant donné la multiplication des titres financiers et des entreprises reliées de près ou de loin au marché monétaire, il devient même difficile de trouver une définition satisfaisante de la monnaie.

À l'heure actuelle, les autorités canadiennes retiennent un grand nombre de définitions de la monnaie, selon les titres financiers qu'on y inclut. Pour les fins de cet ouvrage, nous en avons retenu deux : M2 (brut) et M2+ (brut), que nous retrouvons au tableau 7.1. La définition la plus étroite de la monnaie est donc celle qui comprend les formes de monnaie les plus utilisées dans la vie courante, c'est-à-dire la monnaie fiduciaire (le numéraire hors banque) et les **dépôts à vue**, dépôts à partir desquels on peut généralement effectuer des retraits sans préavis.

Dans sa définition la plus large, M2+ (brut), la valeur de la monnaie accumulée sous forme de dépôts divers dans toutes sortes d'établissements financiers et du numéraire hors banque s'élevait à plus de 1300 milliards de dollars au mois de juillet 2010. Or, cette même année, le PIB nominal du Canada devrait s'approcher des 1600 milliards de dollars. La valeur des transactions finales annuelles dépasse donc la valeur totale de la monnaie présente dans l'économie. On en déduit alors que la même monnaie peut servir à effectuer plus d'une transaction au cours d'une année ; c'est pourquoi on dit que la monnaie circule (alors que l'économie roule !). Évidemment, ce ne sont pas toutes les valeurs monétaires qui circulent au même rythme.

Les **dépôts à terme**, comme leur nom l'indique, peuvent être retirés sans pénalité seulement à la fin du terme prévu, qui s'échelonne parfois sur plus d'une année, ce qui limite considérablement le nombre de transactions pouvant être effectuées

TABLEAU 7.1	Offre de monnaie au Canada : les définitions les plus courantes, juillet 2010.
Définitions	**Moyenne annuelle (en millions de $)**
Monnaie hors banque	55 779
Dépôts des particuliers transférables par chèque	197 226
Dépôts des particuliers non transférables par chèque	153 249
Dépôts des particuliers à terme fixe	310 268
Dépôts à vue et à préavis autres que ceux des particuliers transférables par chèque	255 688
Dépôts à vue et à préavis autres que ceux des particuliers non transférables par chèque	30 275
Ajustements	–2 271
Total M2 (brut)	**1 000 213**
Total M2 (brut)	1 000 213
Dépôts des sociétés de fiducie ou de prêt hypothécaire	25 185
Caisses populaires et coopératives d'épargne et de crédit	213 819
Compagnies d'assurance vie (rentes individuelles)	44 488
Dépôts des particuliers aux caisses d'épargne publiques	10 539
Fonds communs de placements du marché monétaire	46 357
Ajustements	1 741
Total M2+ (brut)	**1 342 342**

Source : BANQUE DU CANADA, *Bulletin hebdomadaire de statistiques financières*, 1er octobre 2010, p. 11 et 12.

avec cette réserve de valeur. C'est pourquoi la définition la plus couramment utilisée pour mesurer la valeur de la monnaie présente dans l'économie est M2 (brut). Selon cette définition, il y avait plus de 1000 milliards de dollars accumulés dans l'économie en 2010 sous forme de pièces et de billets, ou de dépôts relativement « liquides ».

Dépôt à vue Dépôt à partir duquel on peut généralement effectuer des retraits sans préavis.

Dépôt à terme Dépôt pouvant être retiré sans pénalité seulement à la fin du terme prévu.

LA CRÉATION DE LA MONNAIE

Abordons maintenant un aspect plus abstrait de la réalité monétaire, mais essentiel à la compréhension du rôle que joue la monnaie dans la vie économique d'aujourd'hui : la création de la monnaie. Bien sûr, il est facile de comprendre comment on crée la monnaie fiduciaire (des pièces et des billets), mais qu'en est-il de la monnaie scripturale ? Nous vous surprendrons peut-être : ce n'est pas par la monnaie fiduciaire que l'on crée la monnaie

On imagine souvent que le pouvoir de créer la monnaie relève de la fameuse «planche à billets» des banques centrales. En réalité, il dépend bien davantage de l'activité des banques qui ont la capacité de créer de l'argent à partir de presque rien.

scripturale, mais plutôt le contraire. Il faut d'abord créer de la monnaie scripturale, c'est-à-dire des dépôts dans les établissements financiers, dont une partie est convertie en pièces et en billets. Et la monnaie scripturale se crée... tout simplement par les prêts du secteur financier qui finissent invariablement par retourner dans le système financier sous la forme de dépôts.

Obtenir l'autorisation d'exploiter une entreprise du secteur financier signifie en fait obtenir le pouvoir de créer de la monnaie. À partir des prêts accordés aux agents économiques et des transactions qui en découlent, les établissements financiers constituent des réserves excédentaires qu'ils peuvent prêter, ce qui donne lieu à de nouvelles transactions, à de nouveaux dépôts, à de nouveaux prêts, etc. Ce processus pourrait se répéter à l'infini, si ce n'était que les établissements ne peuvent prêter la totalité du montant initial en raison des réserves qu'ils maintiennent pour parer aux éventualités, afin de ne pas être à court de liquidités, car cela minerait la confiance de leurs clients. La multiplication monétaire se fait donc de façon inversement proportionnelle aux réserves détenues, ce que l'on peut résumer par la formule simple suivante :

$$MM^2 = \frac{1}{R}$$

où R = **taux de réserve** des banques et autres établissements de prêts

et MM = **multiplicateur monétaire**[3].

Par exemple, à partir d'un prêt initial de 1000 $ garanti par un actif réel, si on suppose que les établissements prêteurs gardent des réserves équivalant à 5 % des dépôts reçus du public, la création maximale de la monnaie s'élèverait à 20 000 $, le montant initial étant multiplié par 20 ($\frac{1}{0,05} = 20$).

La création de la monnaie se fait au rythme de l'activité économique. En fin de compte, ce sont les

Taux de réserve Pourcentage des dépôts que les établissements financiers détiennent sous forme de réserves.

Multiplicateur monétaire Quantité de monnaie que le système financier peut créer à partir d'un dollar de dépôt. De façon générale, il correspond au montant du dépôt initial divisé par le taux de réserve.

---

2. Pour plus de détails concernant le multiplicateur monétaire, voir l'Appendice mathématique, p. 185.

3. Nous utilisons le symbole «MM» pour distinguer le multiplicateur monétaire du multiplicateur keynésien des dépenses des agents économiques dont nous avons parlé au chapitre 5.

agents économiques qui dictent la vitesse à laquelle elle s'effectue, selon leur désir d'emprunter ou de garder un montant plus ou moins élevé en numéraire hors banque, selon la forme de monnaie qu'ils désirent détenir ou leur préférence pour des actifs autres que financiers, etc.

7.2 SYSTÈME FINANCIER CANADIEN

Comme la monnaie est composée très majoritairement d'écritures qui possèdent un caractère intangible, tout repose sur la qualité de ces écritures et donc sur les acteurs du marché financier. Avec les années, comme dans de nombreux secteurs de la vie économique, l'offre de produits monétaires et financiers s'est grandement diversifiée. Pour ce marché également, on peut se demander si l'offre de produits crée de nouveaux besoins et donc une demande, ou si la diversification provient des besoins exprimés par les agents économiques. La réponse la plus probable pour résoudre ce vieux dilemme serait que les deux segments du marché ont eu une influence sur cette évolution.

Traditionnellement, pour des raisons de sécurité du système, le secteur des services financiers était cloisonné hermétiquement par une réglementation en quatre divisions bien étanches :

- les banques à charte fédérale, qui agissaient comme intermédiaires financiers en recevant les dépôts et en effectuant des prêts ;

- les sociétés d'assurance ;

- les sociétés de fiducie qui, comme leur nom l'indique, sont les fiduciaires des sommes mises à leur disposition, c'est-à-dire qu'elles reçoivent le mandat de gérer des actifs financiers au nom de tierces personnes ;

- les courtiers en valeurs mobilières spécialisés dans le marché des actions, des obligations et des contrats à terme.

À la suite des déréglementations entreprises au cours des années 1980, un grand branle-bas s'est emparé de ce secteur, de sorte qu'une même entreprise peut aujourd'hui offrir des produits financiers dans l'une ou l'autre des divisions qui existaient

La Banque royale du Canada (RBC), dont le siège social est à Toronto, est la plus importante banque à charte du Canada. En 2009, ses avoirs s'élevaient à 655 milliards de dollars.

auparavant. Cela a donné lieu à la naissance de géants financiers ayant des actifs impressionnants et à l'arrivée de nouveaux acteurs. Pour donner une petite idée de la vitalité et de la diversité du secteur des services financiers, voici le décompte effectué par l'Association des banquiers canadiens en 2010 :

- 6 grandes banques canadiennes ;

- 16 petites banques canadiennes ;

- 48 filiales ou succursales de banques étrangères ;

- 35 sociétés de fiducie ;

- 70 compagnies d'assurance-vie ;

- 1000 coopératives de crédit et caisses populaires ;

- un éventail d'organismes financiers fédéraux et provinciaux (courtiers en valeurs mobilières, sociétés de fonds d'investissement, gestionnaires de régimes de retraite, courtiers indépendants en finances, en dépôts et en hypothèques).

Le tableau 7.2 donne pour sa part un bref aperçu des grands acteurs de l'industrie des services financiers au Canada.

Comme c'est le cas pour bien d'autres secteurs de l'activité économique, ces acteurs du domaine financier offrent des produits qui se sont diversifiés au cours des années. Ces derniers comprennent deux catégories.

- Les produits de court terme du marché monétaire :

  - les bons du trésor du gouvernement fédéral,

  - les acceptations bancaires (billet d'emprunt garanti par une banque),

  - le papier commercial (billet d'emprunt des grandes entreprises non garanti par une banque),

  - les dépôts des banques (certificat de placement garanti).

- Les produits financiers de long terme du marché des capitaux :

  - les obligations d'entreprise ou des gouvernements (titres d'emprunt portant un intérêt fixe – coupon – remboursés à échéance),

| TABLEAU 7.2 | Total des actifs des six grandes banques canadiennes et du Mouvement des caisses Desjardins, 2009. |

Fournisseurs de services financiers	Actif (en milliards de dollars)
RBC	655,0
Banque TD	557,2
Banque Scotia	496,5
BMO Groupe financier	388,5
Banque CIBC	335,9
Desjardins (Mouvement des caisses)	157,2
Banque Nationale du Canada	132,1

Source : adapté de <http://www.lesaffaires.com/classements/leaders-secteurs-2010> (page consultée le 5 août 2010).

  - les actions des entreprises (titres de propriété dont on peut tirer un revenu, le dividende),

  - les produits financiers dérivés d'autres produits financiers (options de vente ou d'achat de ces produits à prix déterminé dans un temps déterminé pour se prémunir contre le risque des variations de prix).

Ces produits financiers sont appelés « valeurs mobilières » par opposition au marché de l'immobilier. Bien sûr, il existe une multitude d'autres produits financiers comme les cartes de crédit à la consommation, les prêts hypothécaires à l'habitation ou commerciaux (emprunts comportant un immeuble en garantie), le crédit-bail (emprunt pour la location d'équipements), les assurances contre les risques divers, etc.

En principe, les acteurs financiers développent des produits qui favorisent le financement de projets, encourageant ainsi le développement économique et social. Toutefois, le bouillonnement d'activités dans le secteur des services financiers nous amène à nous demander si le pouvoir que détiennent les grands groupes ainsi créés ne fragilise pas l'édifice monétaire. Ce dernier, on le sait, repose essentiellement sur la confiance des gens envers les acteurs du domaine, et les scandales survenus récemment aux États-Unis, où de grands groupes industriels furent accusés d'avoir trafiqué les états financiers de leurs entreprises, laissent redouter le pire. Le développement de produits financiers très risqués fragilise aussi tout le système. On en a eu un exemple à l'été 2007 avec la débâcle des *subprimes*. Ces papiers commerciaux adossés à des actifs (PCAA) ont créé une importante crise de liquidités des systèmes financiers à l'échelle mondiale et ont obligé les grandes banques centrales à intervenir pour éviter de graves répercussions économiques négatives (voir la section de ce chapitre « Les interventions sur le marché monétaire », page 173). En effet, la faillite d'un acteur géant du secteur se répercuterait probablement sur tous les aspects de la vie économique. D'où l'importance de mettre en place des mécanismes de surveillance efficaces et continuels, de façon à prévenir les dérapages. C'est le rôle de tous les acteurs économiques d'effectuer cette surveillance, mais plus particulièrement celui des organismes mandatés pour le faire. Au Canada, l'encadrement des activités monétaires et financières est assuré principalement par la Banque du Canada.

LE MARCHÉ DE LA MONNAIE

Si la monnaie est un bien, il doit exister un marché pour ce bien. Comme tous les autres marchés, le marché de la monnaie comporte des offreurs et des demandeurs de monnaie. Les offreurs de monnaie sont les épargnants qui possèdent les différents comptes bancaires, et les demandeurs, les personnes qui utilisent ces fonds, c'est-à-dire les emprunteurs (voir la figure 7.1). C'est ce marché fondamental qui détermine les taux d'intérêt au pays sur une longue période (long terme). En fait, il n'existe pas seulement un taux d'intérêt, mais plusieurs variant selon le type de produit financier ; on parle alors de la structure des taux d'intérêt (voir le tableau 7.3). Lorsque les taux montent ou descendent, chaque taux garde habituellement sa position par rapport aux autres dans cette structure.

On affirme trop souvent à tort que c'est la banque centrale qui fixe les taux d'intérêt au pays. Le pouvoir de la banque centrale se résume à exercer une influence indirecte, quoique déterminante, sur le marché monétaire. On peut d'ailleurs lire ce qui suit dans les documents que la Banque du Canada rend accessibles au grand public pour bien faire comprendre le but fondamental de ses actions.

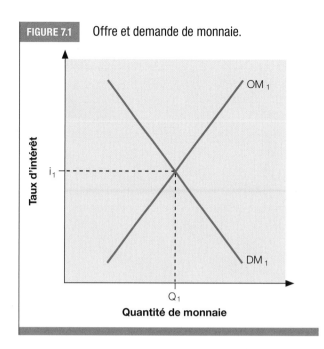

FIGURE 7.1 Offre et demande de monnaie.

TABLEAU 7.3 Structure des taux d'intérêt au Canada, 29 septembre 2010.

Taux d'intérêt	Taux annuel (en %)
Taux d'escompte officiel (taux cible du financement à un jour + 0,25 %)	1,25
Fourchette opérationnelle Bas (taux des soldes créditeurs) Haut (taux d'escompte officiel)	0,75 1,25
Taux cible du financement à un jour	1,00
Taux de base des prêts aux entreprises	3,00
Taux hypothécaires 1 an 5 ans	3,30 5,39
Dépôts d'épargne non transférables par chèque	0,05
Certificats de placement garantis 1 an 5 ans	0,63 1,98
Bons du trésor 1 mois 1 an	0,84 1,27
Rendements d'obligations du gouvernement canadien 2 ans 10 ans À long terme	1,39 2,74 3,33

Source : BANQUE DU CANADA, *Bulletin hebdomadaire de statistiques financières*, 1er octobre 2010, page 8.

Mark Carney a été nommé gouverneur de la Banque du Canada le 1er février 2008.

«Certains peuvent s'interroger sur la raison pour laquelle la Banque du Canada ne peut accroître ou diminuer à volonté l'offre de monnaie, dans la mesure où elle règle l'offre de papier-monnaie en circulation. Si la Banque ne le peut pas, c'est que les billets de banque qu'elle émet ne représentent qu'une petite fraction de l'ensemble de la monnaie circulant dans l'économie à un moment donné. [...] Les banques commerciales et autres institutions financières créent la plus grande partie des actifs servant de monnaie en octroyant des prêts aux particuliers et aux entreprises. En ce sens, les institutions financières sont créatrices de monnaie. La Banque du Canada règle *indirectement* le taux d'expansion monétaire par l'*influence* qu'elle exerce sur les taux à court terme. Si une variation de ces taux intervient, celle-ci se répercute sur d'autres taux d'intérêt[4]. »

On peut alors se demander comment, dans les faits, s'exerce cette influence indirecte de la banque

centrale sur les marchés financiers et à quels objectifs elle répond. Ces objectifs et les mesures prises sont définis dans la politique monétaire de la Banque du Canada.

LE RÔLE DE LA BANQUE DU CANADA

Créée en 1935 par le gouvernement fédéral, la Banque du Canada est l'organisme indépendant chargé d'encadrer le système monétaire et financier du pays. Comme la monnaie et ses dérivés remplissent une fonction essentielle à la bonne marche de la vie économique, son rôle a une importance capitale. L'intervention de la Banque du Canada dans le système monétaire et financier comporte quatre aspects.

- **Contrôle de la monnaie fiduciaire** La Banque est responsable de l'émission des billets de banque canadiens. Elle voit à leur conception, à la distribution des billets neufs ainsi qu'au remplacement des billets endommagés. Ses numéraires sont introduits dans le marché financier par un système

---

4. Banque du Canada, [en ligne], <http://www.banqueducanada.ca/fr/documents/bg-m2-f.htm> (page consultée le 9 septembre 2004). L'italique est de nous.

d'échange et d'écriture comptables : les établissements financiers autorisés achètent à la banque centrale ces numéraires selon les besoins exprimés par leurs clients pour ce type de monnaie.

- **Encadrement du système financier** La Banque veille à l'application de la réglementation du système financier. Il lui revient aussi d'inciter le public à adopter des comportements favorisant le maintien d'un système financier de qualité.

- **Financement de la dette de l'État** La Banque du Canada joue le rôle d'agent financier de l'État fédéral. À ce titre, elle procède à la vente et au rachat des obligations et des bons du Trésor servant à financer la dette fédérale.

- **Application de la politique monétaire** En accord avec le gouvernement fédéral et surtout avec le ministère des Finances, la Banque voit à la mise en œuvre des objectifs généraux touchant la croissance de l'offre de monnaie au pays.

Ce dernier rôle de la banque centrale relève de la politique économique et a donc une incidence sur le fonctionnement de l'économie globale.

7.3 POLITIQUE MONÉTAIRE CANADIENNE

Par sa politique monétaire, l'État canadien établit des grands principes d'orientation en ce qui concerne le secteur monétaire et financier de l'économie, et il a élaboré au fil des ans des moyens pour atteindre ses objectifs.

Dans le cadre de la politique économique du gouvernement fédéral, la Banque du Canada s'est vu confier un rôle bien précis : veiller à la stabilité des prix et donc au maintien d'un taux d'inflation stable, objectif qui a préséance sur tous les autres aspects de la vie économique. Dans le contexte économique actuel, cela signifie que, quels que soient les problèmes de l'économie canadienne, la banque centrale maintiendra la rigueur monétaire, car on considère la stabilité des prix comme le gage de l'atteinte de tous les autres objectifs économiques.

Cette orientation peut surprendre, surtout si on pense à certains problèmes économiques qui apparaissent plus graves qu'un taux d'inflation trop élevé, comme la pauvreté d'une grande partie de la population, la dégradation de l'environnement ou la pénurie de ressources dans le domaine de la santé. Selon la plupart des économistes, les autorités monétaires doivent privilégier l'objectif de la stabilité des prix, alors qu'il revient aux autres composantes de l'appareil gouvernemental de viser l'atteinte des autres objectifs économiques cruciaux.

LA FOURCHETTE CIBLE DE MAÎTRISE DE L'INFLATION

Contrairement à beaucoup d'autres pays du monde, le Canada n'a pas connu un grand nombre de périodes inflationnistes au cours du dernier siècle. Ce n'est à peu près qu'au milieu des années 1970 et au début des années 1980 que le taux d'inflation est devenu préoccupant, ayant atteint, à la suite des deux crises pétrolières mondiales, un niveau maximal frôlant les 12 %. Et cela peut sembler bien dérisoire quand on pense que d'autres pays ont connu des taux d'inflation annuels ayant parfois atteint 10 000 % ! De telles flambées des prix ont un coût économique et social affreusement lourd qu'il convient de prévenir... à tout prix. Il a fallu au Canada presque deux décennies pour revenir à un taux d'inflation plus modéré, comme celui que nous connaissons au début du troisième millénaire. Car le cycle inflationniste est difficile à stopper, tant l'interdépendance des agents économiques est forte, vu l'effet multiplicateur des dépenses et de la monnaie. En matière d'inflation, mieux vaut donc prévenir que guérir.

Les limites de la **fourchette cible** de maîtrise de l'inflation ont été fixées à 1 % et à 3 % par année. On estime qu'un tel taux d'inflation représente une croissance des prix suffisante pour insuffler un dynamisme au développement économique

> **Fourchette cible** Taux maximal et taux minimal d'inflation fixés par la banque centrale.

tout en ne minant pas le pouvoir d'achat des ménages. De plus, en s'engageant à garder le taux d'inflation dans la fourchette cible, les autorités monétaires garantissent aux agents économiques du pays une certaine stabilité à long terme, ce qui facilite la prise de décisions importantes ayant une incidence sur le niveau de vie.

LES INSTRUMENTS DE LA POLITIQUE MONÉTAIRE

Pour exercer son contrôle sur la quantité de monnaie en circulation, la Banque du Canada a principalement recours à trois instruments monétaires : la persuasion morale, le taux directeur et les interventions sur le marché monétaire.

La persuasion morale

La Banque du Canada peut aussi faire en sorte que les agents économiques adoptent des comportements qui vont dans le sens de ses objectifs. En les informant et en les sensibilisant par des annonces régulières dans les médias, la Banque influence les anticipations des agents économiques ; or, on le sait, ce sont les anticipations qui dictent les comportements.

Par exemple, lorsqu'elle annonce ses cibles de maîtrise de l'inflation, la Banque du Canada démontre sa ferme intention de s'assurer de la stabilité des prix au pays. Ayant pris connaissance des orientations de la Banque, les agents économiques s'attendent à un taux d'inflation stable, ce qui favorise la stabilité des politiques de prix des entreprises, des revendications salariales des employés et des intentions d'achat de biens de consommation ou de biens d'équipement. Les décisions des agents économiques devraient donc aller dans le sens de la croissance économique et non privilégier le court terme en visant une protection maximale de nature inflationniste.

L'annonce d'un taux directeur

Huit fois par année, selon un calendrier annoncé d'avance, la Banque du Canada indique ce qu'elle appelle un « taux directeur », c'est-à-dire un taux qui reflète la direction dans laquelle elle aimerait voir évoluer les taux d'intérêt au pays.

Auparavant, ce taux directeur correspondait au **taux d'escompte**, taux consenti aux grands établissements financiers lorsqu'ils ont recours aux avances de la Banque du Canada. Aujourd'hui, il est égal au **taux cible du financement à un jour**, soit le taux d'escompte moins 25 points de base (0,25 %), que les banques paient entre elles. En effet, il arrive que, dans leurs activités quotidiennes, les grandes banques et les autres acteurs du marché financier soient temporairement à découvert, ce que la loi leur interdit formellement. Donc, si, au cours d'une journée, une banque a davantage de sorties que d'entrées de fonds, elle doit absolument couvrir son découvert à la Banque du Canada en payant le taux d'escompte ou encore en empruntant, à très court terme, aux grands établissements financiers qui ont des surplus de liquidités. Dans ce dernier cas, elle acquitte le taux de financement à un jour. La Banque du Canada fixe ce taux en tenant compte des réalités du marché.

Le taux directeur n'étant pas un taux administré, donc pas une obligation juridique, on peut se demander pourquoi les grands établissements financiers suivraient forcément les directives de la Banque du Canada. Réponse : en raison, justement, de la concurrence offerte par la Banque du Canada. Un grand établissement financier n'aurait aucune raison d'acquitter auprès d'un autre établissement financier un taux supérieur à celui auquel il peut obtenir des fonds de la Banque du Canada. De même, un établissement prêteur ne serait pas très enclin à consentir des prêts à un taux inférieur à celui versé par la banque centrale. Dans les faits, donc, le taux de financement à un jour devient la norme entre les grands établissements financiers.

Par la suite, le taux de financement à un jour devient généralement la référence pour tous les autres taux du marché (voir le tableau 7.3). Quand une banque

---

Taux d'escompte   Taux consenti aux grands établissements financiers lorsqu'ils empruntent à la banque centrale. Ce taux correspond à 0,25 % de plus que le taux cible du financement à un jour.

Taux cible du financement à un jour   Taux directeur, c'est-à-dire taux auquel les grands établissements financiers se prêtent des fonds pour une journée.

paie elle-même plus cher pour les avances dont elle a besoin, elle exige davantage de ses clients. Et vice versa : lorsqu'elle paie moins cher, parce que la Banque du Canada a réduit son taux directeur, elle demande moins à ses clients.

Les interventions sur le marché monétaire

Pour exercer une influence sur le marché monétaire et financier au pays, la Banque du Canada peut effectuer des opérations sur le marché monétaire. À titre d'agent financier de l'État, la Banque achète et vend au public des bons et des obligations, titres de financement à terme fixe comportant une variété de caractéristiques selon leur échéance, leur prix, leur rendement, leur garantie, etc. Les obligations d'épargne du Canada sont un exemple de titre de financement à terme fixe.

Lorsque la Banque du Canada veut réduire la croissance de l'offre de monnaie, elle vend davantage de fonds d'État ; les établissements financiers qui se les procurent ont alors moins d'argent à prêter, ce qui réduit la quantité de monnaie pouvant être créée et donc l'offre de monnaie. Inversement, lorsque la banque centrale veut favoriser la croissance monétaire, elle rachète les fonds d'État au public, qui dépose les liquidités ainsi recouvrées dans les établissements financiers ; ces derniers ont alors plus de fonds à prêter, de sorte que l'offre de monnaie augmente.

Les bons du Trésor, l'un des titres les plus transigés sur une courte période, servent d'outil de gestion de la politique monétaire courante et sont utilisés pour la gestion des liquidités de court terme par les grandes entreprises, les établissements financiers, les organismes gestionnaires de régimes de retraite, etc. Ils ne portent pas d'intérêt, mais sont vendus à escompte.

Les interventions sur le marché du financement à un jour

Les interventions de la Banque du Canada ont un impact important sur le marché de la monnaie à court terme. Comme la Banque du Canada détermine le taux d'intérêt de référence de ce marché et qu'elle prend les moyens pour y arriver, on considère

généralement que l'offre de monnaie de court terme est parfaitement inélastique (droite verticale) et déterminée par la banque centrale (voir la figure 7.2).

Comment la Banque du Canada arrive-t-elle à ses fins ? Supposons qu'elle veuille faire remonter le taux de financement à un jour pratiqué par les entreprises membres du système de transfert de paiements de grande valeur (STPGV). Pour y parvenir, l'offre de monnaie doit diminuer. La Banque du Canada procédera alors à une « cession en pension », c'est-à-dire qu'elle offrira aux membres du STPGV de leur vendre des titres du gouvernement canadien pour un rachat le jour suivant à un prix convenu d'avance. Cette action aura pour effet de retirer des liquidités du système monétaire à court terme, ce qui devrait faire remonter le taux d'intérêt des transactions monétaires de très court terme vers la cible de la Banque du Canada (1,00 %). Inversement, quand la Banque du Canada veut faire diminuer le taux cible de financement à un jour, elle procédera à une « prise en pension », c'est-à-dire qu'elle offrira aux membres du STPGV de leur acheter des titres du gouvernement canadien en s'engageant à leur revendre le jour suivant à un prix convenu d'avance, pour injecter des liquidités dans le marché et faire augmenter l'offre de monnaie. De cette façon, la Banque du Canada exerce une influence significative sur le marché monétaire et sur les taux d'intérêt.

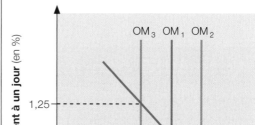

FIGURE 7.2 Marché du financement à un jour.

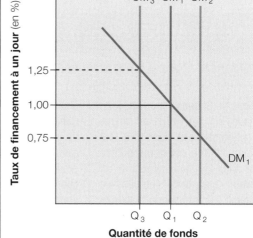

Nous avons eu un bel exemple de la mise en œuvre de cette politique lors de la récession de 2007-2009. La Banque du Canada a alors procédé à une injection massive de capitaux dans le système financier canadien par le moyen de l'achat de titres du gouvernement canadien. Les prises en pension à plus d'un jour qui étaient inexistantes ou presque avant 2008 se sont élevées à 30 milliards par semaine à la fin de 2008 et au début de 2009 (voir la figure 7.3), soit la période où le recul économique était le plus important. La banque centrale a entrepris des actions concrètes pour atteindre son objectif de taux d'intérêt bas dans le but d'arrêter le recul économique et de favoriser la reprise. Il est cependant évident, comme nous l'avons mentionné précédemment, que cette influence joue surtout sur le marché de court terme. À plus long terme, ce sont les forces présentes dans l'économie qui détermineront le niveau des taux d'intérêt. Toutefois, ce pouvoir de la banque centrale a pour effet d'atténuer les tourmentes au sein d'un marché qui, sans son intervention, pourrait connaître des dérapages majeurs dont tout le monde souffrirait (pour en savoir plus sur le sujet, voir la rubrique « Actualité économique » ci-dessous).

FIGURE 7.3 Évolution des prises en pension à plus d'un jour, Banque du Canada, janvier 2007 à juillet 2010.

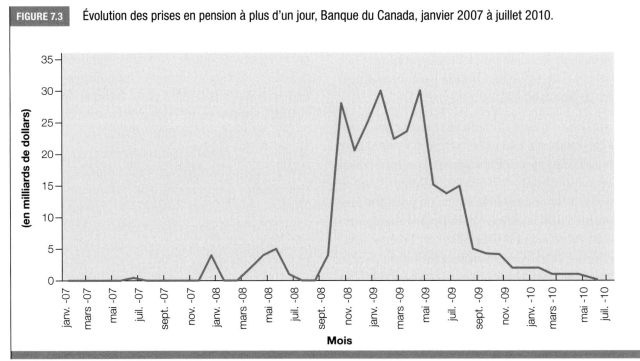

Source : BANQUE DU CANADA, *Statistiques bancaires et financières de la Banque du Canada*, septembre 2010.

Actualité économique

LA BANQUE DU CANADA INTERVIENT ENCORE POUR 855 M $

La Banque du Canada est de nouveau intervenue sur les marchés financiers, achetant mardi pour 855 M $ de valeurs afin de défendre sa cible pour le taux du financement à un jour. Depuis jeudi, la banque centrale du Canada est intervenue à quatre reprises, pour un montant total de 3,815 G $. Lors de telles transactions d'achat et de revente, la Banque du Canada achète des obligations d'État de grandes institutions financières et s'engage à les leur revendre à un prix prédéterminé le lendemain. La banque centrale a procédé à ces transactions pour protéger la cible qu'elle a établie pour le taux du financement à un jour, qui est de 4,5 %. La Banque affirme que de telles transactions sont courantes vers la fin d'un trimestre.

Toutefois, elles surviennent aussi à un moment où les marchés mondiaux manquent de liquidités en raison de la crise hypothécaire aux États-Unis. La Banque du Canada et d'autres banques centrales, dont la

Réserve fédérale américaine, essaient de remédier à la situation en injectant des capitaux dans les marchés. À la mi-août, la Banque du Canada a déclaré qu'elle intervenait pour permettre aux institutions financières de procéder à ces transactions qui renforcent l'objectif de la banque centrale pour les taux d'intérêt à court terme.

Source: *La Presse canadienne*, 2 octobre 2007.

Mettez vos connaissances en pratique

1 Dans cet article, pour la Banque du Canada, s'agit-il d'une « cession en pension » ou d'une « prise en pension » de titres du gouvernement canadien ? Aide : voir « Les interventions sur le marché du financement à un jour », à la section 7.3, p. 173-174.

2 Quel est l'effet attendu de l'intervention de la Banque du Canada sur le marché de la monnaie de court terme (marché du financement à un jour) ?

3 Quelles sont les craintes des banques centrales pour qu'elles se sentent obligées d'injecter des capitaux ?

L'EFFET RECHERCHÉ DE LA POLITIQUE MONÉTAIRE

Comme nous l'avons mentionné précédemment, la Banque du Canada est tout entière tournée vers l'objectif de la stabilité des prix et du maintien du taux d'inflation dans la fourchette cible de 1 % à 3 % reconduite depuis quelques années. Cet objectif correspond à la situation économique relativement stable que l'on connaît au Canada depuis un certain temps, mais qui pourrait changer advenant des événements importants qui nous en feraient dévier. Cela ne veut pas dire cependant que la politique monétaire n'est pas également au service d'autres objectifs économiques, particulièrement lorsque l'objectif de la stabilité des prix est atteint.

Comme la politique budgétaire, la politique monétaire peut être expansionniste ou restrictive.

Une politique monétaire expansionniste

Lorsque le taux d'inflation se maintient à un niveau stable, mais que la croissance économique fait défaut, les autorités doivent favoriser la croissance de l'offre de monnaie et ainsi stimuler l'activité économique. La Banque du Canada peut utiliser un ou plusieurs des outils suivants :

- une baisse du taux directeur, qui donnerait aux agents économiques le signal d'un relâchement des taux d'intérêt au pays et d'un meilleur accès au crédit ;

- le rachat de fonds d'État, qui aurait pour effet de laisser davantage de liquidités en circulation dans le système financier ;

- l'annonce d'une intention de relâcher l'étau monétaire et de permettre la baisse des taux d'intérêt.

Ces outils permettent d'encourager la croissance de la demande de biens et de services. C'est ce que représente la figure 7.4. D'une part, la croissance de l'offre de monnaie a pour résultat de pousser à la baisse les taux d'intérêt (voir la figure 7.4a), baisse qui devrait favoriser la croissance de la demande globale (voir la figure 7.4b). Tant que l'économie globale n'a pas atteint son niveau de plein-emploi, les effets sur le taux d'inflation devraient être modérés. D'autre part, comme nous le verrons au chapitre 9, la baisse des taux d'intérêt provoque aussi une dépréciation de la monnaie par rapport à celle des autres pays (baisse du taux de change), ce qui entraîne une hausse de la demande étrangère pour les biens et services nationaux, tout en ralentissant les importations, et favorise donc encore davantage la croissance de la demande globale canadienne.

Selon la Banque du Canada, les effets d'une telle politique monétaire ne se font sentir qu'après 18 ou 24 mois. C'est pourquoi les autorités monétaires doivent se tenir à l'affût des moindres retournements du cycle économique et agir avant que la situation ne se détériore.

Une politique monétaire restrictive

Lorsque l'objectif de stabilité des prix n'est pas atteint, les autorités doivent ralentir la croissance de l'offre de monnaie et ainsi contenir les hausses de prix. La Banque du Canada peut utiliser un ou plusieurs des outils suivants :

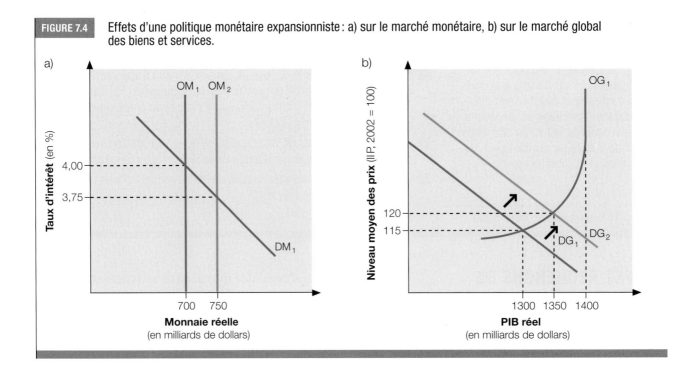

FIGURE 7.4 Effets d'une politique monétaire expansionniste : a) sur le marché monétaire, b) sur le marché global des biens et services.

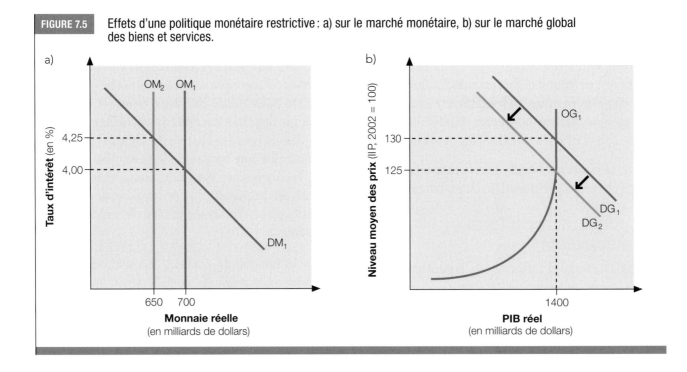

FIGURE 7.5 Effets d'une politique monétaire restrictive : a) sur le marché monétaire, b) sur le marché global des biens et services.

- une hausse du taux directeur, qui aurait pour incidence de resserrer le crédit et, par conséquent, de ralentir l'effet multiplicateur de la monnaie ;

- la vente de fonds d'État, par laquelle la Banque retirerait des liquidités du système financier ;

- des pressions visant à convaincre les agents économiques d'accorder la priorité à l'objectif du contrôle des prix.

Ces mesures devraient faire diminuer l'offre de monnaie et pousser à la hausse les taux d'intérêt au pays (voir la figure 7.5a). Si les agents économiques répondent conformément aux attentes, il devrait y avoir une diminution de la demande globale[5] et un ralentissement de la hausse des prix (voir la figure 7.5b). Malheureusement, une politique monétaire restrictive a aussi pour effet de ralentir la croissance économique. C'est le prix à payer pour freiner l'inflation.

LA CRÉATION ARTIFICIELLE DE MONNAIE

Selon une idée qui revient régulièrement dans l'actualité et qui pourtant relève d'un non-sens économique, le gouvernement central, détenteur de tous les pouvoirs en ce qui concerne la monnaie, devrait injecter de l'argent dans l'économie, afin d'en favoriser l'essor, en empruntant à sa banque centrale. Idée séduisante *a priori*, mais qui en réalité se révèle fort dangereuse. Procéder de cette façon revient à créer artificiellement de la monnaie. Lorsqu'un gouvernement en est réduit à recourir à ce stratagème, c'est que l'état de l'économie ne lui permet pas de récolter les fonds nécessaires à même l'épargne disponible dans le pays. Et dans un pays où l'épargne est insuffisante pour les autorités gouvernementales, elle l'est certainement aussi pour les investisseurs qui en ont besoin pour accroître leur capacité de production. Dans ce contexte, injecter artificiellement de la monnaie dans l'économie,

lorsque les ressources productives sont limitées, ne ferait qu'accroître les pressions inflationnistes ; on se retrouverait donc avec un problème pire qu'auparavant : une situation économique qui n'a pas changé et une inflation incontrôlable. C'est ce qu'ont connu tous les pays qui ont opté pour cette voie facile en vue d'améliorer les conditions économiques. La figure 7.6 illustre l'effet de la création artificielle de monnaie.

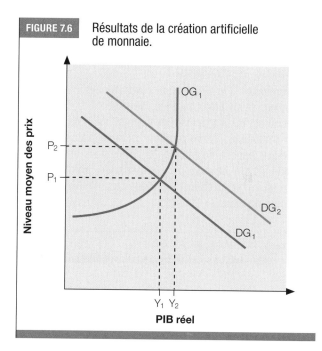

FIGURE 7.6 Résultats de la création artificielle de monnaie.

Actualité économique

HAUSSE DES TAUX D'INTÉRÊT : L'ÉCHÉANCE SE RAPPROCHE

Rudy Le Cours

(Montréal) Le gouverneur de la Banque du Canada, Mark Carney, a entrouvert la porte hier à une hausse du taux directeur avant juillet, une possibilité évoquée par de plus en plus d'observateurs depuis la publication des derniers chiffres de l'inflation vendredi.

« L'inflation mesurée par l'indice de référence a été un peu plus élevée que prévu, sous l'effet à la fois de facteurs temporaires et de l'intensification de l'activité économique », a déclaré M. Carney à la fin d'un discours portant sur la productivité prononcé hier devant l'Ottawa Economics Association.

Le mois dernier, l'indice de référence de la Banque, qui exclut les éléments les plus volatils de l'indice des prix à la consommation (IPC), a grimpé à 2,1 % alors que les experts prévoyaient un repli. Si les Jeux de Vancouver ont fait bondir les prix de l'hébergement, d'autres éléments moins conjoncturels ont alimenté la cherté de la vie comme le prix des voitures et des primes d'assurance.

Dans sa décision du 2 mars de reconduire le taux cible de financement à un jour à 0,25 %, la Banque avait réitéré son engagement à le maintenir à ce niveau plancher jusqu'à la fin de juin « sous réserve des perspectives actuelles concernant l'inflation ».

Cette formule était reprise telle quelle depuis avril 2009.

---

5. Dans ce cas, on parle de diminution ; cependant, en réalité, il s'agit généralement d'un ralentissement de la croissance.

Signal

Hier, M. Carney a changé de formule, nourrissant la spéculation que la Banque pourrait bouger plus vite : « Cet engagement est explicitement conditionnel aux perspectives en matière d'inflation », dont une mise à jour sera présentée le 22 avril.

M. Carney a relevé que la croissance avait été « étonnamment un peu plus dynamique » que prévu en janvier et que « les exportations se sont également redressées davantage à la faveur du raffermissement de la demande extérieure ».

[…]

Hausse le 20 juillet ?

L'expression « explicitement conditionnelle » n'est pas anodine, selon Éric Lascelles, stratège chez TD Valeurs mobilières, qui s'attend à une augmentation de la projection d'inflation. « Notre position courante plaide pour une première hausse de taux le 20 juillet, mais une décision dès le 1er juin ne peut plus être écartée, affirme-t-il. On pourrait même lui donner un niveau de probabilité de 50 % (et peut-être plus). »

Chose certaine, le gouverneur n'entend pas badiner en matière d'inflation. « La détermination de la Banque à maintenir la stabilité des prix est inébranlable », a-t-il dit.

Mettez vos connaissances en pratique

1. Pourquoi le gouverneur de la Banque du Canada, Mark Carney, a-t-il entrouvert la porte à une hausse du taux directeur avant juillet 2010 ?

2. Quel indicateur la Banque du Canada utilise-t-elle pour mesurer l'inflation ?

3. Quels sont les facteurs qui ont alimenté l'inflation au Canada au début de 2010 ?

4. À l'aide du modèle de l'offre et de la demande globales, montrez l'effet qu'aurait une hausse du taux directeur sur l'inflation.

5. Outre la hausse du taux directeur, de quels moyens la Banque du Canada dispose-t-elle pour éviter une croissance économique trop dynamique ?

6. Pourquoi dit-on que le gouverneur de la Banque du Canada n'entend pas badiner avec l'inflation ?

Source : *La Presse Affaires*, 25 mars 2010.

LA POLITIQUE MONÉTAIRE EST-ELLE EFFICACE ?

Nous venons d'analyser les effets attendus des instruments de la politique monétaire sur le fonctionnement global de l'économie. Comme nous avons présenté le point de vue exprimé par la Banque du Canada en même temps que la théorie, on pourrait en déduire que la politique monétaire en vigueur au Canada et dans d'autres pays industrialisés fait l'unanimité, mais ce n'est pas le cas. À ce sujet aussi, il y a un débat entre les partisans de l'interventionnisme de l'État et ses opposants. Résumons brièvement leur position respective.

Pour les partisans d'une politique économique interventionniste, les outils de la politique monétaire peuvent être utilisés pour favoriser la croissance du PIB réel en période de stagnation économique. Une politique monétaire souple prévoyant des taux d'intérêt modérés aurait des conséquences positives sur l'emploi et l'investissement, et donc sur le niveau de vie. Selon eux, un taux d'inflation plus élevé aurait des conséquences économiques globales moins graves qu'une période de récession prolongée frappant durement les personnes les plus vulnérables.

Pour les opposants, utiliser une politique monétaire expansionniste en laissant croître démesurément l'offre de monnaie afin de stimuler l'activité économique ne donne aucun résultat à long terme ; tout ce que l'on obtient, c'est une variation proportionnelle du niveau des prix, dont les conséquences pourraient être désastreuses. C'est la théorie quantitative de la monnaie (voir la rubrique « Évolution de la pensée économique » à la page suivante).

Dans ce domaine aussi, la démonstration scientifique est difficile à établir, pour un camp comme pour l'autre, tant les variables en cause sont nombreuses et difficiles à mesurer. En réalité, cependant, un consensus semble se dessiner, surtout depuis les poussées inflationnistes consécutives aux crises pétrolières des années 1970. On admet généralement que la rigueur monétaire est nécessaire pour maintenir la stabilité des prix et que la croissance de l'offre de monnaie doit être contrôlée scrupuleusement de façon qu'elle suive le rythme de l'économie réelle et que la croissance des prix soit modérée. Pour atteindre les autres objectifs, comme la formation de la main-d'œuvre ou la création d'emplois, il faut se tourner vers d'autres instruments de la politique gouvernementale.

LA COHÉRENCE DES POLITIQUES ÉCONOMIQUES

Le défi des responsables des politiques économiques consiste à réduire le temps de réaction aux signaux des marchés, afin que la situation ne se détériore pas de façon importante, et à assurer une certaine cohérence entre les politiques budgétaire et monétaire, ce qui n'est pas toujours facile étant donné les pressions exercées par les groupes organisés. Une politique budgétaire expansionniste risque en effet d'atténuer, voire d'annuler les effets recherchés d'une politique monétaire restrictive.

Pour que soit atteinte une telle efficacité dans l'exécution des politiques économiques, les agents économiques doivent participer à la détermination des objectifs prioritaires (la croissance à tout prix, par exemple) et à la mise en œuvre des moyens permettant de les réaliser. Ils doivent comprendre les choix essentiels à faire pour qu'il y ait cohérence et les assumer, tant dans la vie de tous les jours qu'au moment d'exercer leur droit de vote.

Évolution de la pensée économique

L'ÉCOLE MONÉTARISTE DE MILTON FRIEDMAN

Certains économistes ne croient pas à l'efficacité de la politique monétaire pour influer durablement sur le niveau de l'activité économique. C'est notamment le cas de Milton Friedman (1912-2006), chef de file de l'école de Chicago, dont les travaux ont consisté à démontrer la neutralité de la monnaie. Sa théorie quantitative de la monnaie lui valut un prix Nobel en 1976. Pour résumer une telle théorie, on se sert généralement de l'équation suivante :

$$MV = PY$$

où M : offre de monnaie

V : vélocité de la monnaie (le nombre de fois, en moyenne, qu'un billet change de main au cours d'une période)

P : niveau moyen des prix

Y : production globale (PIB réel)

Selon cette théorie, datant du XVIe siècle et attribuée généralement au Français Jean Bodin (1530-1596), une modification de l'offre de monnaie (M) se traduit à plus ou moins long terme par une modification proportionnelle du niveau moyen des prix (on considère V comme une constante, car elle n'évolue que très lentement dans le temps). Les changements de l'offre de monnaie, induits par une politique monétaire expansionniste, par exemple, n'auraient aucun effet sur le PIB réel.

Selon des monétaristes comme Robert Lucas (1937-), les agents économiques anticipent rationnellement la manœuvre gouvernementale, qui n'aurait pas pour effet de changer leur comportement, car ce dernier dépend de variables autres que l'offre de monnaie.

On peut démontrer l'inefficacité de la politique monétaire en isolant le niveau moyen des prix (P) dans l'équation de la théorie quantitative de la monnaie et en calculant la variation relative en pourcentage de chaque côté de l'égalité. Ainsi, si V et Y sont constantes, on obtient successivement :

$$MV = PY$$

$$M(V/Y) = P$$

$$\Delta\%M = \Delta\%P$$

Donc, une hausse de 10 % de la monnaie en volume conduira à une hausse des prix de 10 %. Ce débat sur l'efficacité de la politique monétaire a d'importantes conséquences sur l'organisation de l'activité économique et de l'intervention de l'État. La tendance actuelle donnerait plutôt raison aux partisans d'une politique monétaire qui serait efficace à court terme pour influer sur l'activité économique. Quant à la tendance générale, elle semble donner raison aux partisans d'une rigueur monétaire, l'objectif premier étant le maintien de la stabilité des prix.

CHAPITRE 7 — En un clin d'œil

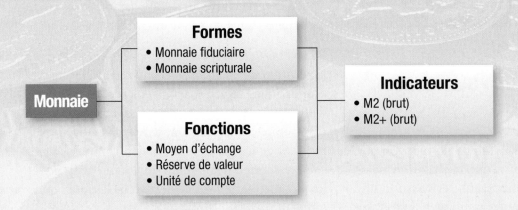

Monnaie

Formes
- Monnaie fiduciaire
- Monnaie scripturale

Fonctions
- Moyen d'échange
- Réserve de valeur
- Unité de compte

Indicateurs
- M2 (brut)
- M2+ (brut)

Système financier canadien

Établissements financiers
- Banques à charte fédérale
- Sociétés d'assurance
- Sociétés de fiducie
- Courtiers en valeurs mobilières

Marché de la monnaie
Détermine les taux d'intérêt.

Banque du Canada
- Contrôle de la monnaie fiduciaire
- Encadrement du système financier
- Financement de la dette de l'État
- Application de la politique monétaire

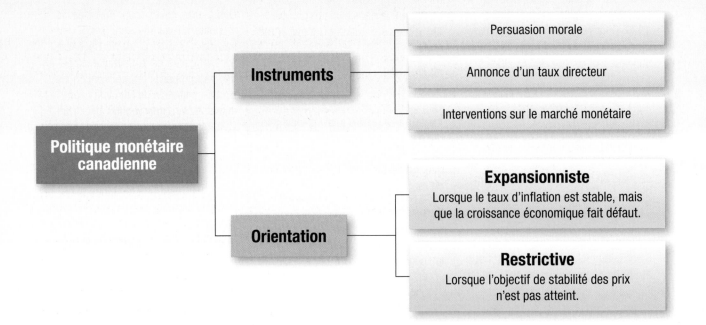

Politique monétaire canadienne

Instruments

Persuasion morale

Annonce d'un taux directeur

Interventions sur le marché monétaire

Orientation

Expansionniste
Lorsque le taux d'inflation est stable, mais que la croissance économique fait défaut.

Restrictive
Lorsque l'objectif de stabilité des prix n'est pas atteint.

CHAPITRE 7 | Testez vos connaissances

QUESTIONS À COURT DÉVELOPPEMENT

1. À quoi sert la monnaie? Énumérez ses trois principales utilités.

2. La monnaie canadienne actuelle possède-t-elle les qualités d'une bonne monnaie? Si oui, quelles sont ces qualités?

3. Pour créer de la monnaie, il faut d'abord créer de la monnaie scripturale. Expliquez.

4. Les établissements financiers ne prêtent pas la totalité des sommes mises à leur disposition sous la forme de dépôts divers. Pourquoi?

5. Dans la réalité, qui fixe véritablement les taux d'intérêt ayant cours sur les marchés financiers?

6. Dans la réalité, il n'y a pas qu'un taux d'intérêt, mais plusieurs. Pourquoi?

7. Quel est le rôle de la Banque du Canada?

8. Quels sont les instruments de la politique monétaire utilisés par la Banque du Canada?

9. Quelles sont les deux orientations possibles de la politique monétaire?

10. Les politiques économiques du gouvernement se doivent d'être cohérentes. Pourquoi?

PROBLÈMES

1. Nommez quelques facteurs qui auraient pour effet de faire augmenter les taux d'intérêt et représentez votre analyse à l'aide du graphique du marché de la monnaie.

2. Démontrez l'effet d'un dépôt initial de 1000 $ sur la création monétaire maximale, en supposant que le taux de réserve des établissements financiers soit de 10 %.

3. Si les établissements financiers décidaient, peut-être en réponse à l'insistance de la banque centrale, de maintenir un taux de réserve plus élevé, quelle incidence cela aurait-il sur le processus de création monétaire? Quelle serait la conséquence de cette décision sur les prix et la croissance économique? Démontrez votre raisonnement à l'aide des graphiques appropriés du marché monétaire et du marché global des biens et services.

4. Lisez le texte qui suit, puis répondez aux questions.

> « La situation économique montre des signes inquiétants. Alors que le taux de chômage se maintient aux alentours de 8 %, la croissance économique a atteint son plus bas niveau depuis six trimestres, soit 1,2 %. Par ailleurs, le taux d'inflation a atteint 3,8 % le mois dernier. Quant à la construction résidentielle et aux investissements, ils se maintiennent depuis quatre trimestres à 2,4 %, en moyenne. »

a) Quelles orientations les autorités gouvernementales devraient-elles donner à la politique monétaire et à la politique budgétaire dans le contexte économique décrit ci-dessus? Suggérez une politique monétaire et une politique budgétaire, et décrivez les instruments que vous utiliseriez pour les mettre en œuvre.

b) À l'aide du modèle de l'offre et de la demande globales, démontrez et expliquez les effets attendus de vos suggestions sur l'économie globale.

c) Quel dilemme s'impose aux autorités gouvernementales lors de la mise en œuvre de leurs politiques économiques?

d) En donnant une orientation à la politique économique que vous avez suggérée, vous avez dû résoudre un dilemme. Quel est-il?

5. Lisez le texte qui suit, puis répondez aux questions.

La Fed réactive sa planche à billets
Dans l'espoir de requinquer une économie amorphe et de stimuler l'emploi, la banque centrale des États-Unis ouvre les vannes du crédit: la Réserve fédérale américaine

(Fed) réactive sa planche à billets en achetant des obligations du Trésor pour une somme supplémentaire de 600 milliards de dollars US. Une injection colossale de liquidités, largement souhaitée par les investisseurs, mais un pari risqué.

Source: <http://e-delit.com/?p=986> (page consultée le 4 novembre 2010).

a) Pourquoi l'achat d'obligations d'État par la Fed entraîne-t-il une hausse du crédit dans l'économie?

b) En vous inspirant de la figure 9.8 (p. 223), montrez comment la décision de la Fed affecte le dollar américain.

c) Selon vous, pourquoi s'agit-il d'un pari risqué pour l'économie américaine?

6 Lisez le texte qui suit, puis répondez aux questions.

« L'économie du Burdistan a connu des difficultés au cours de l'année qui vient de s'écouler. Le PIB réel a diminué pour le sixième trimestre consécutif, tandis que le taux de chômage a gagné deux points, pour s'établir à 11,5 %. Ce ralentissement n'a pas été suffisant pour freiner la hausse des prix, alors que le taux d'inflation s'est maintenu à 5,4 %. Pendant ce temps, les autorités gouvernementales ont dû faire face à une lourde dette, puisque celle-ci a atteint 82 % du PIB du pays au cours de l'année qui vient de s'écouler. »

a) Quelle politique macroéconomique pourriez-vous suggérer au gouvernement du Burdistan?

b) Expliquez et représentez graphiquement les effets que devrait avoir votre suggestion sur l'économie globale du Burdistan.

c) À quelles difficultés les autorités gouvernementales devraient-elles s'attendre lors de l'application de votre politique économique?

7 Le gouvernement d'un pays dont le niveau de vie est peu élevé décide de se servir des pouvoirs qu'il détient sur la monnaie et d'emprunter à sa banque centrale pour développer ses ressources productives et améliorer le sort de ses habitants. Comment appelle-t-on cette politique économique? Expliquez pourquoi une telle action ne serait pas nécessairement une bonne idée et démontrez graphiquement le danger auquel s'exposerait ce pays si son économie était au plein-emploi.

8 Selon la théorie quantitative de la monnaie présentée dans la rubrique « Évolution de la pensée économique », p. 179, quel devrait être le niveau d'inflation anticipé au Canada si l'offre de monnaie et le PIB réel augmentaient respectivement de 5 % et de 3 %?

CHAPITRE 7 Question d'intégration

Dans différents cours des sciences humaines, on décrit et explique des faits sociaux comme la pauvreté. Comment les économistes peuvent-ils expliquer ce phénomène? Comment peut-on le définir et le mesurer en économie (voir les chapitres 3 et 4)? Expliquez comment les politiques économiques, dont les politiques budgétaire et monétaire, peuvent influer sur l'évolution de ce phénomène dans un pays.

CHAPITRE 7 Laboratoires informatiques

Le but des laboratoires informatiques est d'amener l'élève, à partir d'un traitement de données incorporé dans le site de Statistique Canada, à utiliser de façon relativement simple des outils statistiques (tableaux, graphiques, mesures relatives) permettant de décrire et d'expliquer la conjoncture économique canadienne et mondiale. Pour une explication plus détaillée de la marche à suivre, voir l'avant-propos, pages IV à VI.

1 Consultez le didacticiel de Statistique Canada (http://estat.statcan.ca) et recueillez des données sur le taux d'escompte, le taux préférentiel et le taux de financement à un jour (taux directeur). Cliquez sur « Recherche dans CANSIM sur E-STAT » et inscrivez le numéro 176-0041, puis cliquez sur « Recherche ». Pour extraire ces séries, sélectionnez (en cliquant d'abord sur « Liste à cocher et renvois ») « Taux officiel d'escompte », « Taux d'intérêt administrés des banques à charte – taux de base des prêts aux entreprises » et « Taux des fonds à un jour, moyenne sur 7 jours ». Une fois de retour à la liste des choix, sélectionnez la période de référence « Janv. 2000 à janvier » de l'année la plus récente, puis cliquez sur le bouton « Extraire séries chronologiques ». Ensuite, cliquez sur « Manipuler les données » situé en bas de l'écran, choisissez la fréquence des données « Annuelle (moyenne) » et cliquez sur le bouton « Extraire maintenant ».

Quel est le lien entre le taux cible du financement à un jour (taux des fonds à un jour, moyenne sur 7 jours) et le taux d'escompte officiel ? Entre le taux d'escompte officiel et le taux préférentiel (taux d'intérêt administrés des banques à charte – taux de base des prêts aux entreprises) ? Justifiez votre réponse.

2 Pour influencer ou atténuer les cycles économiques, le Canada peut utiliser plusieurs instruments. Celui dont on se sert le plus souvent actuellement est le taux directeur de la Banque du Canada.

Afin de connaître les plus récentes données relatives au taux directeur, consultez le site de la Banque du Canada à http://www.banqueducanada.ca. Une fois dans le site, glissez le curseur sur le lien « Taux et statistiques » situé en haut de l'écran, puis choisissez successivement « Taux d'intérêt » et « Taux cible du financement à un jour ».

a) Qu'est-ce que le taux cible du financement à jour ?

b) À votre avis, depuis les derniers mois, la Banque du Canada a-t-elle préconisé une politique monétaire expansionniste ou restrictive ? Justifiez votre réponse.

c) Selon vous, quel est le but d'une telle politique ?

d) Selon le calendrier des annonces du taux directeur, quelle est la prochaine date d'établissement du taux cible du financement à un jour ? Aide : cliquez sur le lien « Voir aussi : » situé à droite en haut de l'écran.

CHAPITRE 7 Simulation de l'économie globale

Dans le jeu *Simulation de l'économie globale*, vous êtes le conseiller en chef pour toutes les questions économiques auprès du président ou du premier ministre du pays de votre choix. L'objectif principal est d'appliquer en temps opportun les politiques économiques appropriées, y compris la politique monétaire, dans le but d'améliorer la situation économique générale de votre pays.

1 Jouez une partie de 100 points contre deux autres pays gérés par l'ordinateur (c'est-à-dire conseillés par le professeur Huard).

Si c'est la première fois que vous utilisez la simulation, vous pouvez soit cliquer sur « Short Tutorial » (didacticiel abrégé) ou sur « Lesson Tutorial » (didacticiel détaillé) dans le menu principal, soit lire les instructions complètes qui accompagnent la simulation.

Si vous maîtrisez déjà le jeu, cliquez sur « New Game » (nouvelle partie) à partir de la fenêtre de départ.

Attention : lisez bien la notice concernant les pays de l'Union européenne partageant la même monnaie (zone euro) → instructions du jeu.

2 De quel pays êtes-vous le conseiller économique en chef ?

3 Contre combien de pays gérés par l'ordinateur jouez-vous ?

4 Quelle est l'année que vous avez choisie pour faire cet exercice ? (Vous devez faire cet exercice entre la troisième et la dixième année de la simulation.)

Demande globale (DG) et offre globale (OG)

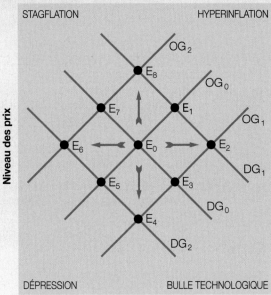

Production = PIB réel

5 Examinez le diagramme de la demande globale et de l'offre globale ci-dessus. En présumant que votre situation économique est à E_0, donnez la direction que montre à ce moment-ci du jeu l'indicateur économique (encerclez le chiffre correspondant) :

Direction : E_1 E_2 E_3 E_4 E_5 E_6 E_7 E_8

6 Quel changement ou quelle combinaison de changements de la demande globale et de l'offre globale la direction de l'indicateur économique laisse-t-elle prévoir ? (Encerclez une réponse.)

+ DG   + DG& + OG   + OG   − DG& + OG

− DG   − DG& − OG   − OG   + DG& − OG

Cliquez maintenant sur « Economic Indicator » (indicateur économique) puis sur « Current Event » (événement de l'actualité économique). Cliquez ensuite sur le bouton « Economic Policy » (politique économique). Vous êtes maintenant à l'interface des politiques. Choisissez votre politique budgétaire (Fiscal Policy) et votre politique commerciale (Trade Policy), mais ne choisissez pas immédiatement votre politique monétaire (Monetary Policy).

7 À l'aide d'un modèle de l'interface principale (vous pouvez obtenir ce modèle en cliquant sur le fichier « Interface principale.pdf »), indiquez la position économique de votre pays ainsi que celle des autres pays de la partie. Dessinez le drapeau des pays ou utilisez une abréviation pour les désigner (ex. : CDN = Canada). Encerclez la position actuelle de votre pays.

8 Compte tenu de la position actuelle de votre pays et de la direction de l'indicateur économique, quelle est la politique monétaire que vous conseilleriez à la banque centrale de votre pays d'adopter à ce moment-ci de la partie ?

+ MS ou − MS → Masse monétaire
        (Money Supply)

+ MR ou − MR → Pratique monétaire
        (Monetary Rule)

+ BR ou − BR → Réglementation bancaire
        (Bank Regulations)

Aucune

9 Sélectionnez maintenant votre politique monétaire. Complétez ensuite le jeu. Faites imprimer votre pointage et analysez vos résultats.

LE MULTIPLICATEUR MONÉTAIRE

« On imagine souvent que le pouvoir de créer la monnaie se confond avec la fameuse "planche à billets" des banques centrales. En réalité, il dépend bien davantage de l'activité des banques qui ont la capacité de créer de l'argent quasiment à partir de rien[6]. » En effet, nous avons vu à la section 7.1 que la création de la monnaie dans l'économie dépend du taux de réserve des banques et autres établissements de prêts, c'est-à-dire du pourcentage des dépôts qu'ils détiennent sous forme de réserves. Afin de bien comprendre comment tout cela s'articule, nous allons illustrer dans cet appendice le processus de la création de la monnaie à l'aide d'un exemple numérique simple.

Considérons le cas d'un système financier où chaque banque a un taux de réserve de 10 %, soit 0,10. De plus, supposons qu'à toutes les étapes du processus les détenteurs de monnaie la maintiennent sous la forme de dépôts et non pas de pièces ou de billets. Le tableau A-7.1 illustre l'évolution du processus. Au départ, une banque a reçu un dépôt de 1 $ (étape 1 du tableau A-7.1). Afin de ne pas être à court de liquidités, cette dernière maintient en réserve un montant de 0,10 $ (1 $ × 0,10). Les

0,90 $ (1 $ − 0,10 $) restants sont octroyés à un bénéficiaire sous forme de crédit, créant ainsi 0,90 $ de dépôts. Ce dépôt ne tardera pas à circuler. Il servira à régler un achat dont le bénéficiaire possède un compte dans une autre banque. Cette dernière enregistre alors 0,90 $ de dépôts supplémentaires (étape 2 du tableau A-7.1) et devra garder dans ses réserves 10 % du dépôt, donc 0,09 $ (0,90 $ × 0,10). Ainsi, la deuxième banque dispose maintenant de 0,81 $ (0,90 $ − 0,09 $) de liquidités disponibles pour octroyer un nouveau crédit. Et ainsi de suite.

Si on reprend les montants de la deuxième colonne du tableau A-7.1 et qu'on poursuit cette séquence jusqu'à ce que le mécanisme des 10 % de réserves fasse tendre les liquidités disponibles vers zéro, on obtient la somme suivante :

$$1 + 0,90 + 0,81 + 0,729 + ...$$

Si vous observez bien cette séquence, vous remarquerez qu'à chaque étape du processus le crédit octroyé à une étape donnée est égal à 0,90 (90 %) du crédit octroyé à l'étape précédente (voir la dernière colonne du tableau). Plus précisément, si le taux d'accroissement de la monnaie est égal à 0,90, alors un dépôt initial de 1 $ génère dans l'économie un montant de 0,90 $ à l'étape 1, de $0,90^2$ $ à l'étape 2, de $0,90^3$ $ à l'étape 3, et ainsi de suite.

Si la séquence est répétée à l'infini, l'augmentation totale des dépôts est égale à la somme (S) suivante :

$$S = 1 + 0,90 + 0,90^2 + 0,90^3 + ...$$

Ce qui équivaut à 1/1 − 0,9 ou 1/0,1, car c'est une somme géométrique. En effet, en mettant en évidence le taux d'accroissement de la monnaie (0,9), on a alors :

$$S = 1 + 0,90[1 + 0,90 + 0,90^2 + ...]$$

Le terme entre crochets est égal à la somme totale des dépôts dans l'économie (S). En remplaçant le terme par S dans l'équation et en la résolvant, on obtient successivement :

TABLEAU A-7.1	Processus de création de la monnaie.		
Étapes	Dépôts (en $)	Réserves bancaires (en $) (dépôt × 0,10)	Crédit à l'économie (en $) (dépôt × 0,90)
1	1,00	0,10	0,90
2	0,90	0,09	0,81
3	0,81	0,081	0,729
4	0,729	0,0729	0,6561
⋮	⋮	⋮	⋮
10	0,3874	0,0387	0,3487
⋮	⋮	⋮	⋮
51	0,0051	0,0005	0,0046
⋮	⋮	⋮	⋮
Total	**10**	**1**	**9**

6. COUPPEY-SOUBEYRAN, Jézabel. « Qu'est-ce que la monnaie et qui la crée ? », *Alternatives économiques*, n° 289, mars 2010.

$S = 1 + 0,90[S]$

$S - 0,90[S] = 1$

$S[1 - 0,90] = 1$

$S = 1/1 - 0,90$

$S = 1/0,10$

C'est ce que les économistes appellent le multiplicateur monétaire, c'est-à-dire la quantité de monnaie que le système financier peut créer à partir de 1 $ de dépôt. Au total, dans cet exemple, il s'est créé 10 $ (1/0,10) de monnaie, soit 10 fois le montant initial de dépôt (voir la dernière ligne du tableau). On dit que le multiplicateur monétaire est de 10.

Si on note le multiplicateur monétaire MM et le taux de réserve des établissements financiers R, alors on peut résumer le multiplicateur monétaire par la formule simple suivante :

MM = dépôt initial/R

Le multiplicateur monétaire correspond donc au montant du dépôt initial divisé par le taux de réserve des établissements financiers. On comprend aisément avec cette formule que plus le taux de réserve est faible, plus le pouvoir de création de la monnaie est élevé, et vice versa.

PARTIE 4

RELATIONS ÉCONOMIQUES MONDIALES

LES VARIANTES DU CAPITALISME
Alan Greenspan

La planification centralisée n'est certes plus une forme d'organisation économique crédible, mais il est évident que le combat pour ses rivaux, le capitalisme de marché et la mondialisation, est loin d'être gagné. Pendant la dizaine de générations écoulées, le capitalisme n'a cessé de progresser, cependant que les niveaux et la qualité de vie s'élevaient dans de larges parties du monde. La pauvreté a été considérablement réduite et l'espérance de vie a plus que doublé. L'élévation du bien-être – qui a, depuis deux siècles, crû par un facteur 10 en revenu réel par tête – a permis à la planète de voir sa population se multiplier par six. Et pourtant, il en demeure beaucoup qui trouvent le capitalisme difficile à accepter et encore plus à adopter.

Le problème est que la dynamique du capitalisme – celle de l'impitoyable loi du marché – contrarie le désir humain de stabilité et de sécurité. Face aux bénéfices du capitalisme, une grande part de la population éprouve un sentiment croissant d'injustice. La peur de perdre son emploi en est l'une des causes majeures. Une autre anxiété, encore plus profonde, est que la concurrence dérange sans cesse le statu quo et le style de vie, bon ou mauvais, de la plupart des gens. Je suis sûr que les sidérurgistes américains dont je fus le conseiller dans les années 1950 auraient été ravis que leurs collègues japonais n'eussent pas, ces dernières années, tant amélioré leur productivité et la qualité de leurs produits. Et inversement, je doute qu'IBM ait été enchanté que le traitement de texte ait détrôné la vénérable machine à écrire Selectric.

Source : *Le temps des turbulences*, Paris, Éditions Jean-Claude Lattès, 2007.

La mondialisation est-elle une création politique ?

Bernard Maris, économiste français

RELATIONS COMMERCIALES

OBJECTIFS

Après avoir lu ce chapitre, vous pourrez :

- distinguer les trois phases de la mondialisation ;
- expliquer les avantages liés aux échanges commerciaux ;
- évaluer les effets positifs et négatifs du protectionnisme ;
- analyser l'influence de la coopération internationale sur le volume des échanges.

L a mondialisation prend de plus en plus d'importance sur la scène médiatique, mais quel est son véritable effet sur la vie quotidienne ? Ce matin, vous avez probablement appuyé sur le bouton de votre réveille-matin japonais ; votre déjeuner était sûrement accompagné d'un thé anglais ou d'un jus d'orange de la Floride ; la voiture que vous avez conduite pour vous rendre au cégep provient peut-être de la Corée du Sud ou encore de l'Allemagne. Et qui sait, vous dira-t-on aujourd'hui que votre nouveau jeans, fabriqué en Chine, vous va à merveille !

On le voit, une part importante de nos biens de consommation courante provient d'autres pays. En fait, lorsqu'on examine la performance globale de l'économie canadienne, on s'aperçoit que les échanges extérieurs y jouent un rôle de premier plan. Comme une bonne partie de notre production, soit près de 30 %, est vendue à l'étranger et que 75 % de celle-ci est destinée aux États-Unis, il va sans dire que la santé de l'économie canadienne dépend beaucoup de celle d'autres pays, particulièrement des États-Unis. D'ailleurs, un vieux dicton rappelle que « lorsque les États-Unis toussent, le Canada attrape le rhume ». En d'autres termes, quand l'économie américaine va mal, l'économie canadienne s'en trouve grandement affectée.

Depuis la Seconde Guerre mondiale, l'économie est dans une phase de transformation profonde. La libéralisation graduelle des barrières aux échanges (surtout les barrières tarifaires) et les nouvelles technologies de l'information et des communications sont venues renforcer la concurrence à l'échelle mondiale, nous rendant du même coup plus vulnérables à ce qui se passe à l'étranger. À preuve, la crise financière de 2008-2009, déclenchée par la vague de défauts de remboursements des prêts *subprime* aux États-Unis, s'est transformée, par effet domino, en crise économique mondiale. En 2009, la valeur des biens et services qui se sont échangés dans le monde a dégringolé de 20,7 %, marquant l'effondrement le plus important depuis la Seconde Guerre mondiale en raison d'une forte contraction de la demande mondiale. Les économies les plus dépendantes des exportations ont bien sûr été les plus touchées. Au nord, l'Allemagne et le Japon, respectivement deuxième et quatrième exportateur mondial de biens, ont connu en 2009 des récessions sévères :

Subprime　Terme anglais qui s'oppose à *prime rate* (taux de premier rang), taux que les banques chargent aux meilleurs clients. Les *subprime* sont des taux plus élevés consentis à des clients qui ne présentent pas assez de garanties pour accéder à un prêt normal, dit « prime ».

l'activité économique ayant diminué de 4,8 % et de 5,3 %, selon les plus récentes données du Fonds monétaire international (FMI). Au Canada, le PIB réel a été négatif pour la première fois depuis 1991.

Le présent chapitre est consacré à un aspect des relations économiques mondiales, les relations commerciales, c'est-à-dire les échanges de biens et services. Nous y retracerons l'histoire de la mondialisation, puis nous verrons comment se sont développés les échanges commerciaux ; nous traiterons ensuite du protectionnisme et de la guerre commerciale, ce qui nous mènera à aborder la question de la coopération internationale.

8.1 MONDIALISATION : DE L'INTERNATIONALISATION À LA GLOBALISATION

C'est connu, la mondialisation occupe une place dominante dans l'actualité économique. Elle suscite des débats, provoque des manifestations et même des affrontements. La mondialisation est devenue un sujet de réflexion, sur les plans tant théorique que pratique. Les économistes libéraux la considèrent surtout comme un facteur d'accroissement de la richesse et une source de bien-être pour l'ensemble des individus de la planète, tandis que les économistes radicaux la perçoivent généralement comme un facteur de monopolisation de la richesse et une source de profits pour les multinationales, seules capables de survivre à la puissance des marchés. Il n'est pas facile de s'y retrouver entre deux positions si radicalement différentes. Commençons donc par définir les termes employés.

Contrairement à ce que plusieurs croient, la **mondialisation** n'est pas un phénomène nouveau, mais bien un processus multiforme devenu significatif dans la seconde moitié du XIXe siècle, qu'on pourrait découper en trois phases : l'internationalisation, la transnationalisation et la globalisation[1].

L'INTERNATIONALISATION

En 1295, Marco Polo ouvrait la célèbre route de la soie, voie terrestre entre l'Europe et la Chine. La chute de Constantinople aux mains des Turcs en 1453 marque le début de l'expansion du commerce maritime en Europe. Ce n'est cependant qu'au milieu du XIXe siècle,

En 1295, Marco Polo ouvrait la voie du commerce entre l'Europe et la Chine.

| Mondialisation | Terme général de l'économie internationale qui désigne l'augmentation significative des échanges (de biens, de services, de personnes et de capitaux) entre les pays avec la mise en place d'institutions pour les encadrer. |

Légende de la carte :
Route de la soie
Itinéraire de Marco Polo
Empire mongol en 1260

ANGLETERRE
RUSSIE
Moscou
POLOGNE
MONGOLIE
OCÉAN ATLANTIQUE
AUTRICHE HONGRIE
Venise
ITALIE
MER NOIRE
MER CASPIENNE
Samarkand
Kachgar
Pékin
CIIPINGU (JAPON)
nt-Jacques-de-Compostelle
Rome
TURQUIE
PERSE
TIBET
MER MÉDITERRANÉE
Bagdad
CHINE
Jérusalem
OCÉAN PACIFIQUE
PALESTINE
ARABIE
SAHARA
MER ROUGE
SOUDAN
AFRIQUE
OCÉAN INDIEN
0   840   2520 km

---

1. Presque tous les économistes s'accordent pour dire que le mot « mondialisation » ne désigne pas un phénomène nouveau. Toutefois, il est important de mentionner qu'il n'y a pas de consensus clair sur la façon de le définir, ni sur ses origines. Nous tenterons ici de présenter le mieux possible la mondialisation, sans toutefois nous laisser entraîner dans la complexité du sujet ou les débats qui l'entourent. Il est à noter que la définition que nous en donnons s'inspire grandement de celle proposée par l'OCDE.

avec la révolution industrielle, que se produit la véritable ouverture des pays aux échanges de biens et de services. Dès lors, on assiste à l'**internationalisation** du commerce, première étape de la mondialisation.

LA TRANSNATIONALISATION

Dans les années 1950 et 1960, les entreprises désireuses de contourner les barrières commerciales décident de déplacer une partie de leurs unités de production en installant des filiales à l'étranger. Ces entreprises multinationales deviennent ainsi des transnationales, c'est-à-dire qu'elles planifient leurs activités de production dans plus d'un pays afin d'esquiver les règles adoptées par les États nationaux. Elles ne se contentent plus d'exporter leurs produits, elles se déplacent dorénavant à la recherche de conditions économiques favorables. La mondialisation prend alors un nouveau visage. À l'internationalisation du commerce s'ajoute la **transnationalisation** des investissements directs.

LA GLOBALISATION

Depuis 1980, la mondialisation connaît un nouvel essor avec sa troisième et dernière phase : la **globalisation**. Avec l'amélioration considérable des outils techniques (transports, communications) mis à la

QUESTIONS DE TERMINOLOGIE

- **Vous avez dit globalisation ou mondialisation ?**
Même si le terme anglo-saxon « globalization » est parfois traduit par « mondialisation », il est impératif de ne pas les confondre. La mondialisation est un long processus entamé au XIXᵉ siècle, alors que la globalisation est une nouvelle étape favorisée par quelques bouleversements de l'économie : la remise en question des politiques keynésiennes interventionnistes (provoquée principalement par la crise du pétrole), les victoires électorales de Ronald Reagan aux États-Unis et de Margaret Thatcher au Royaume-Uni, ainsi que la chute du mur de Berlin.

- **De l'économie internationale à l'économie mondiale**
Depuis quelque temps, le terme « économie mondiale » (ou « globale », ou « planétaire ») tend à remplacer « économie internationale ». L'**économie internationale** étudie les relations économiques entre les nations, définies sur des bases géographiques et politiques, alors que l'**économie mondiale** traite des relations économiques à l'échelle de la planète ou entre des marchés réunissant des blocs régionaux (l'Accord de libre-échange nord-américain, l'Union européenne). Ce changement de terme permet de distinguer les frontières économiques des frontières géopolitiques.

Internationalisation Première phase de la mondialisation marquée par l'augmentation significative des échanges de biens et de services entre les pays.

Transnationalisation Deuxième phase de la mondialisation marquée par le développement d'une gestion des ressources à l'échelle régionale ou planétaire par certaines grandes entreprises.

Globalisation Troisième phase de la mondialisation marquée par le développement d'une gestion des ressources à l'échelle planétaire par les acteurs économiques avec la mise en place d'institutions pour les encadrer.

Économie internationale Discipline qui étudie les relations économiques entre les nations, définies sur des bases géographiques et politiques.

Économie mondiale Discipline qui traite des relations économiques à l'échelle de la planète ou entre des marchés réunissant des blocs régionaux.

La Chine est devenue en 2009 le plus grand pays exportateur du monde. Déjà en 2005, elle produisait 60 % des jouets du monde, 45 % des DVD et 40 % des téléviseurs.

disposition des entreprises, la planification des activités se fait maintenant à l'échelle de la planète. De plus en plus de marchés ne sont plus restreints aux espaces nationaux, et cela s'applique particulièrement aux échanges financiers. Ainsi, un investisseur ou une multinationale peuvent emprunter ou placer de l'argent sans limite, où ils le souhaitent, 24 heures sur 24. Désormais, ce ne sont plus seulement les entreprises qui sont au-dessus des États, mais également les marchés. Dans ce contexte, il n'est pas étonnant de voir se mettre en place l'embryon d'un État mondial pour encadrer ce village global.

Liens entre la **théorie** et la **réalité** économiques

LA MONOPOLISATION DE LA RICHESSE DANS UN MONDE GLOBALISÉ

Pour les partisans du processus, la mondialisation est un facteur d'accroissement de la richesse et une source de bien-être pour l'ensemble des sociétés et des individus de la planète. Pour les opposants, au contraire, elle est caractérisée par la monopolisation de l'économie par quelques grands acteurs tout-puissants qui font la pluie et le beau temps partout sur la planète. Quoi qu'il en soit, il est vrai que l'on constate, depuis plusieurs années, une accélération de la concentration de la richesse. À qui appartient-elle? Qui sont ceux et celles qui détiennent le pouvoir? La monopolisation de la richesse est-elle américanisée? Afin d'esquisser des réponses à toutes ces questions, voici quelques chiffres très révélateurs.

- Les ventes totales des 10 plus importantes transnationales du monde s'élevaient, en 2009, à 3041,5 milliards de dollars américains (voir le tableau 8.1), soit plus de 5 % du PIB mondial[2].

- Les ventes annuelles de la plus grosse entreprise du monde, Shell (458,4 milliards $US), dépassent le PIB de 172 pays, dont la Pologne (430,1 milliards $US), la Suède (406,1 milliards $US), l'Autriche (384,9 milliards $US), la Norvège (381,8 milliards $US) et l'Arabie saoudite (369,2 milliards $US).

TABLEAU 8.1 Les rois du capitalisme mondial.

Classement des 10 plus grandes transnationales selon leurs revenus en 2009				Classement des 10 personnes les plus riches du monde selon leur fortune en 2009			
Rang	Entreprise	Pays	Revenus (en milliards de $US)	Rang	Nom	Entreprise/Pays	Fortune (en milliards de $US)
1	Royal Dutch Shell	Royaume-Uni/Pays-Bas	458,4	1	William H. Gates	Microsoft/É.-U.	40,0
2	Exxon Mobil	États-Unis	442,9	2	Warren E. Buffet	Berkshire Hathaway/É.-U.	37,0
3	Wal-Mart	États-Unis	405,6	3	Carlos Slim Helù	Telmex…/Mexique	35,0
4	BP	Royaume-Uni	367,1	4	Lawrence Ellison	Oracle Corporation/É.-U.	22,5
5	Chevron	États-Unis	263,2	5	Ingvar Kamprad	Ikea/Suède	22,0
6	Total	France	234,7	6	Karl Albrecht	ALDI/Allemagne	21,5
7	ConocoPhillips	États-Unis	230,8	7	Mukesh Ambani	Reliance Industries/Inde	19,5
8	ING Group	Pays-Bas	226,6	8	Lakshmi Mittal	Mittal Stell/Inde	19,3
9	Sinopec	Chine	207,8	9	Theo Albrecht	ALDI/Allemagne	18,8
10	Toyota Motor	Japon	204,4	10	Amancio Ortega	Inditex (Zara…)/Espagne	18,3
		Total	3041,5			Total	253,9

Source: d'après les compilations de Fortune 500, 2009, et du magazine *Forbes*, 2009.

2. Les données sur le PIB proviennent de la Banque mondiale (2010).

- La richesse[3] (valeur totale des actifs d'une entreprise ou d'un individu) des 200 individus les plus riches du monde dépasse les revenus de 41 % de la population mondiale[4].

- La richesse des 10 personnes les plus riches du monde (253,9 milliards $US) dépasse le PIB combiné des 72 pays les plus pauvres de la planète (251,9 milliards $US).

- La fortune de l'homme le plus riche du monde, Bill Gates (40,0 milliards $US), est supérieure au PIB de la Tunisie (39,6 milliards $US) et du Guatemala (36,8 milliards $US).

Bien que ces chiffres soient impressionnants, il faut savoir que, contrairement à une idée souvent véhiculée, l'augmentation de la richesse des uns ne s'est pas nécessairement faite aux dépens des autres. Aujourd'hui, les pays les plus pauvres de la planète ne sont pas plus pauvres qu'il y a 40 ans. En effet, selon un rapport de l'Organisation internationale du travail de février 2004[5], les 20 pays les plus pauvres ont connu, au cours de la période 1960-1962 à 2000-2002, une croissance de 25,9 % de leur PIB réel par habitant, celui-ci ayant passé de 212 $US à 267 $US, en dollars constants de 1995, alors que celui

des 20 pays les plus riches a augmenté de 183,3 %, soit de 11 417 $US à 32 339 $US. Le même rapport révèle que le nombre de personnes vivant dans une pauvreté absolue (avec moins de un dollar par jour) a baissé entre 1990 et 2000, passant de 1237 millions à 1100 millions.

Il n'en demeure pas moins que la concentration de la richesse procure à une minorité des pouvoirs, des avantages et la possibilité d'imposer ses conditions, faisant subir à d'autres une concurrence féroce qu'ils n'ont pas eu à affronter eux-mêmes pour arriver là où ils sont. Ainsi, la majorité des pays qui tentent par tous les moyens de s'industrialiser

font face à des géants qui régissent la mondialisation à leur avantage.

Mettez vos connaissances en pratique

1 Commentez cette thèse, chère aux altermondialistes, selon laquelle «la mondialisation se traduit par un appauvrissement des uns au profit des autres».

2 Quels sont les effets positifs et négatifs de la mondialisation?

Avec une fortune de 40 milliards $US en 2009, le cofondateur de Microsoft, Bill Gates, est encore une fois l'homme le plus riche du monde, selon le magazine Forbes.

---

3. Nous avons vu au chapitre 3 que la richesse est un stock (variable mesurée à un moment précis dans le temps), contrairement au revenu, qui est un flux (variable mesurée sur une période donnée).

4. Les données proviennent du Programme des Nations unies pour le développement (2000).

5. Commission mondiale sur la dimension sociale de la mondialisation, *Une mondialisation juste : créer des opportunités pour tous*, Genève, Organisation internationale du travail, février 2004, 210 p.

8.2 DÉVELOPPEMENT DES ÉCHANGES COMMERCIAUX

Bien que l'activité économique se déploie de plus en plus à l'échelle du monde, la référence actuelle demeure l'espace national; c'est donc de ce point de vue, toujours dominant dans la théorie économique, que nous analyserons l'incidence économique des relations entre les pays.

L'ÉVOLUTION DES ÉCHANGES COMMERCIAUX

Même si, comme nous l'avons mentionné précédemment, les échanges commerciaux existent depuis fort longtemps, ce n'est qu'au XIXe siècle, sous l'impulsion de la révolution industrielle, qu'ils ont connu une progression sans précédent. Entre 1803 et 1913, le volume des échanges a été multiplié par 30 en raison notamment des innovations qui ont considérablement réduit les coûts du transport.

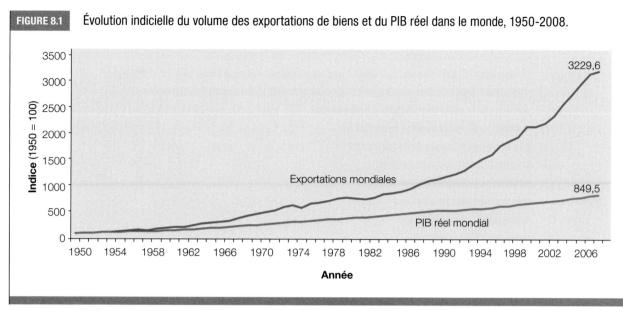

FIGURE 8.1 Évolution indicielle du volume des exportations de biens et du PIB réel dans le monde, 1950-2008.

Source : OMC, *Statistiques du commerce international 2009*, tableaux de l'Appendice, tableau A1a.

Après des reculs importants entre les deux grandes guerres, les échanges commerciaux connaissent dans les années 1950 un second souffle avec le retour de la croissance économique. La figure 8.1 témoigne de l'importance croissante de ces échanges. Malgré un ralentissement en 1975 et en 1982, on estime que, de 1950 à 2008, le volume des exportations de biens dans le monde a été multiplié par

32 ($\frac{3229,6}{100}$), soit une croissance presque quatre fois plus rapide que celle de la production mondiale.

En outre, le tableau 8.2 montre que, si les biens restent le moteur des échanges commerciaux, la part des services n'est pas négligeable. De 1980 à 2009, la croissance des services dans les exportations mondiales a été supérieure à celle des biens, soit 807 % comparativement à 513 %. Les principaux services en question sont le tourisme (les voyages), le transport, les télécommunications, les assurances et les services financiers.

LA STRUCTURE GÉOGRAPHIQUE DES ÉCHANGES

Les échanges mondiaux sont principalement le fait des pays développés. En effet, ces 25 pays[6], qui ne représentent que 15 % de la population de la planète, effectuent près de la moitié de toutes les exportations de biens. Malgré un déclin au profit des pays de la BRIC (groupe de quatre pays émergents formés par le Brésil, la Russie, l'Inde et la Chine), les États-Unis demeurent le troisième exportateur mondial de biens derrière la Chine et l'Allemagne. Le Canada, quant à lui, occupe le douzième rang (voir la figure 8.2).

TABLEAU 8.2 Évolution des exportations mondiales (en milliards de $US), 1980-2009.

Année	Échanges de biens	Échanges de services	Total des échanges
1980	2 034	365	2399
1985	1 954	382	2336
1990	3 449	780	4 229
1995	5 164	1 172	6 336
2000	6 456	1 482	7 938
2005	10 489	2 483	12 972
2006	12 112	2 818	14 930
2007	13 993	3 381	17 374
2008	16 097	3 804	19 901
2009	12 461	3 312	15 773

Source : OMC (Base de données statistiques).

6. Accord de libre-échange nord-américain (ALÉNA), Union européenne-15, Association européenne de libre-échange (AELÉ), Australie, Japon et Nouvelle-Zélande.

FIGURE 8.2   Répartition des exportations de biens selon les 12 plus grands exportateurs du monde, 2009.

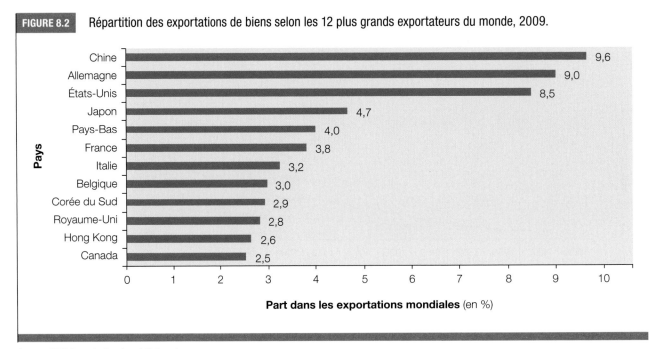

Part dans les exportations mondiales (en %)

Source : OMC (Base de données statistiques).

LES GAINS LIÉS AUX ÉCHANGES

Pourquoi échanger des biens ou des services ? Parce que les échanges permettent d'augmenter le bien-être. Prenons, à titre d'exemple, deux élèves ayant des biens et des besoins différents qui décident d'échanger des livres : l'un acquiert un livre d'économie dont il avait besoin et l'autre, un livre d'histoire. Ici, l'échange est avantageux pour les deux parties. Prenons un autre exemple : on assiste souvent, dans le sport professionnel, à des échanges de joueurs, surtout à l'approche des séries éliminatoires. Supposons que le Canadien de Montréal ait besoin de renforcer son attaque et qu'il décide d'échanger un de ses défenseurs aux Flames de Calgary contre un marqueur de premier plan. L'échange, dans ce cas, viserait à améliorer les deux équipes en vue de gagner la coupe Stanley, tant convoitée.

Il en va de même pour les pays. Le Canada produit beaucoup plus de pommes que ne peuvent en consommer les Canadiens, mais sa production d'oranges est quasi nulle. De leur côté, les États-Unis récoltent plus d'oranges que les Américains ne peuvent en manger, mais ont très peu de pommes. Dans ce cas, l'échange améliorera le sort des deux pays. En effet, le Canada vendra aux Américains l'excédent de sa production de pommes, qui autrement n'aurait pas trouvé preneur, et il achètera leur surplus d'oranges. C'est ce qu'on appelle un **avantage absolu**. Un pays a un avantage absolu s'il peut produire, avec le même niveau de facteurs de production, un bien en plus grande quantité qu'un autre pays. Ainsi, le Canada a un avantage absolu à produire des pommes, et les États-Unis à produire des oranges.

Qu'arrive-t-il si un pays ne bénéficie d'aucun avantage absolu ? A-t-il intérêt à faire du commerce ? En 1817, David Ricardo (1772-1823), dans sa **théorie des avantages comparatifs**[7], a répondu à cette question en démontrant que l'échange peut être

> **Avantage absolu**   Avantage que détient un pays lorsqu'il peut produire, avec le même niveau de facteurs de production, un bien en plus grande quantité qu'un autre pays.
>
> **Théorie des avantages comparatifs**   Théorie de David Ricardo selon laquelle les nations sans avantage absolu doivent se spécialiser dans la production du bien pour lequel elles connaissent le moindre désavantage, c'est-à-dire le bien dont le coût d'option est le plus faible.

---

7. La rubrique « Évolution de la pensée économique », p. 205, traite plus en profondeur de cette théorie.

bénéfique pour tous. Un pays qui détient sur un partenaire un avantage absolu sur tous les biens a quand même intérêt à se concentrer sur ce qu'il fait de mieux et à délaisser le secteur où sa supériorité relative est moindre. Si les États-Unis sont deux fois plus productifs que le Canada pour la bière et quatre fois plus productifs pour le vin, il est préférable qu'ils se spécialisent dans la production de vin et abandonnent la production de bière, laissant la place dans ce secteur au Canada. On pourrait démontrer qu'ainsi la production totale augmente et que la situation économique des deux pays s'améliore.

8.3 PROTECTIONNISME ET GUERRE COMMERCIALE

Dès qu'on s'éloigne d'une liberté d'échange – libre-échange – pour adopter une politique destinée à limiter les importations afin de protéger les industries nationales de la concurrence mondiale, on parle de **protectionnisme**. Les politiques protectionnistes les plus connues prennent généralement la forme de tarifs douaniers (ou droits de douane) ou de quotas[8]. Les premiers agissent directement sur le prix des produits, alors que les seconds agissent sur les quantités.

Le **tarif douanier** est une taxe qui s'applique aux biens importés et qui a pour effet de rendre les biens étrangers plus chers et donc moins concurrentiels. Le **quota** est une mesure qui limite la quantité d'un bien pouvant être importé dans un pays. Il en résulte une rareté du bien et, par conséquent, une hausse de son prix sur le marché intérieur, comme dans le cas du tarif douanier.

En somme, les tarifs douaniers et les quotas conduisent à faire payer un surcoût au consommateur, puisqu'ils entraînent une augmentation du prix des produits touchés dans le pays concerné. Dans la mesure où le coût supporté par les consommateurs, plus nombreux, ne saurait être compensé par le supplément de profit de quelques entreprises, il serait difficile de concevoir que le protectionnisme accentue le bien-être de la société. Or, si le libre-échange semble être la solution la plus efficace, comment se fait-il qu'un pays comme les États-Unis, où l'on se proclame en faveur du libre-échange, fait usage de protectionnisme ?

La raison fondamentale est relativement simple : le principe économique de la main invisible d'Adam Smith, base du libéralisme économique, ne conduit pas toujours à une situation optimale[9]. Nous avons vu au chapitre 2 que cette situation est identique à celle du dilemme du prisonnier. Afin d'y voir plus clair, analysons comment, en matière de politique commerciale, la poursuite de comportements individuels maximisateurs peut conduire à des situations non optimales.

Deux grands pays industrialisés, le Canada et les États-Unis, ont le choix entre deux stratégies : pratiquer le libre-échange, c'est-à-dire laisser entrer librement les produits de son partenaire commercial, ou mettre en place une politique protectionniste de façon à limiter les importations. Le tableau 8.3 décrit (avec des chiffres fictifs) ce jeu sur un plan stratégique. Les quatre cases du tableau résument les gains respectifs du Canada (coin inférieur

TABLEAU 8.3   Problème de la guerre commerciale.

		États-Unis	
		Libre-échange	Protectionnisme
Canada	Libre-échange	10 10	15 0
	Protectionnisme	0 15	5 5

Protectionnisme   Politique qui vise à limiter les importations afin de protéger les industries nationales de la concurrence mondiale. Les tarifs douaniers et les quotas en sont des exemples.

Tarif douanier   Taxe qu'un gouvernement impose sur un bien importé.

Quota   Mesure qui limite la quantité d'un bien pouvant être importé dans un pays.

---

8. Il existe une multitude de mesures protectionnistes comme les subventions aux entreprises nationales, les règles administratives contraignantes, les droits compensateurs, etc. Dans le présent ouvrage, nous ne mentionnons que les mesures les plus connues, soit les tarifs douaniers et les quotas d'importation.

9. Cet énoncé émane de l'hypothèse fondamentale selon laquelle les gouvernements agissent non seulement dans l'intérêt public, mais aussi dans leur propre intérêt : un dollar perdu par le consommateur peut, par exemple, apparaître moins important qu'un dollar gagné par les entreprises qui créent des emplois.

gauche) et des États-Unis (coin supérieur droit). Quel sera le résultat du jeu ? Du point de vue du Canada, si les États-Unis optent pour le libre-échange, il est préférable de choisir le protectionnisme (gain de 15) plutôt que le libre-échange (gain de 10). Si les États-Unis optent pour le protectionnisme, il est encore préférable pour le Canada de choisir le protectionnisme (gain de 5) plutôt que le libre-échange (gain de 0).

Dans le cas présent, quel que soit le choix des Américains, le protectionnisme se révèle la meilleure stratégie pour le Canada. Parallèlement, les États-Unis ont toujours intérêt à choisir le protectionnisme, car 15 et 5 sont supérieurs à 10 et 0.

L'adoption du protectionnisme par les deux pays semble donc être l'issue du jeu (5, 5). Cette solution est cependant non optimale, car les deux pays pourraient obtenir des gains supérieurs en choisissant d'un commun accord le libre-échange (10, 10).

De toute évidence, le Canada et les États-Unis ont intérêt à coopérer afin d'éviter une guerre commerciale destructive. Comment peut-on résoudre alors le dilemme du prisonnier ? Comment peut-on s'assurer que chaque pays ne se protégera pas contre les importations de son partenaire ? Il faut trouver une façon d'inciter les pays à coordonner leurs politiques commerciales. Cela passe indéniablement par des accords internationaux.

Actualité économique

LE PROTECTIONNISME N'EST PAS LA SOLUTION

Guillaume Duval

Plutôt que le protectionnisme, c'est une action internationale mieux coordonnée qui apporterait des réponses à la crise et aux nombreux dysfonctionnements de la mondialisation libérale.

La crise a traduit la faillite des dogmes économiques qui ont prévalu depuis trente ans. Sa profondeur remet en particulier en cause la volonté d'aller vers toujours plus de liberté dans les échanges commerciaux et les investissements internationaux. Dans la plupart des pays développés, les appels se multiplient en faveur d'un retour à une forme ou une autre de protectionnisme. Le libre-échange généralisé n'était évidemment pas la panacée, mais un retour de bâton protectionniste comporterait lui aussi de nombreux pièges.

Le protectionnisme aiderait-il à sortir de la crise ?

Sur une longue période, le libre-échange généralisé est plutôt un handicap pour le développement. Mais dans les circonstances actuelles, l'adoption de mesures protectionnistes par les différents États risquerait au contraire d'aggraver la crise.

Le commerce international s'est déjà effondré [en volume de 12,2 %] en 2009 sous l'impact de la récession. Dans ce contexte, le recours à un protectionnisme accru déclencherait probablement une réaction en chaîne. Imaginons que l'Europe décide de limiter les importations de textiles ou de produits électroniques. Les pays lésés réagiraient probablement en limitant leurs achats d'Airbus ou de centrales nucléaires. Aggravant au final partout le marasme économique. Plus au fond, une bonne partie de nos importations sont difficilement substituables à court terme, qu'il s'agisse de produits de base dont nous sommes dépourvus ou de produits que nous ne fabriquons pas ou plus. En outre, du fait de l'internationalisation des processus productifs, une grande partie des importations est en réalité intégrée au sein des produits *made in France* [pour ce pays] et contribue à leur compétitivité. Enfin, une montée du protectionnisme risquerait de compromettre les relations politiques entre États, à un moment où l'action internationale coordonnée est plus que jamais nécessaire pour mettre en place les régulations indispensables afin d'éviter le retour de désordre de ce type. [...]

Mettez vos connaissances en pratique

1 Quelles sont les quatre conséquences pour les pays qui favoriseraient un retour au protectionnisme ?

2 Face à la crise, expliquez pourquoi l'adoption de mesures protectionnistes par un État peut déclencher une réaction en chaîne chez ses principaux partenaires commerciaux et entraîner pour tous ces États des pertes de revenus considérables. Aide : voir l'analyse associée au tableau 8.3, p. 197-198.

Source : article tiré de la revue *Alternatives économiques*, hors-série poche, n° 43 bis, avril 2010.

8.4 COOPÉRATION INTERNATIONALE

Conscients à la fois des gains liés au libre-échange et des conséquences néfastes que peuvent provoquer les guerres commerciales, de nombreux pays se sont lancés dans une série de négociations et ont conclu divers accords visant à libéraliser le commerce international.

LA COOPÉRATION MULTILATÉRALE : DU GATT À L'OMC

Après la Seconde Guerre mondiale, 23 pays, sous l'égide des États-Unis, ont décidé de mettre en place un code de bonne conduite. C'est ainsi qu'ils ont créé, en 1947, l'**Accord général sur les tarifs douaniers et le commerce** (connu sous son sigle anglais **GATT**), qui visait l'abolition graduelle des barrières protectionnistes, grâce à des négociations multilatérales. Malheureusement, dès sa création, le GATT a vu se succéder une multitude de conflits commerciaux, qui ont mis en évidence la difficulté de réaliser une véritable coopération multilatérale sans la présence d'une institution supranationale. Mais ce n'est que le 1er janvier 1995, lors de la conclusion du huitième et dernier cycle de négociations (cycle de l'Uruguay, 1986-1993), que l'accord du GATT a été remplacé par une véritable institution : l'**Organisation mondiale du commerce (OMC)**.

L'OMC se distingue du GATT par la présence en son sein d'un **Organe de règlement des différends (ORD)**, mis sur pied pour prévenir les conflits commerciaux et les résoudre le cas échéant. L'ORD est un tribunal composé de cinq experts indépendants chargés d'entendre les plaintes et de permettre éventuellement aux plaignants de prendre des mesures de représailles contre des membres qui ne respecteraient pas les règles du commerce international.

Aujourd'hui, ces mesures ont permis aux 153 pays membres (le Cap-Vert étant devenu, le 23 juillet 2008, le 153e membre de l'organisation) de se sortir d'un équilibre non coopératif et de résoudre, en partie, le problème du dilemme du prisonnier.

LA COOPÉRATION RÉGIONALE : LES BLOCS ÉCONOMIQUES

Au moment même où les négociations multilatérales piétinaient, de nombreux pays se sont regroupés pour former des blocs régionaux, comme l'illustrent les cas de l'Accord de libre-échange nord-américain et de l'Union européenne. Mais ces accords sont-ils une bonne chose ? Si les économistes s'accordent pour dire que l'objectif d'une déréglementation du commerce constitue la solution optimale, il existe en revanche des divergences d'opinion sur la façon de s'en approcher. En effet, si la constitution de blocs régionaux se traduit par une libéralisation des échanges au sein de la zone ainsi formée, elle représente aussi une forme de protectionnisme à l'égard des autres pays qui n'en sont pas membres.

Avant d'examiner la portée de certains accords régionaux, définissons le concept d'intégration économique et les diverses formes qu'elle peut prendre. L'**intégration économique** est généralement définie comme un espace économique homogène dans lequel les pays membres éliminent progressivement et continuellement les discriminations dans leurs relations économiques. Dans ce processus, on reconnaît habituellement les cinq formes d'intégration régionale suivantes, selon le degré d'intégration désiré par les pays.

Accord général sur les tarifs douaniers et le commerce (GATT) Accord intervenu en 1947 et visant l'abolition graduelle des barrières protectionnistes, grâce à des négociations multilatérales. Il a été remplacé en 1995 par l'Organisation mondiale du commerce (OMC).

Organisation mondiale du commerce (OMC) Organisme créé en 1995 pour remplacer l'Accord général sur les tarifs douaniers et le commerce (GATT).

Organe de règlement des différends (ORD) Tribunal de l'Organisation mondiale du commerce (OMC) mis sur pied pour prévenir les conflits commerciaux et les résoudre le cas échéant.

Intégration économique Espace économique homogène dans lequel les pays membres éliminent progressivement et continuellement les discriminations dans leurs relations économiques.

Actualité économique

EMBRAER-BOMBARDIER : BREF PANORAMA DU LITIGE

Guilherme De Araujo

Le texte présenté ci-dessous est suivi d'une analyse prenant la forme d'une application pratique de la théorie vue précédemment.

La dispute commerciale entre le Brésil et le Canada remonte à 1996, lorsque l'entreprise brésilienne Embraer a pénétré le marché mondial de l'aéronautique, amorçant une concurrence assidue contre l'entreprise canadienne Bombardier. Depuis lors, Bombardier a dénoncé le fait qu'Embraer bénéficiait de subsides contrevenant aux règles internationales du commerce pour le marché des avions régionaux, sous les programmes gouvernementaux d'appui aux exportations connus sous le nom de Prœx. Selon le Canada, le programme accorde des subventions irrégulières aux exportations brésiliennes par l'entremise de

taux d'intérêt réduits permettant une réduction de près de 15 % des coûts d'achat, pour un total estimé dans les deux millions de dollars. Le Brésil, quant à lui, reproche au Canada de subventionner Bombardier. Entre autres, par l'entremise de la Société d'expansion des exportations et de certains programmes comme le Partenariat technologique Canada. Il évoque aussi le fait que c'est grâce à une subvention du gouvernement de l'Ontario que Bombardier a pu acquérir la société De Havilland Inc. Après plus de deux ans de négociations directes entre les deux pays, et sans résultats majeurs, le Canada a décidé en 1998 de porter le litige à l'Organisation mondiale du commerce (OMC), suivi peu après par le gouvernement brésilien accusant à son tour Bombardier de bénéficier de subsides fédéraux canadiens. Jusqu'à ce jour, l'OMC a donné raison à cinq reprises au Canada. [...]

Faute de parvenir à un accord, le Canada pourrait voir ses positions commerciales affectées sur le marché brésilien, voire dans l'ensemble du MERCOSUR. Le recours aux sanctions et une éventuelle guerre commerciale contre le plus important acteur du cône sud pourraient alors entraîner de graves conséquences politiques et remettre en question toute la stratégie commerciale du Canada en Amérique latine. Il est significatif de constater à cet égard que la décision prise ces derniers jours par le gouvernement canadien de subventionner Bombardier a été très mal reçue tant à l'OMC qu'au Brésil, celui-ci accusant le Canada d'aller à l'encontre des principes commerciaux de l'OMC et d'abuser de son pouvoir commercial discrétionnaire pour s'attaquer à un pays en développement, ce qui sur le plan diplomatique n'est pas très judicieux.

Source : [en ligne], <http://www.ieim.uqam.ca/IMG/pdf/chrojan001.pdf> (page consultée le 14 février 2011).

Le litige entre les gouvernements canadien et brésilien concernant l'aide accordée à Bombardier et à Embraer pour la fabrication d'avions régionaux est un exemple classique de la théorie des jeux.

Afin de simplifier le problème, supposons que Bombardier occupe à un moment donné une position dominante dans la production d'avions régionaux et qu'Embraer envisage de se lancer dans la production du même bien. La figure 8.3 illustre l'arbre du jeu (elle décrit la structure temporelle des choix). Il s'agit ici d'un **jeu séquentiel**, puisqu'un joueur agit avant l'autre. En effet, Bombardier doit d'abord décider s'il produit ou non des avions régionaux ; ensuite,

Embraer ne peut que s'adapter à cette situation en choisissant de produire ou non. Pour déterminer la solution du jeu, il faut utiliser le principe de l'**induction à rebours** (en anglais : *backward induction*). Selon ce principe, les jeux séquentiels doivent se résoudre à partir de la fin, c'est-à-dire de l'endroit où se trouvent, dans l'ordre, les gains de Bombardier et d'Embraer, en remontant jusqu'au début, comme

dans un compte à rebours. Dans le présent exemple, l'application de l'induction à rebours nous mène à examiner d'abord ce que fera Embraer, qui intervient en dernier. Embraer choisira de ne pas produire si Bombardier produit (car 0 > −1). Toutefois, puisque 10 > 0, il décidera de produire s'il pense que Bombardier ne produira pas. Comme Bombardier peut anticiper cette décision, s'il

---

Jeu séquentiel Dans la théorie des jeux, situation où un joueur agit avant l'autre.

Induction à rebours Principe selon lequel les jeux séquentiels doivent se résoudre à partir de la fin et en remontant jusqu'au début, comme dans un compte à rebours.

suppose qu'Embraer est rationnel, il préférera produire plutôt que de ne pas produire, ce qui lui assure un gain de 20. En conséquence, on obtient l'issue suivante : Bombardier produit, Embraer ne produit pas. Ainsi, Bombardier, le meneur, décide de produire et Embraer, le suiveur, s'abstient de le faire.

Supposons maintenant que le Brésil propose une subvention de 2 (millions de dollars) à Embraer si ce dernier décide de produire. Cela aura pour résultat de modifier le jeu, puisque les gains d'Embraer seraient alors de 1 (soit − 1 + 2) et de 12 (soit 10 + 2) s'il produit (voir la figure 8.4). Ainsi, quel que soit le choix de Bombardier, Embraer a intérêt à produire (1 > 0 et 12 > 0). En fait, la stratégie de «produire» devient pour Embraer une stratégie dominante. Par conséquent, il ne reste plus à Bombardier qu'à s'abstenir de produire. Il en résulte des gains de 0 pour Bombardier et de 12 pour Embraer.

Toutefois, le jeu ne s'arrête pas là. Nous avons vu dans l'article précédent que le gouvernement canadien a réagi de la même façon en proposant une subvention à Bombardier (supposons qu'elle soit également de 2 millions de dollars), ce qui modifie encore la solution du jeu puisque les gains de Bombardier sont maintenant de 1 (soit −1 + 2) et de 22 (soit 20 + 2) s'il produit. En observant la figure 8.5, on remarque que les deux entreprises ont intérêt à produire, engendrant ainsi des profits équivalents de 1. Toutefois, cet «équilibre» est globalement mauvais puisque, compte tenu de la subvention initiale de 2 (montant qui sort de la poche des contribuables), le résultat net est de −1 pour chaque pays (profit de 1 moins une subvention de 2). C'est le problème des politiques commerciales stratégiques. En effet, si ces politiques permettent une augmentation à court terme des profits des entreprises, elles risquent aussi de provoquer à moyen et à long terme des guerres commerciales destructives pour chaque pays.

Mettez vos connaissances en pratique

1 Pourquoi l'attribution, par l'un de ces pays, d'une subvention à l'exportation peut-elle déclencher une guerre commerciale ?

2 Quelles sont les conséquences économiques d'une guerre commerciale pour les deux entreprises ? Aide : comparez les profits totaux des deux entreprises (voir les figures 8.3, 8.4 et 8.5). Et pour le Canada ?

3 Selon l'article, comment un pays peut-il intervenir pour résoudre un tel litige ?

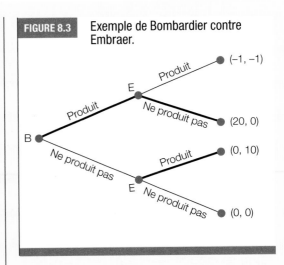

FIGURE 8.3 Exemple de Bombardier contre Embraer.

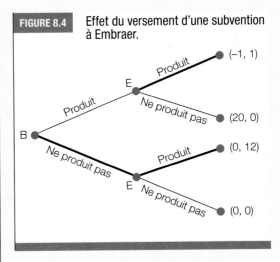

FIGURE 8.4 Effet du versement d'une subvention à Embraer.

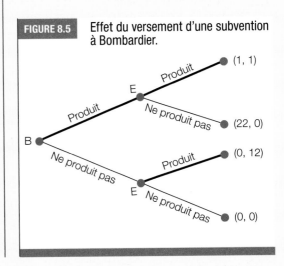

FIGURE 8.5 Effet du versement d'une subvention à Bombardier.

- **Zone de libre-échange**: zone pour laquelle les pays membres ont conclu une libéralisation de la circulation des biens et des services, tout en maintenant les tarifs douaniers et les quotas appliqués au reste du monde.

- **Union douanière**: zone de libre-échange pour laquelle les pays membres ont harmonisé les barrières protectionnistes extérieures.

- **Marché commun**: union douanière à laquelle les pays membres ont ajouté la libéralisation de la circulation des personnes et des capitaux.

- **Union économique**: marché commun dont les politiques économiques sont harmonisées.

- **Union économique et monétaire**: union économique dotée d'une monnaie commune (ou unique), et donc d'une autorité monétaire supranationale.

L'Accord de libre-échange nord-américain

L'Accord de libre-échange (ALÉ) entre le Canada et les États-Unis est entré en vigueur le 1er janvier 1989. Cinq ans plus tard, en 1994, il a été élargi au Mexique avec la mise en place de l'**Accord de libre-échange nord-américain (ALÉNA)**. L'ALÉNA vise essentiellement à éliminer les tarifs douaniers entre le Canada, les États-Unis et le Mexique et à réduire progressivement les quotas.

Comme en témoigne la figure 8.6, les États-Unis sont, et de très loin, le principal partenaire du Canada. En 2009, la part des exportations canadiennes de biens vers les États-Unis a atteint 75,0 % (en pleine crise économique), alors qu'elle n'était que de 71,4 % en 1989. Parallèlement, durant la même période, 51,2 % des importations canadiennes de biens provenaient des États-Unis. Cette régionalisation des échanges entre les deux plus grands partenaires commerciaux de la planète (avec un PIB de 15 592 milliards $US en 2009, soit 26,8 % du PIB mondial[10]) résulte naturellement de l'ALÉNA, mais aussi de leur proximité géographique (réduisant les coûts de transport), du degré de diversification des produits (favorisant la spécialisation) et de leurs habitudes de consommation similaires (favorisant les échanges).

L'Union européenne

L'institution de l'**Union européenne (UE)** offre l'exemple de l'intégration économique la plus avancée du monde. À l'origine de la construction européenne se trouve la déclaration de Robert Schuman, alors ministre français des Affaires étrangères, qui propose, le 9 mai 1950, d'unir les ressources de charbon et d'acier françaises et ouest-allemandes. Une telle mesure vise à favoriser la coopération entre les États européens afin de promouvoir la prospérité et d'éviter les vieilles hostilités qui ont provoqué les deux guerres mondiales. Ce sont les premiers pas vers l'UE.

Le 18 avril 1951, l'Allemagne de l'Ouest, la Belgique, la France, l'Italie, le Luxembourg et les Pays-Bas signent le traité de Paris, instituant la première Communauté européenne du charbon et de l'acier (CECA). Ce projet aboutit, le 25 mars 1957, à la signature du traité de Rome, qui entraîne la création de la Communauté économique européenne

Zone de libre-échange Zone pour laquelle les pays membres ont conclu une libéralisation de la circulation des biens et des services, tout en maintenant les tarifs douaniers et les quotas appliqués au reste du monde.

Union douanière Zone de libre-échange pour laquelle les pays membres ont harmonisé les barrières protectionnistes extérieures.

Marché commun Union douanière à laquelle les pays membres ont ajouté la libéralisation de la circulation des personnes et des capitaux.

Union économique Marché commun dont les politiques économiques sont harmonisées.

Union économique et monétaire Union économique dotée d'une monnaie commune (ou unique), et donc d'une autorité monétaire supranationale.

Accord de libre-échange nord-américain (ALÉNA) Accord de libre-échange entre le Canada, les États-Unis et le Mexique, entré en vigueur en 1994.

Union européenne (UE) Organisation régionale européenne créée par le traité de Maastricht en 1993.

---

10. Les données proviennent de la Banque mondiale (2010).

FIGURE 8.6 Répartition (en %) du commerce extérieur du Canada, en 2009.

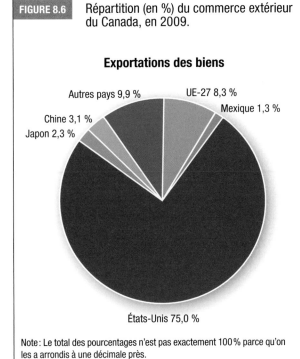

Exportations des biens

Autres pays 9,9 %
Chine 3,1 %
Japon 2,3 %
UE-27 8,3 %
Mexique 1,3 %
États-Unis 75,0 %

Note : Le total des pourcentages n'est pas exactement 100 % parce qu'on les a arrondis à une décimale près.

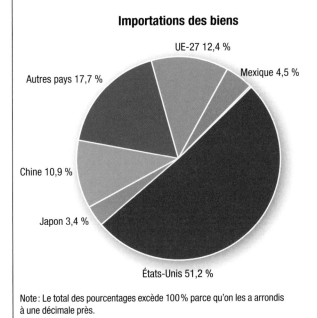

Importations des biens

UE-27 12,4 %
Autres pays 17,7 %
Mexique 4,5 %
Chine 10,9 %
Japon 3,4 %
États-Unis 51,2 %

Note : Le total des pourcentages excède 100 % parce qu'on les a arrondis à une décimale près.

Source : Institut de la Satistique du Québec (Commerce international – Données annuelles).

Située à Francfort (Allemagne), la Banque centrale européenne (BCE) est responsable depuis le 1er janvier 1999 de la mise en œuvre de la politique monétaire dans la zone euro.

(CEE). Dès lors, la CEE connaît un double mouvement : géographique et économique.

Le mouvement géographique porte le nombre d'États membres à 9 en 1973 (Danemark, Irlande et Royaume-Uni), à 10 en 1981 (Grèce), à 12 en 1986 (Espagne, Portugal), à 15 en 1995 (Autriche, Finlande, Suède), puis à 25 en 2004 (Chypre, Estonie, Hongrie, Lettonie, Lituanie, Malte, Pologne, République tchèque, Slovaquie, Slovénie) et finalement à 27 en 2007 (Bulgarie et Roumanie)[11]. Le mouvement économique se traduit par la libéralisation progressive de la circulation des biens, des services, des personnes et des capitaux.

Ce n'est que le 1er novembre 1993, lors de l'entrée en vigueur du traité de Maastricht, que la CEE franchit

---

11. Il est à noter que l'élargissement se poursuit toujours. Trois autres pays, la Croatie, la Macédoine et la Turquie, devraient y adhérer prochainement.

une nouvelle étape en instituant l'UE. L'accord établit les règles d'une union économique et monétaire, et étend la coopération à la politique étrangère, à la sécurité, à la justice, aux relations diplomatiques, à la science et à l'éducation. La mise en circulation, le 31 décembre 2001 à minuit, de 56 milliards de pièces de monnaie et de 14 milliards de billets de banque dans 12 pays de la zone euro apparaît donc comme un achèvement de l'unification économique entreprise à la fin des années 1950.

Avec ses 27 États membres, l'UE constitue aujourd'hui un marché de près de 500 millions d'habitants à l'intérieur duquel 17 pays disposent d'une monnaie unique (voir le tableau 8.4). Le transfert du pouvoir monétaire vers l'UE se traduit par une diminution des coûts de transactions financières pour les banques, les consommateurs, les entreprises et les gouvernements, mais également par le plus important abandon de souveraineté des États en matière de politique macroéconomique. En outre, la création d'une monnaie européenne unique devrait permettre à l'UE d'être un adversaire puissant en matière commerciale et financière, et de pouvoir ainsi concurrencer le

TABLEAU 8.4   Statistiques sur les États membres de l'Union européenne, en 2009.

Pays	Adhésion à l'UE	Population (en millions)	Part dans le PIB de l'UE-27 (en %)	Part dans les exportations de l'UE-27 (en %)
Allemagne*	1957	82,0	20,4	24,5
Belgique*	1957	10,8	2,9	8,1
France*	1957	62,6	16,2	10,4
Italie*	1957	60,3	12,9	8,9
Luxembourg*	1957	0,5	0,3	0,5
Pays-Bas*	1957	16,5	4,8	10,9
Danemark	1973	5,5	1,9	2,0
Irlande*	1973	4,5	1,4	2,5
Royaume-Uni	1973	61,8	13,3	7,7
Grèce*	1981	11,3	2,0	0,4
Espagne*	1986	46,9	8,9	4,8
Portugal*	1986	10,6	1,4	0,9
Autriche*	1995	8,4	2,4	3,0
Finlande*	1995	5,3	1,5	1,4
Suède	1995	9,3	2,5	2,9
UE-15	—	**396,3**	**92,8**	**88,9**
Chypre*	2004	1,1	0,0	0,0
Estonie*	2004	1,3	0,1	0,2
Hongrie	2004	10,0	0,8	1,8
Lettonie	2004	2,3	0,2	0,2
Lituanie	2004	3,3	0,2	0,4
Malte*	2004	0,4	0,0	0,0
Pologne	2004	38,1	2,6	2,9
République tchèque	2004	10,5	1,2	2,5
Slovaquie*	2004	5,4	0,5	1,2
Slovénie*	2004	2,0	0,3	0,6
Bulgarie	2007	7,6	0,3	0,4
Roumanie	2007	21,5	1,0	0,9
Derniers membres	—	**103,5**	**7,2**	**11,1**
UE-27	—	**499,8**	**100,0**	**100,0**

* Pays participant à la zone euro.

Source : Banque mondiale, *World Development Indicators Database*, juillet 2010, et OMC, Base de données statistiques, 2009.

dollar américain à titre de monnaie internationale. Le tableau 8.5 illustre bien l'importance de l'UE dans l'économie mondiale. Avec environ 28 % du produit intérieur brut (PIB) mondial en 2009, les 27 économies de l'ensemble des pays de l'UE pèsent autant que celle des États-Unis. Toutefois, en ce qui concerne les échanges de biens, elles devancent largement la zone de l'ALÉNA, avec respectivement 28,3 % et 12,9 % des exportations mondiales.

TABLEAU 8.5	Importance relative de l'ALÉNA et de l'UE dans l'économie mondiale, en 2009.	
Taille de l'économie	**ALÉNA**	**UE-27**
Part dans la population mondiale (en %)	6,6	7,3
Part dans le PIB mondial (en %)	28,3	28,2
Part dans les exportations mondiales (en %)	12,9	28,3

Source : Banque mondiale, *World Development Indicators Database*, juillet 2010, et OMC, Base de données statistiques, 2009.

Évolution de la pensée économique

LA THÉORIE DES AVANTAGES COMPARATIFS DE RICARDO

Longtemps, on a cru qu'une nation, pour s'enrichir, devait limiter ses importations et développer au maximum ses exportations. C'est ce qu'on appelait le **mercantilisme**. Cette doctrine, née au XVIe siècle, reposait en partie sur l'idée qu'un pays devait exporter davantage qu'il importait, de façon à accumuler de grandes quantités d'or (ou d'argent), source de richesse et de pouvoir.

Toutefois, cette pensée économique s'atténue au cours du XVIIIe siècle. En 1776, Adam Smith remet en cause les principes du mercantilisme et stipule que c'est de l'échange que naît la richesse des nations. Trois décennies plus tard, l'économiste anglais David Ricardo (1772-1823) élabore, dans son œuvre intitulée *Des principes de l'économie politique et de l'impôt* (1817), la théorie des avantages comparatifs. Selon cette théorie, les nations sans avantage absolu doivent se spécialiser dans la production du bien pour lequel elles connaissent le moindre désavantage, c'est-à-dire le bien dont le coût d'option est le plus faible.

On peut illustrer la théorie des avantages comparatifs de Ricardo à l'aide d'un exemple, demeuré célèbre, portant sur la production de draps en Angleterre et de vin au Portugal. Pour produire une unité de drap, il faut 100 heures de travail en Angleterre et seulement 90 heures au Portugal. Pour produire une unité de vin, 120 heures sont nécessaires en Angleterre, alors que 80 heures suffisent au Portugal. Les résultats sont représentés dans le tableau ci-contre.

On constate que l'Angleterre n'a aucun avantage absolu, puisque la production de draps et de vin y nécessite plus d'heures de travail qu'au Portugal. Toutefois, l'Angleterre possède un avantage comparatif dans la production de draps. En effet, en déplaçant vers la confection d'une unité de drap les 120 heures nécessaires pour la production d'une unité de vin, elle peut obtenir 1,2 unité de drap (soit 120/100), alors qu'au Portugal le même changement d'affectation des ressources ne permet d'obtenir que 0,89 unité de drap (soit 80/90).

Ainsi, selon la théorie de Ricardo, l'Angleterre et le Portugal ont intérêt à se spécialiser respectivement dans la production de draps (220 heures) et de vin (170 heures). Ce faisant, la production totale des deux pays augmente (de 0,2 unité pour le drap et de 0,125 unité pour le vin), grâce à la spécialisation à laquelle a conduit l'échange.

Pays	Nombre d'heures de travail pour produire 1 unité d'un bien	
	1 unité de drap	1 unité de vin
Angleterre	100	120
Portugal	90	80

Un des principaux apports de l'économiste anglais David Ricardo (1772-1823) est sans aucun doute son analyse du commerce international et la fameuse théorie des avantages comparatifs (théorie démontrant la supériorité du libre-échange par rapport au protectionnisme).

Mercantilisme Doctrine selon laquelle une nation, pour s'enrichir, doit limiter ses importations et développer au maximum ses exportations.

CHAPITRE 8 En un clin d'œil

Mondialisation

Internationalisation
Ouverture des pays aux échanges de biens et services

Transnationalisation
Déplacement de la production

Globalisation
Interdépendance des marchés à l'échelle mondiale

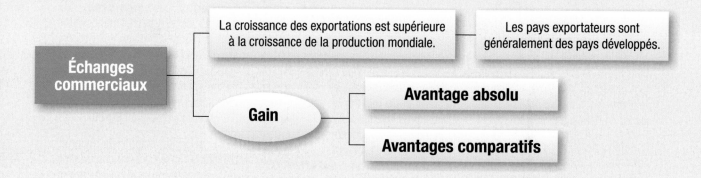

Échanges commerciaux

La croissance des exportations est supérieure à la croissance de la production mondiale.

Les pays exportateurs sont généralement des pays développés.

Gain

Avantage absolu

Avantages comparatifs

Protectionnisme

Tarif douanier
Taxe sur les biens importés

Quota
Mesure limitant les importations

Guerre commerciale

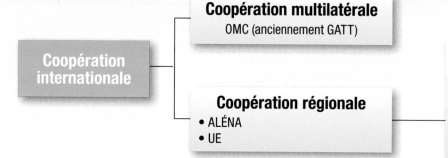

Coopération internationale

Coopération multilatérale
OMC (anciennement GATT)

Coopération régionale
• ALÉNA
• UE

Formes d'intégration économique
• Zone de libre-échange
• Union douanière
• Marché commun
• Union économique
• Union économique et monétaire

CHAPITRE 8 Testez vos connaissances

QUESTIONS À COURT DÉVELOPPEMENT

1 Expliquez la différence entre les termes « mondialisation » et « globalisation ».

2 Commentez l'affirmation suivante : « La mondialisation signifie que tous les pays de la planète participent aux échanges. »

3 Pourquoi les pays échangent-ils des biens ?

4 Nommez deux politiques protectionnistes.

5 Si le libre-échange semble être la solution la plus efficace, comment se fait-il qu'un pays comme les États-Unis, où l'on se proclame en faveur du libre-échange, fait usage de protectionnisme ?

6 Quelle est la distinction fondamentale entre le GATT et l'OMC ?

7 Définissez les cinq formes d'intégration économique.

8 Quel est le principal partenaire commercial du Canada ? Justifiez votre réponse.

9 Qu'est-ce que l'Union européenne ?

10 Quels sont les atouts et les contraintes de la monnaie européenne unique pour les 17 pays membres qui l'ont adoptée ?

PROBLÈMES

1 Calculez, pour 1980, 1985, 1990, 1995, 2000, 2005, 2006, 2007, 2008 et 2009, la part (en %) des services dans les exportations mondiales (voir le tableau 8.2, p. 195). Que constatez-vous ?

2 Supposons que la production d'une tonne de pétrole nécessite 5 heures de travail au Canada et 30 heures de travail en Chine, alors qu'il faut 10 heures de travail au Canada et 20 heures de travail en Chine pour produire une tonne d'acier. Les données sont représentées dans le tableau ci-après. À partir de celles-ci, répondez aux questions suivantes.

Pays	Nombre d'heures de travail pour produire 1 tonne d'un bien	
	1 tonne de pétrole	1 tonne d'acier
Canada	5	10
Chine	30	20

a) Quel pays détient un avantage absolu pour la production de pétrole ? Pourquoi ?

b) Quel pays détient un avantage absolu pour la production d'acier ? Pourquoi ?

c) Selon la théorie des avantages comparatifs de Ricardo, dans la production de quel bien chaque pays devrait-il se spécialiser ?

d) Quel est le gain total (nombre de tonnes de pétrole et d'acier) provoqué par la spécialisation de la production et de l'échange ?

e) Quel est le bien exporté par chaque pays ?

3 Deux pays doivent choisir entre l'imposition au partenaire commercial d'une taxe sur ses produits (protectionnisme) et l'entrée libre de ces produits (libre-échange). Le tableau ci-dessous illustre en quoi les gains du pays 1 et du pays 2 peuvent dépendre de leurs décisions. Ainsi, chaque pays à lui seul pourrait tirer des gains substantiels du protectionnisme, mais chacun subira des pertes si les deux pays prennent cette décision. À l'aide de ce jeu, répondez aux questions suivantes.

		Pays 2	
		Libre-échange	Protectionnisme
Pays 1	Libre-échange	10 / 10	20 / −10
	Protectionnisme	−10 / 20	−5 / −5

a) Trouvez l'issue du jeu.

b) Expliquez quel raisonnement peut amener les deux pays à choisir le protectionnisme.

c) Expliquez pourquoi les deux pays ont intérêt à choisir conjointement le libre-échange.

d) De quelle façon la coopération peut-elle se réaliser ?

4 Dans la section 8.3, on donne à penser que le protectionnisme est injustifié. Pourtant, depuis novembre 2008, on note une montée significative du protectionnisme dans le monde (297 mesures de protection selon l'OMC), principalement à l'encontre de la Chine. Pensons, par exemple, à l'UE qui continue d'imposer des taxes de 16,5 % sur les chaussures chinoises. À l'aide d'une recherche sur Internet ou à la bibliothèque, expliquez pourquoi certains pays auraient de bonnes raisons de limiter les échanges commerciaux.

CHAPITRE 8 Question d'intégration

Les échanges de biens et de services avec les autres pays influent sur la performance de notre économie et son fonctionnement. Expliquez de quelle façon en revoyant les principaux éléments d'une économie globale présentés dans les chapitres précédents.

CHAPITRE 8 Laboratoires informatiques

Le but des laboratoires informatiques est d'amener l'élève, à partir d'un traitement de données incorporé dans le site de Statistique Canada, à utiliser de façon relativement simple des outils statistiques (tableaux, graphiques, mesures relatives) permettant de décrire et d'expliquer la conjoncture économique canadienne et mondiale. Pour une explication plus détaillée de la marche à suivre, voir l'avant-propos, pages IV à VI.

1 Recueillez des données sur les relations commerciales du Canada. Vous les trouverez en consultant le site de Statistique Canada (http://www.statcan.gc.ca). Cliquez sur le lien « Comptes économiques » situé en bas de l'écran, puis sur « Balance des paiements internationaux ». Ensuite, choisissez « Tableaux sommaires », puis « Balance des paiements internationaux du Canada ».

a) Pour chacune des quatre dernières années, calculez la variation relative en pourcentage des exportations canadiennes de biens et de services. Que constatez-vous ?

b) Pour chacune des quatre dernières années, calculez la part (en %) des services dans les exportations canadiennes de biens et de services. Que constatez-vous ?

2 Pour connaître les plus récentes données sur le commerce international du Canada, consultez la *Banque de données des statistiques officielles sur le Québec* à l'adresse suivante : http://www.bdso.gouv.qc.ca/pls/ken/iwae.proc_acce?p_temp_bran=ISQ. Une fois sur le portail, glissez le curseur sur le thème « Commerce extérieur » situé à gauche de l'écran, puis choisissez « Commerce international ». Enfin, choisissez le tableau « Exportations internationales selon les pays de destination, Québec et Canada ».

a) Qui sont les deux plus grands partenaires commerciaux du Québec ?

b) Quelle est, pour l'année la plus récente, la part des exportations québécoises dans les exportations canadiennes ? Que constatez-vous ?

Les taux de change exercent une influence beaucoup trop importante dans l'économie pour qu'on les abandonne à la psychologie trop souvent irraisonnée du marché des changes.

André Cartapanis, économiste français

CHAPITRE 9

RELATIONS FINANCIÈRES

OBJECTIFS

Après avoir lu ce chapitre, vous pourrez :

- distinguer les divers comptes de la balance des paiements ;
- expliquer le fonctionnement du marché des changes ;
- expliquer comment le taux de change est déterminé par les forces du marché ;
- mesurer le pouvoir d'achat d'une devise ;
- analyser les relations entre le taux de change et certains indicateurs macroéconomiques ;
- expliquer comment les choix de politique monétaire dans un pays peuvent influer sur ses échanges extérieurs.

Chaque fois que vous traversez la frontière américaine pour un petit séjour à la plage, vous ne payez pas vos achats en dollars canadiens, mais en dollars américains. Quand la Société des alcools du Québec (SAQ) importe du vin de la France, elle doit le payer en euros. L'échange des devises est donc une condition préalable aux échanges commerciaux. Il en va de même pour les transactions financières. Quand Bombardier ouvre une usine en Irlande ou que des investisseurs américains achètent le Canadien de Montréal, ils payent généralement en devises du pays concerné. En fait, presque tous les échanges commerciaux et financiers à l'échelle mondiale nécessitent une conversion des devises, sauf lorsque des pays partagent la même monnaie.

Mais en quoi les fluctuations du dollar canadien touchent-elles une personne qui n'a jamais voyagé ni acheté de titres étrangers comme des actions ou des obligations ? Comment se fixe le prix d'une devise ? Pourquoi, le vendredi 18 janvier 2002, le dollar canadien par rapport au dollar américain se transigeait-il à 1,61 $CAN, creux historique, alors que le 28 septembre 2007, pour la première fois en près de 31 ans, il se transigeait à parité avec le billet vert ? Comment se fait-il que le dollar américain ait perdu (par rapport à l'euro) 1,4 % de sa valeur le jour même des attentats du 11 septembre 2001 ?

Dans ce chapitre, nous tenterons de répondre à ces questions, en traitant d'abord des principaux échanges en jeu dans les relations économiques mondiales. Ceux-ci sont recensés dans un outil comptable appelé « balance des paiements », objet de la première section du chapitre. Après l'analyse de celle-ci, nous aborderons successivement le taux de change et le marché des changes, la détermination du taux de change, puis la relation entre le taux de change et la politique monétaire. Finalement, nous présenterons, en rubrique, une théorie fondamentale en finances internationales : la parité des pouvoirs d'achat.

9.1 MESURE DES ÉCHANGES EXTÉRIEURS : LA BALANCE DES PAIEMENTS

Pour mesurer l'ampleur des échanges extérieurs et avoir une image des relations commerciales et financières que les pays entretiennent avec le reste du monde, ces derniers utilisent un outil comptable : la **balance des paiements**. Celle-ci recense l'ensemble des transactions économiques qu'un pays effectue avec les autres pays. Toute transaction qui conduit à une entrée de fonds (recettes venant de l'étranger) est portée au crédit et affectée du signe « plus », alors que toute transaction qui donne lieu à une sortie de fonds (paiement versé à l'étranger) est portée au débit et affectée du signe « moins ».

Selon la nouvelle présentation en vigueur depuis 1997, la balance des paiements comprend le compte courant, d'une part, et les comptes de capital et financier, d'autre part. Le **compte courant** recouvre les échanges de biens et de services, tandis que les **comptes de capital et financier**, comme leur nom l'indique, enregistrent les transferts en capital et les flux financiers.

LE COMPTE COURANT

Au chapitre 3, nous avons vu que le PIB, mesuré par les dépenses, comprend la différence entre l'achat de biens et de services nationaux par des étrangers et l'achat de produits étrangers par des résidents nationaux (X – M). Dans cette identité macroéconomique, les exportations (X) et les importations (M) correspondent respectivement aux recettes et aux paiements du compte courant. Le tableau 9.1 présente le compte courant du Canada en 2009.

Le compte courant comprend les échanges de biens et de services (en comptabilité nationale, on parle alors d'exportations nettes de biens et de services ou de **balance commerciale**[1]). On y retrouve donc les exportations et les importations de biens, comme les matières premières et les biens manufacturés, ainsi que les revenus et les dépenses liés au tourisme et aux transports.

Le compte courant regroupe également les revenus de placements et les transferts courants. Les **revenus de placements** comprennent les intérêts et les dividendes reçus par les résidents pour des investissements effectués à l'étranger et ceux qui sont versés aux étrangers pour des investissements faits dans le pays. Les **transferts** englobent les pensions, les dons et l'aide internationale.

TABLEAU 9.1	Compte courant du Canada en 2009 (en milliards de dollars).		
Compte courant	**Recettes (+) (exportations)**	**Paiements (–) (importations)**	**Solde**
Biens et services	436,7	463,9	−27,2
Biens	369,5	374,1	−4,6
Services	67,1	89,8	−22,7
Revenus de placements	57,4	71,5	−14,1
Transferts courants	8,6	10,8	−2,1
Total	**502,7**	**546,2**	**−43,5**

Source : adapté de Statistique Canada, CANSIM, tableau 376-0001.

Balance des paiements Outil comptable qui recense l'ensemble des transactions économiques qu'un pays effectue avec les autres pays.

Compte courant Compte de la balance des paiements qui recouvre les échanges de biens et de services, les revenus de placements et les transferts courants.

Compte de capital Compte de la balance des paiements qui enregistre les transferts en capital (actifs des migrants, héritages, remises de dettes) et les échanges portant sur les actifs non financiers non produits (brevets, terrain d'une ambassade).

Compte financier Compte de la balance des paiements qui enregistre les flux financiers.

Balance commerciale Composante du compte courant où sont comptabilisés les échanges de biens et de services.

Revenus de placements Intérêts et dividendes reçus par les résidents pour des investissements effectués à l'étranger ou versés aux étrangers pour des investissements faits dans le pays.

Transferts Éléments du compte courant englobant les pensions, les dons et l'aide internationale.

---

1. Notez que la balance commerciale renvoie parfois au seul échange de biens.

En 2009, le Canada a enregistré un déficit de 43,5 milliards de dollars de son compte courant. Ce premier solde négatif en 11 ans est attribuable essentiellement aux échanges commerciaux de biens qui se sont soldés par un premier déficit depuis 1975 (voir la figure 9.1).

LES COMPTES DE CAPITAL ET FINANCIER

Le deuxième élément de la balance des paiements englobe les comptes de capital et financier.

Le compte de capital enregistre essentiellement des transferts en capital (par exemple, les actifs des immigrants et émigrants, les héritages, les remises de dettes et de pertes sur les créances accordées aux pays du tiers-monde qui ne peuvent honorer leurs engagements financiers), mais également les acquisitions et les cessions d'actifs non financiers non produits (c'est-à-dire les droits de propriété intellectuelle comme les brevets et les biens corporels comme le terrain d'une ambassade).

Le compte financier enregistre différents types de flux financiers. On y distingue plus particulièrement les investissements directs et les investissements de portefeuille. Les **investissements directs** renvoient au financement de la mise sur pied d'unités de production ou de l'action que mènent des entreprises existantes pour prendre le contrôle de telles unités. Il pourrait s'agir, par exemple, de la construction, par Bombardier, d'une usine en Irlande (sortie de fonds comptabilisée dans les paiements) ou de l'implantation, par une entreprise étrangère, d'une filiale au Canada (entrée de fonds comptabilisée dans les recettes). Quant aux **investissements de portefeuille**, ils désignent les flux d'actions et d'obligations, comme l'achat (ou la vente) d'actions de Bombardier par un Irlandais ou bien l'achat

> **Investissements directs**   Éléments du compte financier correspondant au financement de la mise sur pied d'unités de production ou de l'action pour prendre le contrôle de telles unités.
>
> **Investissements de portefeuille**   Éléments du compte financier correspondant aux flux d'actions et d'obligations.

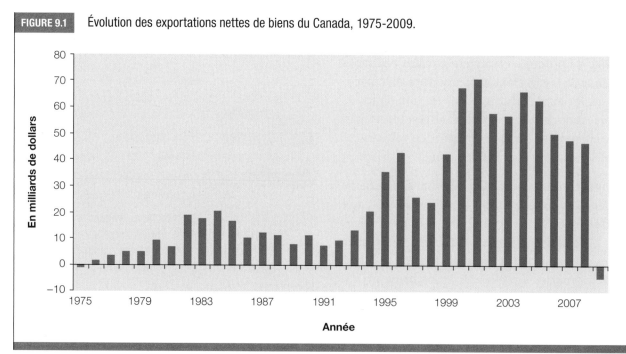

FIGURE 9.1   Évolution des exportations nettes de biens du Canada, 1975-2009.

Source : adapté de Statistique Canada, CANSIM, tableau 376-0001.

TABLEAU 9.2	Comptes de capital et financier du Canada en 2009 (en milliards de dollars).			
Comptes de capital et financier (flux nets)	**Passif (entrées)**	**Actif (sorties)**	**Solde**
Compte de capital			4,0
Entrées de capitaux	5,2		
Sorties de capitaux		−1,3	
Compte financier	143,8	−103,9	39,9
Investissements directs			−23,1
canadiens à l'étranger		−44,4	
étrangers au Canada	21,3		
Investissements de portefeuille			102,2
Titres étrangers		−8,7	
Titres canadiens	110,9		
Autres investissements			−39,2
canadiens		−50,8	
étrangers	11,6		
Total	**149,0**	**−105,2**	**43,9**

Note : Le solde du compte de capital et le solde total ne sont pas exactement 4,0 et 43,9 parce qu'on les a arrondis à une décimale près.

Source : adapté de Statistique Canada, CANSIM, tableau 376-0002.

(ou la vente) d'obligations américaines par un Canadien[2].

Pour l'ensemble de l'année 2009 (voir le tableau 9.2), les comptes de capital et financier présentent un surplus de 43,9 milliards de dollars, parce que les Canadiens ont vendu plus d'actifs étrangers qu'ils n'en ont acheté.

Finalement, afin de s'assurer que la balance des paiements soit équilibrée, Statistique Canada introduit chaque année une rubrique, *divergence statistique*, qui tient compte des erreurs de mesure et des transactions non enregistrées. Cette divergence statistique englobe aussi la différence entre les entrées et les sorties de fonds au pays. La divergence statistique est précédée d'un signe négatif lorsque les entrées ont dépassé les sorties au cours de la période étudiée. Par exemple, en 2009, elle correspondait à −0,4 milliard de dollars (voir le tableau 9.3).

L'ÉQUILIBRE DE LA BALANCE DES PAIEMENTS

En principe, la balance des paiements d'un pays doit toujours être en équilibre, c'est-à-dire égale à zéro. En effet, en observant le tableau 9.3, on remarque que le solde du compte courant et le solde des comptes de capital et financier s'annulent plus ou moins. Cette identité comptable s'explique de la façon suivante : lorsque le solde courant d'un pays est négatif (comme c'était le cas du Canada en 2009), cela signifie qu'il a acheté plus de biens et de services qu'il n'en a vendu (situation similaire à un agent dont les dépenses excèdent les revenus). Pour couvrir son dû, il doit nécessairement puiser dans son épargne (dans ses réserves de devises) ou emprunter à l'étranger (en vendant des obligations, par exemple). C'est pourquoi les comptes de capital et financier auront un solde positif, c'est-à-dire plus d'entrées que de sorties d'actifs financiers. Bien entendu, l'inverse se produira aussi si le compte courant est en surplus.

TABLEAU 9.3	Résumé de la balance des paiements du Canada en 2009 (en milliards de dollars).
Balance des paiements	**Solde**
Compte courant	−43,5
Comptes de capital et financier	
Compte de capital	4,0
Compte financier	39,9
Divergence statistique	−0,4
Total	**0**

Source : adapté de Statistique Canada, CANSIM, tableaux 376-0001 et 376-0002.

---

2. Notez que les transactions portant sur des actions d'entreprises sont inscrites dans les « investissements directs » lorsque la déclaration de l'acquéreur vise à exercer un contrôle sur la direction de l'entreprise, même si cette participation ne lui procure pas la majorité absolue des actions en circulation.

Liens entre la **théorie** et la **réalité** économiques

LA RELATION ENTRE « COMPTE COURANT » ET « COMPTES DE CAPITAL ET FINANCIER »

La figure 9.2 illustre la relation entre le solde du compte courant et celui des comptes de capital et financier du Canada pour la période 1980-2009. De 1980 à 1998, on peut observer que le compte courant affiche toujours un solde négatif, à l'exception des années 1982 et 1996. De 1999 jusqu'en 2008, il est excédentaire. Quant au solde des comptes de capital et financier, il est positif pendant presque toute la période de 1980 à 1998, puis il devient négatif. Enfin, la crise économique semble avoir affecté de nouveau les soldes des deux grands comptes en 2009 (le compte courant et les comptes de capital et financier se sont soldés respectivement par un déficit et un excédent records) sans toutefois avoir modifié la relation entre eux.

Mettez vos connaissances en pratique

1 Quelle est la relation entre les deux courbes de la figure ci-dessous ?

2 Dans quelle mesure cette relation influe-t-elle sur l'équilibre de la balance des paiements ? Justifiez votre réponse.

3 Selon vous, quel a été l'effet de la crise économique mondiale sur les soldes des deux grands comptes de la balance des paiements du Canada ?

| FIGURE 9.2 | Évolution des soldes du compte courant et des comptes de capital et financier du Canada, 1980-2009. |

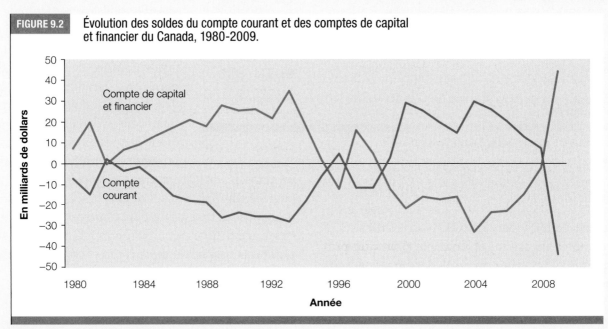

Source : adapté de Statistique Canada, CANSIM, tableaux 376-0001 et 376-0002.

9.2 TAUX DE CHANGE ET MARCHÉ DES CHANGES

Si chaque pays a sa propre unité de mesure monétaire, comment les agents économiques font-ils pour régler leurs transactions commerciales et financières ? Le problème des échanges extérieurs se résout par le marché des changes, qui détermine le taux de change.

LE TAUX DE CHANGE

Le **taux de change** est le prix en monnaie nationale d'une unité de **devise** (monnaie étrangère). Dans le

Taux de change (cotation à l'incertain) Prix en monnaie nationale d'une unité de devise.

Devise Monnaie étrangère.

cas du Canada, il indique le nombre de dollars canadiens nécessaires pour se procurer une unité de devise.

$$\text{Taux de change} = \frac{\text{prix (nombre de dollars canadiens)}}{1 \text{ unité de devise}}$$

La définition qui précède, également appelée « cotation à l'incertain », est celle du taux de change que l'on retrouve tous les jours dans la rubrique financière des journaux. Toutefois, aux informations télévisées, on privilégie une autre définition du taux de change, appelée **cotation au certain**[3]. Cette dernière donne la valeur du dollar canadien par rapport aux autres devises. Par exemple, si, le 3 septembre 2010, il fallait 1,0411 $CAN pour acheter 1 $US (voir le tableau 9.4), alors 1 $CAN valait 0,9605 $US. Il s'agit en fait de la réciproque d'une cotation à l'incertain (soit $\frac{1}{1,0411}$) que l'on calcule à l'aide d'une simple règle de trois.

1,0411 $CAN = 1 $US

1 $CAN = x

Il est à noter que, dans ce manuel, nous tenterons d'utiliser les deux définitions du taux de change, qui sont parfaitement équivalentes.

LA CONVERSION DES PRIX ÉTRANGERS EN PRIX NATIONAUX

Le taux de change permet aux agents économiques de convertir le prix d'un bien étranger en la monnaie de leur pays, ou vice versa. On effectue une telle opération en multipliant le prix du produit étranger par le taux de change (ou, dans le cas contraire, en divisant le prix du produit national par le taux de change). Par exemple, combien coûtait, en dollars canadiens, une chambre d'hôtel à New York si sa valeur était de 150 $US le 3 septembre 2010 ? Compte tenu du taux de change en vigueur à ce moment-là (voir le tableau 9.4), cette chambre d'hôtel coûtait 156,17 $CAN. Le calcul s'effectue de la façon suivante :

150 $US × 1,0411 ($\frac{\text{\$CAN}}{1\,\text{\$US}}$) = 156,17 $CAN

La terminologie des variations du taux de change

La figure 9.3 illustre l'évolution du taux de change du dollar canadien, de 1970 à 2009, selon une

| TABLEAU 9.4 | Cotation des devises au 3 septembre 2010. |
| | |

| Pays | Devise | Taux de change | |
		(en \$CAN)	(en devises)
Argentine	Peso	0,2606	3,8373
Australie	Dollar	0,9531	1,0492
États-Unis	Dollar	1,0411	0,9605
Europe	Euro	1,3414	0,7455
Japon	Yen	0,012330	81,1030
Mexique	Peso	0,08042	12,4347
Royaume-Uni	Livre	1,6085	0,6217
Suisse	Franc	1,0232	0,9773

Source : Banque du Canada.

cotation à l'incertain et une cotation au certain. Dans le cas d'une cotation à l'incertain (taux de change en $CAN), une diminution du taux de change signifie une **appréciation** de la monnaie. Par exemple, en 2002, le prix du dollar américain était de 1,57 $CAN et, en 2009, il était de 1,14 $CAN (voir l'axe vertical à gauche du graphique de la figure 9.3). Il fallait donc débourser 0,43 $CAN de moins qu'en 2002 pour acheter un dollar américain. Inversement, une hausse du taux de change constitue une **dépréciation** de la monnaie, puisqu'il faut plus de dollars canadiens pour acheter un dollar américain.

Attention ! Si le taux de change est exprimé en dollars américains, la terminologie des variations du

Cotation au certain Valeur de la monnaie nationale par rapport aux autres devises.

Appréciation Augmentation de la valeur d'une monnaie par rapport à une autre, correspondant à une baisse de son prix (cotation à l'incertain) ou à une hausse de son prix (cotation au certain).

Dépréciation Baisse de la valeur d'une monnaie par rapport à une autre, correspondant à une hausse de son prix (cotation à l'incertain) ou à une baisse de son prix (cotation au certain).

---

3. Ces appellations, « cotation au certain » et « cotation à l'incertain », sont des traductions des expressions anglaises *indirect quotation* et *direct quotation*.

FIGURE 9.3   Évolution du taux de change, Canada et États-Unis, 1970-2009.

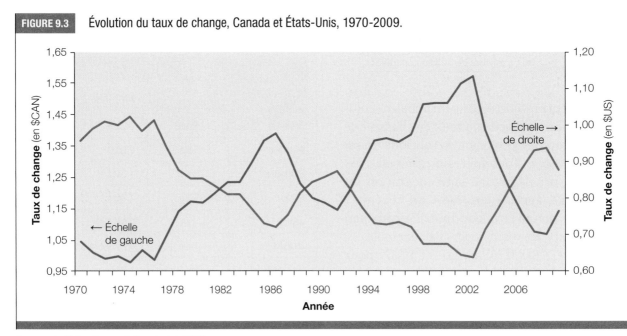

Source : adapté de la Banque du Canada et de l'UFIP.

taux de change est alors inversée. Dans ce cas, une hausse du taux de change (en $US) – de 0,637 $US à 0,876 $US de 2002 et 2009 (voir l'axe vertical à droite du graphique de la figure 9.3) – signifie que le dollar canadien a pris de la valeur par rapport au dollar américain (cela revient à dire que notre monnaie s'est appréciée). En revanche, une baisse du taux de change désigne une perte de valeur du dollar canadien, donc une dépréciation de la monnaie.

Il est à noter que les termes «dépréciation» et «appréciation» ne doivent pas être confondus avec «dévaluation» et «réévaluation», qui sont utilisés lorsqu'une banque centrale décide volontairement de modifier le cours des devises, dans un système où le taux de change n'est pas déterminé par le marché, mais plutôt par les autorités gouvernementales. C'est ce que l'on appelle «un régime de taux de change fixe».

Les systèmes de taux de change

Le système de taux de change correspond au type de relation entre les devises. Théoriquement, il existe deux systèmes de taux de change : le système de taux de change flexible et le système de taux de change fixe.

- Le **système de taux de change flexible** (ou **flottant**) est un système dans lequel le taux de change varie librement selon les forces du marché.

- Le **système de taux de change fixe** est un système dans lequel le taux de change ne varie pas, puisqu'il est fixé par les autorités gouvernementales par rapport à un étalon (or, devise, panier de devises).

Même si, depuis 1976, la majorité des pays laissent flotter leur propre taux de change selon les forces du marché, les taux de change ne sont en réalité jamais totalement libres. Au Canada, comme dans la plupart des pays industrialisés, la banque centrale intervient régulièrement sur le marché des changes pour stabiliser ces taux. C'est ce que l'on appelle un «flottement contrôlé» ou «administré».

LE MARCHÉ DES CHANGES

Le **marché des changes** est composé de tous les intervenants qui ont besoin d'échanger des devises pour effectuer des transactions. Il n'occupe pas de lieu précis et passe plutôt par le bureau

Système de taux de change flexible (ou flottant)   Système dans lequel le taux de change varie librement selon les forces du marché.

Système de taux de change fixe   Système dans lequel le taux de change est fixé par les autorités gouvernementales par rapport à un étalon.

Marché des changes   Lieu où s'échangent les devises.

des changes des grandes banques regroupées dans les principales places financières dans le monde. Surtout concentrées à Londres, New York, Tokyo, Genève et Singapour, celles-ci sont reliées par des réseaux informatiques leur permettant d'agir rapidement et efficacement. De plus, en raison des décalages horaires, le marché des changes fonctionne tous les jours, 24 heures sur 24. En termes de volume, ce marché est le deuxième en importance avec près de 4000 milliards de dollars américains échangés quotidiennement (selon le rapport triennal de la Banque des règlements internationaux de septembre 2010).

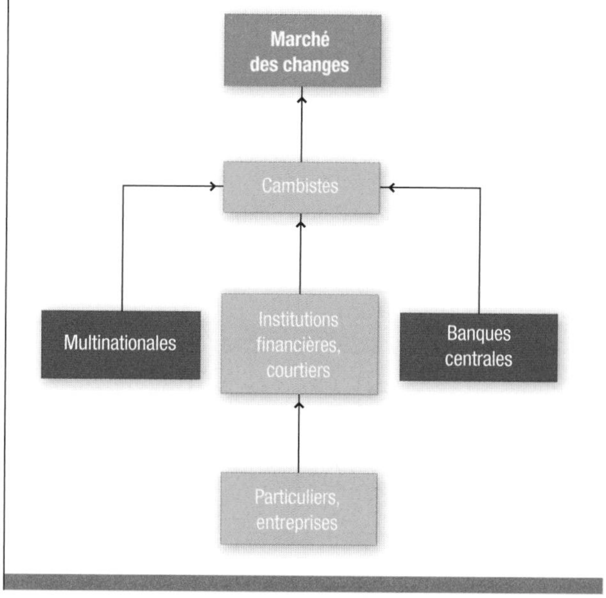

Les intervenants sur le marché des changes

Parmi les intervenants sur le marché des changes (voir la figure 9.4), on trouve les particuliers et les entreprises qui transmettent aux établissements financiers ou aux courtiers leurs ordres d'achat et de vente de devises. Ces derniers jouent donc un rôle d'intermédiaires. Toutefois, les établissements financiers ne font pas que répondre aux besoins de leurs clients; ils interviennent aussi régulièrement sur le marché des changes pour leur propre compte.

FIGURE 9.4 Intervenants sur le marché des changes.

En raison des décalages horaires, le marché des changes fonctionne tous les jours, 24 heures sur 24. En termes de volume, ce marché est le deuxième en importance avec près de 4000 milliards de dollars américains échangés quotidiennement.

Les bureaux de change, comme ceux que l'on trouve sur la rue Sainte-Catherine à Montréal, sont les endroits idéaux pour se procurer des devises – $US ou euros –, car ces bureaux prennent moins de marges que les établissements financiers quand ils vendent des devises.

D'ailleurs, on dit que le marché des changes est avant tout un marché interbancaire, dans le sens où les établissements financiers sont à l'origine de la majeure partie des activités du marché des changes. En fait, les taux que l'on trouve dans les journaux sont des **taux interbancaires** (ou **taux « de gros »**). Aucun montant inférieur à un million n'est échangé à ces taux. Ceux qu'appliquent les établissements financiers sont, bien entendu, moins intéressants que les taux « de gros », et on les appelle **taux « des particuliers »**. L'écart entre ces deux taux correspond à la compensation que reçoit l'établissement financier pour le service rendu.

Il est à noter que les établissements financiers et les bureaux de change disposent de deux taux de change : un pour l'achat et un autre pour la vente. La Banque Royale, par exemple, était prête à vous acheter, le 3 septembre 2010, un dollar américain pour 1,0097 $CAN et à vous le vendre pour 1,0638 $CAN. La différence entre les deux limites

s'explique par l'évaluation du risque de change entre le moment où l'établissement traite l'opération et le moment où il l'enregistre.

Les banques centrales sont aussi des acteurs importants du marché des changes. En effet, nous avons vu que certaines d'entre elles interviennent régulièrement sur ce marché afin de limiter les fluctuations des devises et de stabiliser les taux de change. Enfin, les grandes entreprises (multinationales) ont développé une activité bancaire dans la foulée de la globalisation des marchés. Elles ont donc leur propre service doté d'équipes de cambistes actifs sur le marché des changes.

> **Taux de change interbancaire (ou taux « de gros »)**   Prix des devises appliqué par les grands intermédiaires du système financier international.

> **Taux de change « des particuliers »**   Cotation des devises par les établissements financiers et les bureaux de change destinée aux particuliers.

Qu'en est-il du rôle des cambistes? Ces individus spécialisés dans les opérations de change sont au service des établissements financiers; ils exécutent au mieux les ordres de leurs clients et s'efforcent ainsi de réaliser des gains de change. Bref, leur rôle consiste à réunir l'offre et la demande de devises.

Les types de marché des changes

Sur le marché des changes, on distingue généralement le marché au comptant du marché à terme.

- Le **marché au comptant** correspond à un marché où les transactions de devises se font à l'intérieur des deux jours ouvrables qui suivent la négociation d'un contrat. Il s'agit du marché le plus ancien et le plus courant.

- Le **marché à terme** correspond à un marché où les transactions sont reportées à une échéance (habituellement 30 jours, 90 jours ou 180 jours) et à un cours fixés à l'avance, cours appelé **taux de change à terme**. Il permet aux agents économiques qui commercent avec d'autres pays de se couvrir contre le risque de change.

Pourquoi un importateur aurait-il intérêt à se protéger contre les variations du taux de change? Prenons l'exemple de la SAQ, qui doit acquitter dans trois mois une facture de 50 000 $US d'un fournisseur californien. Si, au moment de la commande, le taux de change est de 1,00, le montant de la facture en dollars canadiens s'élève alors à 50 000 $CAN.

Qu'arrivera-t-il dans trois mois? Quel montant la SAQ devra-t-elle réellement débourser? Cela dépend évidemment du taux de change qui sera en vigueur à ce moment-là. Si, à l'échéance, le taux de change s'élève à 1,00 $US = 0,95 $CAN, la SAQ fera un gain, puisqu'elle ne devra débourser que 47 500 $CAN (soit 50 000 $US × 0,95), c'est-à-dire un montant inférieur aux 50 000 $CAN initiaux. Par contre, si le taux de change s'élève à 1,00 $US = 1,05 $CAN, la SAQ subira alors une perte, car elle devra payer un montant de 52 500 $CAN (soit 50 000 $US × 1,05), qui est bien supérieur à celui qui prévaudrait si le taux de change était resté à parité.

Ainsi, une entreprise canadienne qui importe des produits a toujours deux possibilités. La première consiste à acheter ses devises sur le marché des changes au comptant et à prendre ainsi le risque de devoir payer davantage si la monnaie canadienne vient à se déprécier. La seconde est d'accepter de payer plus cher ses devises selon un taux de change à terme, mais d'avoir la certitude de ne pas devoir les payer encore plus cher.

9.3 DÉTERMINATION DU TAUX DE CHANGE

Comme nous venons de le voir, le marché des changes est complexe et fait appel à une multitude d'intervenants qui, ensemble, déterminent les différents taux de change partout dans le monde. Pour étudier et expliquer de façon plus systématique les marchés et leurs mouvements de prix, les économistes recourent au modèle de l'offre et de la demande que nous avons présenté au chapitre 2. Il convient donc ici de s'interroger sur les forces qui déterminent le taux de change.

LA DEMANDE DE DEVISES (OU L'OFFRE DE DOLLARS CANADIENS)

Qui sont les demandeurs de devises (ou les offreurs de dollars canadiens)? Ce sont essentiellement des importateurs (M), c'est-à-dire des acheteurs de produits et d'actifs financiers étrangers. En effet, chaque fois que la SAQ achète du vin de la Californie ou qu'un Canadien voyage aux États-Unis, ils consacrent des dollars canadiens à l'achat de dollars américains afin de couvrir leurs paiements. De même, lorsque Bombardier décide de construire une usine en Irlande, il doit payer en euros et devient donc un demandeur de devises.

> **Marché au comptant** Marché où les transactions de devises se font à l'intérieur des deux jours ouvrables qui suivent la négociation d'un contrat.
>
> **Marché à terme** Marché où les transactions sont reportées à une échéance (habituellement 30, 90 ou 180 jours) et à un cours fixés à l'avance.
>
> **Taux de change à terme** Taux de change fixé à l'avance en vertu d'un contrat d'une durée de 30, 90 ou 180 jours.

L'OFFRE DE DEVISES (OU LA DEMANDE DE DOLLARS CANADIENS)

Qui sont les offreurs de devises (ou les demandeurs de dollars canadiens)? Ce sont des exportateurs (X), c'est-à-dire des vendeurs de produits et d'actifs financiers nationaux. En principe, une entreprise canadienne qui vend des produits aux États-Unis désire se faire payer dans la monnaie de son pays. Dans le cas contraire, elle offrira ses dollars américains contre des dollars canadiens.

L'ÉQUILIBRE SUR LE MARCHÉ DES CHANGES

La figure 9.5 illustre comment le taux de change est déterminé par les forces du marché du dollar américain (voir la figure 9.5a) et du dollar canadien (voir la figure 9.5b). Comme pour l'ensemble des marchés, l'axe horizontal indique la quantité échangée (dollars américains à la figure 9.5a et dollars canadiens à la figure 9.5b), et l'axe vertical correspond au prix d'une devise (en dollars canadiens à la figure 9.5a ou en dollars américains à la figure 9.5b), donc au taux de change. À la figure 9.5a, la courbe de l'offre de devises représente les exportations canadiennes, et la courbe de la demande, les importations canadiennes.

Les pentes de l'offre et de la demande sont respectivement positive et négative, comme celles de toutes les courbes vues précédemment. Plus le taux de change du dollar canadien par rapport au dollar américain augmente, plus nos exportations (X) s'accroissent, car elles sont devenues relativement moins chères, et plus nos importations diminuent, puisque les produits et les actifs américains coûtent plus cher (remarquez que les deux courbes illustrées à la figure 9.5b sont les réciproques de celles de la figure 9.5a, puisque la demande de dollars canadiens reflète exactement l'offre de dollars américains et que l'offre de dollars canadiens reflète exactement la demande de dollars américains).

L'interaction des deux forces détermine le taux de change d'équilibre (1,00). À ce niveau, la quantité de devises demandée et la quantité offerte sont égales.

LES DÉSÉQUILIBRES SUR LE MARCHÉ DES CHANGES

En 2011, le dollar canadien s'est apprécié considérablement par rapport au dollar américain pour se transiger à parité avec le billet vert et même au-dessus. Mais pourquoi une telle appréciation? Plusieurs raisons peuvent expliquer cette situation, mais un facteur a sans contredit joué un rôle déterminant: l'expansion rapide de certaines économies émergentes, dont la Chine (croissance moyenne de 9,7 % par année depuis 25 ans). Puisque la Chine a un besoin grandissant de pétrole et de métaux (tels l'aluminium, le cuivre, le nickel, l'uranium et le zinc) et que le Canada

---

FIGURE 9.5   Équilibre sur le marché des changes lorsque le taux de change est à parité.

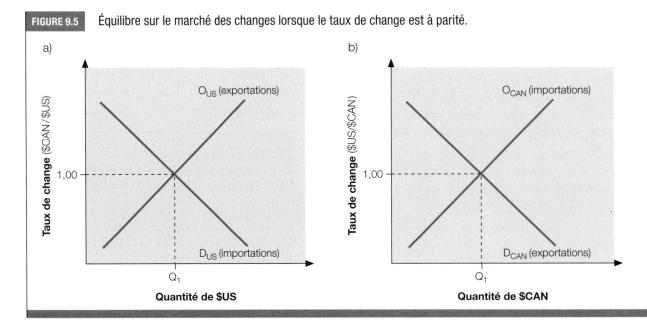

est un grand producteur et un exportateur net de ces produits de base, il en résulte une augmentation des exportations canadiennes, et donc de la demande de dollars canadiens (ou de l'offre de devises).

La figure 9.6 résume la dynamique en jeu. L'offre de dollars américains (ou la demande de dollars canadiens) se déplace vers la droite, entraînant une appréciation de la monnaie canadienne.

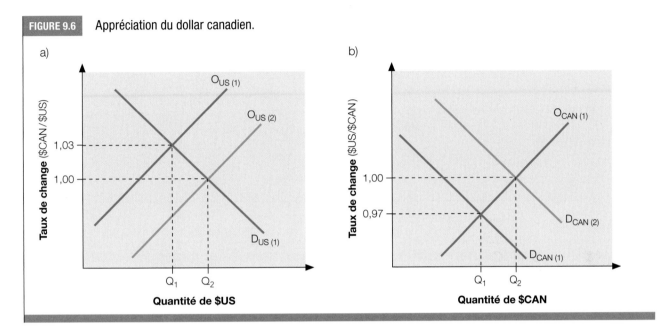

FIGURE 9.6   Appréciation du dollar canadien.

Liens entre la **théorie** et la **réalité** économiques

RELATION ÉTROITE ENTRE DOLLAR CANADIEN ET PÉTROLE

Ryadh Benlahrech

Les craintes sur un ralentissement économique mondial, la tragique marée noire du golfe du Mexique et le niveau de stock élevé aux États-Unis (premier consommateur mondial par habitant) sont autant de facteurs qui pèsent sur l'atonie des cours du pétrole. Ainsi, depuis plusieurs mois, le prix du baril fluctue à peu près entre 70 $ et 90 $.

Le Canada fait partie des pays riches en matières premières et notamment en pétrole. Dès lors, il est logique que le dollar canadien soit corrélé au prix

de l'or noir. La relative faiblesse des cours du pétrole a entraîné la monnaie canadienne vers le bas.

Certes, la corrélation n'implique pas toujours la causalité, mais il est fort probable qu'une hausse de la demande et donc de son cours en pétrole favorise l'appréciation du « loonie » (surnom du dollar canadien).

À *MoneyWeek*, sans surprise, nous sommes haussiers sur le pétrole à long terme. Les énergies alternatives ne sont toujours pas suffisamment développées et la demande des pays émergents (Chine en tête) va continuer d'augmenter.

Mettez vos connaissances en pratique

1 Selon le texte, quelle est la relation entre le dollar canadien et le prix du pétrole ?

2 Cette relation décrite dans le texte correspond-elle à celle illustrée à la figure 9.7 ?

3 À l'aide du modèle de l'offre et de la demande sur le marché des changes, démontrez qu'une baisse des cours du pétrole entraîne une dépréciation du dollar canadien.

Source : *Money Week, Actualité économique*, 2 septembre 2010.

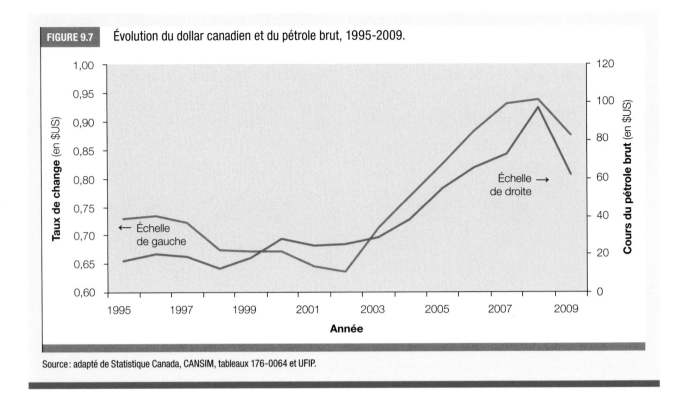

FIGURE 9.7   Évolution du dollar canadien et du pétrole brut, 1995-2009.

Source : adapté de Statistique Canada, CANSIM, tableaux 176-0064 et UFIP.

9.4 POUVOIR D'ACHAT D'UNE DEVISE

Bien que le taux de change nous soit familier, il n'en reste pas moins une source de confusion pour plusieurs. Ainsi, si on vous demandait laquelle des devises est la plus forte, vous diriez sûrement, et avec raison, que c'est le dollar américain ou l'euro.

Mais sur quoi vous seriez-vous basé pour répondre à cette question ? Sur le fait que ces devises coûtent plus cher que le dollar canadien ? Sachez que le prix d'une devise est un indicateur insuffisant pour en connaître la force. En fait, une devise vaut ce qu'elle nous permet réellement d'acheter (rappelez-vous, au chapitre 4, à la section 4.1 sur l'inflation, on indique que la véritable valeur d'une monnaie est fixée par son pouvoir d'achat). Par exemple, si, avec 10 $CAN, vous pouviez acheter, après les avoir convertis en dollars américains, la même quantité de biens et de services aux États-Unis qu'au Canada, le dollar canadien aurait alors la même valeur que le dollar américain. C'est ce qu'on appelle « la parité des pouvoirs d'achat ». Notez que, selon la Banque du Canada, la parité du pouvoir d'achat de notre

dollar avec le dollar américain était environ de 1,03 $CAN (ou 0,97 $US) à la fin de 2007. Cela signifie qu'à ce taux de change il y a égalité des pouvoirs d'achat entre les deux devises[4].

9.5 RELATION ENTRE TAUX DE CHANGE ET POLITIQUE MONÉTAIRE CANADIENNE

Nous avons démontré au chapitre 7 que la politique monétaire a un effet, par le biais des taux d'intérêt, sur l'activité économique. Nous allons maintenant voir que les décisions de la Banque du Canada ont aussi une incidence sur le taux de change.

L'évolution du taux de change consécutive aux modifications des taux d'intérêt repose sur la mobilité des capitaux. Les investisseurs sur les marchés financiers déplacent rapidement leurs fonds afin de profiter du meilleur rendement possible.

Supposons que la Banque du Canada applique une baisse de son taux directeur (taux cible du financement à un jour) dans le but de stimuler les dépenses

---

4.   On étudie cette théorie plus en profondeur dans la rubrique « Évolution de la pensée économique », p. 229.

et la production. La baisse du taux d'intérêt de référence de la banque centrale incite les autres institutions financières à baisser leurs propres taux d'intérêt, ce qui attire de nouveaux emprunteurs. En effet, ces derniers, profitant d'un assouplissement des coûts d'un prêt bancaire, désirent emprunter davantage en vue d'augmenter leurs dépenses. La hausse de la consommation et des investissements qui en découle équivaut à une augmentation de la demande globale et de la production intérieure (PIB). Les objectifs intérieurs sont atteints. Une politique monétaire expansionniste a donc permis de relancer l'activité économique, mais il ne faut pas oublier l'impact sur le marché des changes. En effet, la baisse généralisée des taux d'intérêt rend les actifs financiers canadiens moins intéressants, ce qui suscite une sortie de capitaux. Toutes choses étant égales par ailleurs, les investisseurs se débarrassent donc de leurs dollars canadiens et achètent d'autres devises afin d'obtenir un rendement plus avantageux à l'étranger. Il en résulte une dépréciation de la monnaie canadienne. De surcroît, cette dernière stimule les exportations et décourage les importations devenues relativement plus chères. L'accroissement des exportations nettes amplifie la relance économique, mais au prix d'une monnaie plus faible, avec les avantages (hausse de la compétitivité des entreprises canadiennes) et les

inconvénients (perte du pouvoir d'achat mondial des consommateurs canadiens) que cela comporte.

On peut aussi remarquer que le raisonnement inverse engendre le même dilemme pour l'État. Un pays qui désire augmenter ses taux d'intérêt pour soutenir sa devise devra le faire au prix d'un ralentissement de l'économie et d'une hausse du chômage. La figure 9.8 ci-dessous et la figure 9.9 à la page suivante résument les conséquences intérieures et extérieures d'un changement d'orientation de la politique monétaire.

9.6 GUERRE DES DEVISES

Nous avons vu à la section précédente qu'une politique monétaire a une incidence sur le taux de change. Voyons maintenant comment les choix de politique monétaire dans un pays peuvent dépendre des politiques économiques à l'étranger (voir la rubrique « Actualité économique » à la page 225).

On peut présenter ce raisonnement sous forme d'un modèle simple. Il y a deux grands pays, la Chine et les États-Unis, et chacun a le choix entre deux stratégies : mettre en place une politique monétaire expansionniste modérée ou une politique monétaire expansionniste excessive, ce qui

FIGURE 9.8 Effets d'une politique monétaire expansionniste sur l'économie.

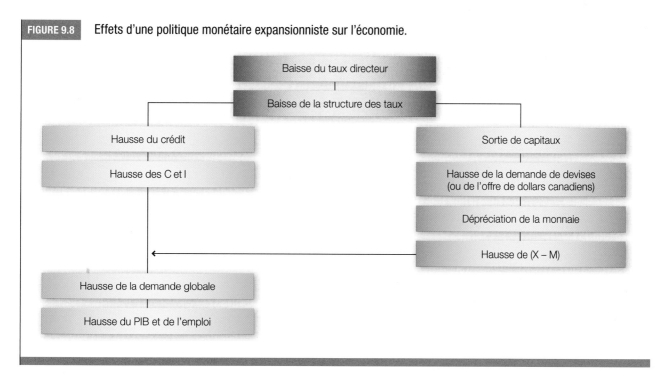

FIGURE 9.9 Effets d'une politique monétaire restrictive sur l'économie.

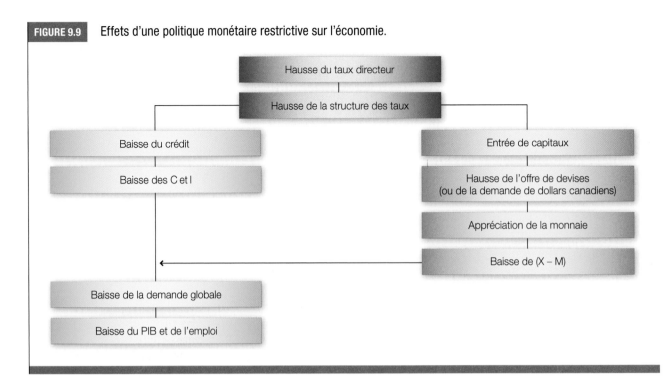

revient à une forme de protectionnisme, puisqu'elle décourage les importations en faisant déprécier une monnaie par rapport à une autre (voir aussi Protectionnisme et guerre commerciale, à la section 8.3, p. 197).

Le tableau 9.5 indique les gains – calculés en Δ% PIB réel – associés à ces politiques monétaires. Les quatre cases du tableau résument les gains respectifs de la Chine (coin inférieur gauche) et des États-Unis (coin supérieur droit). Quel sera le résultat du jeu ? Du point de vue des États-Unis, si la Chine opte pour une politique monétaire expansionniste modérée, il est préférable de mettre en place une politique monétaire expansionniste excessive (gain du PIB = 1,5 %) plutôt qu'une politique monétaire expansionniste modérée (gain du PIB = 1 %). Si la Chine opte pour une politique monétaire expansionniste excessive, il est encore préférable pour les États-Unis de mettre en place une politique monétaire expansionniste excessive (gain du PIB = 0,5 %) plutôt qu'une politique monétaire expansionniste modérée (gain du PIB = 0 %). Dans le cas présent, quel que soit le choix de la Chine, une politique monétaire expansionniste excessive se révèle la meilleure stratégie pour les États-Unis. Parallèlement, la Chine a toujours intérêt à choisir une politique monétaire expansionniste excessive, car les hausses du PIB (1,5 % et 0,5 %) sont supérieures à 1 % et 0 %.

L'adoption d'une politique monétaire expansionniste excessive par les deux pays semble donc être l'issue du jeu (0,5 %, 0,5 %). Cette solution est cependant non optimale, car les deux pays pourraient obtenir des croissances économiques supérieures en choisissant d'un commun accord une politique monétaire expansionniste modérée (1 %, 1 %).

De toute évidence, la Chine et les États-Unis ont intérêt à coopérer afin d'éviter une guerre des devises qui aurait surtout pour effet de raviver les pressions inflationnistes

TABLEAU 9.5 La guerre des devises.

		États-Unis	
		Politique monétaire expansionniste modérée	Politique monétaire expansionniste excessive
Chine	Politique monétaire expansionniste modérée	1 1	1,5 0
	Politique monétaire expansionniste excessive	0 1,5	0,5 0,5

et d'anéantir la croissance économique. Comment peut-on résoudre alors le dilemme du prisonnier? Comment peut-on s'assurer que chaque pays ne va pas baisser artificiellement sa monnaie? Il faut trouver une façon d'inciter les pays à coordonner leurs politiques économiques internationales. Cela passe indéniablement par une surveillance multilatérale renforcée.

Actualité économique

COMMENT ÉVITER LA GUERRE DES MONNAIES?

Damien Bouhours

Le Fonds monétaire international veut stopper toute dépréciation volontaire des monnaies et autre protectionnisme économique. Si la Chine est montrée du doigt, d'autres pays ne s'en privent pas. Mais peuvent-ils faire autrement que d'utiliser l'arme monétaire en pleine «guerre des monnaies»?

Bain de sang économique? Massacre au taux de change? Mais que peut bien être cette «guerre des monnaies»? Le terme a été lancé pour la première fois fin septembre par le ministre des Finances brésilien, Guido Mantega, pour dénoncer l'attitude de certains pays qui affaiblissent leur monnaie afin de faciliter les exportations et gagner en compétitivité ou qui font pression pour apprécier celle des autres. La Chine a été maintes fois critiquée sur ce point, notamment par les États-Unis qui demandent un rapport plus équilibré entre yuan et dollar. Ce sujet brûlant a été au centre des conversations lors de la réunion des ministres des Finances du G20 le week-end dernier au siège du Fonds monétaire international (FMI) à Washington.

Plus de surveillance

«Je crains qu'avec l'amélioration de la conjoncture, la tentation de solutions nationales se fasse plus forte, notamment en matière de monnaies. Je prends très au sérieux la menace d'une guerre des monnaies, même larvée, il faut l'éviter», a averti le directeur du FMI, Dominique Strauss-Kahn, dans une interview au *Monde*. Les ministres des Finances des 187 États membres ont réussi à se mettre d'accord sur un renforcement futur de la procédure de surveillance des monnaies par le FMI. Le très populaire patron du Fonds monétaire a proposé de s'impliquer personnellement dans la rédaction des rapports annuels sur l'économie de ses grands pays membres, qui prendront en compte les politiques économiques entreprises notamment sur les taux de change.

La guerre a déjà lieu

Si les discussions sur ce sujet reprendront lors du prochain G20 qui aura lieu à Séoul les 11 et 12 novembre [2010], les économistes ne sont pas très optimistes quant à la mise en place d'une solution rapide alors que cette «guerre des monnaies» a déjà cours. Le Japon a récemment tenté de baisser le yen, la Corée du Sud le fait déjà régulièrement pour contrer l'arrivée massive de flux financiers. Les nations émergentes, notamment asiatiques, sont en proie au même dilemme, face à un yuan chinois trop compétitif. La Thaïlande – dont le baht s'est apprécié de 9% depuis janvier face au dollar – a acheté en septembre des dollars afin de ralentir l'ascension de sa devise.

Besoin de coopération

La vraie solution semble résider dans une surveillance multilatérale renforcée. Il faut que «tout le monde fasse des compromis», a ainsi souligné la ministre des Finances française, Christine Lagarde. Seul hic: chaque gouvernement défend son pré carré et son petit bout d'une croissance encore frêle. Même la banque centrale américaine (FED) pourrait bien racheter des obligations d'État afin de relancer son économie en faisant en conséquence baisser le dollar. L'économie mondiale «se porte mieux, mais demeure fragile», a martelé le directeur du FMI. Les gouvernements vont-ils l'entendre? Rien n'est moins sûr.

Mettez vos connaissances en pratique

1. Selon vous, pourquoi le 2 novembre 2010 les États-Unis ont-ils réactivé la planche à billets en injectant une somme supplémentaire de 600 milliards de dollars dans l'économie?

2. En vous inspirant de la figure 9.8 (p. 223), expliquez comment la décision des autorités monétaires américaines affecte le dollar américain.

3. Pourquoi les banques centrales des autres pays ont-elles intérêt à répliquer pour contre-attaquer la banque centrale américaine en injectant de la monnaie?

4. Pourquoi la persistance d'une politique monétaire expansionniste par des grands pays risque-t-elle de déstabiliser l'économie mondiale à long terme?

Source: BOUHOURS, Damien. «FMI – Comment éviter la guerre des monnaies?», *Lepetitjournal.com*, [en ligne], <http://www.lepetitjournal.com/homepage/a-la-une/65597-fmi-comment-eviter-la-guerre-des-monnaies-.html> (page consultée le 12 octobre 2010).

Liens entre la **théorie** et la **réalité** économiques

LA CRISE FINANCIÈRE DE 2007 PRÉVUE DEPUIS... 1994 !

Il existe un consensus assez large à l'effet que la crise économique mondiale de 2007-2009 a été déclenchée par l'effondrement des produits financiers les plus risqués et les répercussions sur les autres activités financières et sur l'activité économique en général. La question qu'on peut se poser est la suivante: aurait-on pu prévenir cette débâcle? Pour y répondre, il faut faire la distinction entre la réalité économique soumise à toutes sortes d'influences et la communauté scientifique des économistes qui fonctionnent selon des règles bien différentes. La crise financière et économique de 2007-2008 nous fournit un bel exemple de l'écart existant entre ces deux mondes. Voici ce qu'on écrivait en 1994 dans la publication annuelle *L'État du monde* dans l'article «L'inquiétant succès des produits dérivés»:

«Apparus au début des années quatre-vingt, ce qu'on appelle "**produits dérivés**" est l'ensemble des instruments financiers permettant de se couvrir contre une variation adverse ou de tirer profit d'une variation anticipée des cours d'actifs dits "sous-jacents" tels que les actions, les matières premières et les devises. Les produits dérivés se présentent comme des contrats dont la valeur dépend (ou "dérive") de celle d'un actif (emprunt d'État) ou d'un indice sous-jacent (comme l'indice boursier). Il existe trois grandes familles de produits dérivés: les contrats à terme d'instruments financiers (*futures*), les contrats d'échange de taux d'intérêt (*swaps*) et les options.

La croissance des marchés dérivés a été vertigineuse: sur les marchés internationaux, leur encours notionnel a été multiplié par treize de 1986 à 1993 pour atteindre au moins 13 000 milliards de dollars en 1993 (soit plus de deux fois la valeur du PIB des États-Unis).

Le succès foudroyant des "produits dérivés" a plusieurs causes. La modernisation et la libéralisation des marchés financiers ont laissé le champ libre à toutes les innovations financières. Au départ, le développement de ces produits a surtout répondu aux besoins d'agents économiques rendus plus sensibles aux risques de volatilité des taux d'intérêt et des taux de change, en particulier lorsqu'ils sont impliqués dans les échanges internationaux. En facilitant la couverture de ces risques, les produits dérivés créent en principe un climat plus favorable à ces échanges et aux investissements. Par ailleurs, ces innovations devraient accroître l'efficience de la sphère financière, car elles stimulent l'activité des marchés d'actifs sous-jacents et permettent une redistribution des risques de marché entre les agents économiques.

Si les avantages apportés par les produits dérivés sont mis en avant depuis longtemps, leurs conséquences néfastes n'ont été que tardivement prises en considération. Plusieurs études ont montré que les marchés dérivés transforment en profondeur le système financier et le rendent plus fragile.

Le plus inquiétant est qu'une partie importante (près de la moitié) des transactions sur produits dérivés s'effectue sur des marchés de gré à gré qui ne sont pas réglementés, à la différence des marchés organisés. Les banques centrales redoutent ainsi le risque "systémique", c'est-à-dire le défaut de paiement d'un participant qui

provoquerait la défaillance d'autres, susceptible de déclencher alors une crise financière généralisée.»

On constate que les risques associés aux produits financiers à risque étaient connus depuis longtemps, ce qui n'a pas empêché les organisations internationales de prôner une déréglementation généralisée depuis les années 1980. Moralité: ce n'est pas parce que les études démontrent les avantages d'une alimentation saine que l'on s'éloigne nécessairement de la malbouffe!

Mettez vos connaissances en pratique

1 À partir de la définition des produits dérivés du secteur financier que l'on trouve dans le texte, distinguez leur aspect positif de leur aspect négatif.

2 Il n'y a pas que les produits financiers qui ont développé des produits dérivés pour s'assurer contre le risque ou pour favoriser l'achat et la vente du produit sous-jacent. Quel serait l'équivalent pour un bien de consommation courante? Aide: pensez au marché immobilier.

3 À l'aide du modèle de l'offre et de la demande globales, démontrez le lien entre les difficultés des entreprises de produits financiers et l'économie globale d'un pays, à court terme et à plus long terme.

Produits dérivés Ensemble des instruments financiers permettant de se couvrir contre une variation anticipée des cours d'actifs tels que les actions, les matières premières et les devises. Il existe trois grandes familles de produits dérivés: les contrats à terme d'instruments financiers (*futures*), les contrats d'échange de taux d'intérêt (*swaps*) et les options.

Actualité économique

L'EURO EST-IL MENACÉ PAR LA CRISE ?

Laurent Jeanneau,
Guillaume Duval

L'euro a joué pleinement son rôle de stabilisateur pendant la crise, mais les carences de la politique économique européenne sont aussi clairement apparues. Les difficultés financières de la Grèce l'ont encore récemment rappelé.

Le réveil est brutal. Il y a un an, la monnaie unique célébrait son dixième anniversaire. Mais aujourd'hui, l'heure n'est plus à la fête. La zone euro a été violemment secouée par la crise financière : son produit intérieur brut (PIB) devrait se contracter de 4 % en 2009, tandis que la situation budgétaire de plusieurs membres de l'union monétaire s'est fortement dégradée.

La révélation, en décembre 2009, par le nouveau gouvernement grec d'un déficit public beaucoup plus important qu'annoncé jusque-là a fait franchir une nouvelle étape dans la crise. Les agences de notation ont en effet dégradé la note accordée aux titres de la dette publique émis par l'État grec au vu de l'ampleur des déséquilibres de ses comptes publics (12,7 % du PIB pour le déficit et 113 % pour la dette publique en 2009). La conséquence mécanique d'une telle baisse est l'augmentation des taux d'intérêt des emprunts grecs. Or plus la charge des intérêts de la dette s'alourdit, plus la Grèce aura du mal à la rembourser. La dette grecque risque de gonfler comme une boule de neige.

La crainte que la Grèce ne soit plus en mesure bientôt de rembourser sa dette s'est étendue par contagion à d'autres États en difficulté comme le Portugal et, dans une moindre mesure, l'Espagne et l'Irlande.

Cette crise comporte une part significative d'exagération spéculative : les

acteurs financiers profitent en effet des politiques monétaires accommodantes pour emprunter massivement afin de faire chuter les valeurs sur lesquelles ils ont engagé des paris potentiellement juteux. Elle n'en traduit pas moins de profondes faiblesses de la gouvernance économique de la zone.

Une sévère mise à l'épreuve

La crise constitue un test grandeur nature pour l'euro. Bonne nouvelle, la monnaie unique a rempli l'un des objectifs principaux qui avaient présidé à sa création : éviter les effets délétères des attaques spéculatives sur les taux de change. De fait, les États membres n'ont pas eu besoin de se préoccuper des fluctuations de leur monnaie, contrairement à ce qui s'était produit au début des années 1990, lors de la récession précédente, marquée par une profonde instabilité des changes au sein de l'Union. Des pays comme l'Espagne, l'Irlande ou la Grèce, avec leurs énormes déficits commerciaux, auraient sans doute vu leur monnaie attaquée et massivement dépréciée.

Mais sans l'euro, ils n'auraient sans doute pas non plus accumulé de tels déséquilibres. La monnaie unique leur a permis de bénéficier de taux d'intérêt très bas, voire négatifs pendant plusieurs années. En effet, les taux à court terme fixés par la BCE étaient, en termes réels, c'est-à-dire une fois l'inflation déduite, trop bas pour les pays plus inflationnistes tels que la péninsule Ibérique, mais aussi l'Irlande ou la Grèce. Ces taux d'intérêt réels très faibles ont alimenté la bulle immobilière en Espagne et en Irlande, tandis que le gouvernement grec en a profité pour s'endetter de manière

déraisonnable. Mais, au final, le résultat n'est pas très différent : ces pays sont aujourd'hui surendettés.

Grâce à cette facilité, ils ont cessé d'épargner et se sont mis à consommer plus qu'ils ne produisaient. Avec comme conséquence le creusement progressif de déficits extérieurs abyssaux : 12 points de PIB pour la Grèce en 2008, 10 pour le Portugal et 9 pour l'Espagne. Et cela d'autant plus que le différentiel d'inflation ne cessait parallèlement de dégrader leur compétitivité-coût par rapport aux producteurs du reste de la zone. *A contrario*, le dynamisme interne de l'économie allemande était freiné par des taux d'intérêt réels non négligeables. Mais le pays se rattrapait sur les exportations : ses excédents extérieurs, réalisés aux deux tiers au sein de l'Union européenne, n'ont pas arrêté de gonfler.

La dérive des finances publiques grecques a été masquée par les artifices du gouvernement hellénique, mais celle des finances privées portugaises, espagnoles ou irlandaises n'a posé de problème à personne : le pacte de stabilité censé permettre aux institutions européennes de contrôler la situation dans la zone ne prévoit aucune surveillance de la dette privée, pas plus que des déficits et/ou des excédents extérieurs.

On mesure ici les limites de ce pacte : il se focalise exclusivement sur les finances publiques. Pendant des années, l'Espagne a ainsi fait figure de bon élève grâce à ses excédents budgétaires et à sa dette publique nettement inférieure au plafond des 60 % du PIB. Alors que pendant ce temps l'endettement des ménages progressait de manière exponentielle. Résultat : quand la bulle immobilière a éclaté et que l'activité s'est effondrée, l'endettement public a explosé.

Retour de bâton

Au-delà de la dimension spéculative de la crise actuelle, il existe donc bien un réel problème de surendettement et de perte de compétitivité dans plusieurs pays. Mais quand une telle situation existe au sein d'une zone monétaire unifiée, il n'est pas aisé d'en sortir. En effet, avant l'euro, il suffisait de dévaluer sa monnaie pour corriger le tir : tous les habitants du pays se retrouvaient d'un coup plus pauvres, mais aussi plus compétitifs vis-à-vis des voisins. C'était brutal, mais relativement indolore.

Mais au sein de la zone euro, ce n'est plus possible. Et sortir de l'euro serait une option beaucoup trop coûteuse : les taux d'intérêt flamberaient brutalement, les dettes contractées en euros pèseraient encore plus lourd, puisque la monnaie devrait être dévaluée par rapport à l'euro. Il faut donc

rester et « s'ajuster », c'est-à-dire faire baisser les salaires, les prestations sociales, les dépenses publiques, les prix… À l'instar de ce que l'Union européenne demande aujourd'hui aux Grecs. C'est forcément un processus beaucoup plus lent et beaucoup plus douloureux qu'une dévaluation. C'est aussi un processus nécessairement plus conflictuel : tous les groupes sociaux essaient de limiter leur part du fardeau, alors que la dévaluation réglait la question plus simplement.

L'austérité pour tous

Cela signifie enfin que ces pays, très dynamiques au cours des années récentes, vont durablement connaître une croissance très lente. Pour limiter l'impact sur l'activité de l'ensemble de la zone, il faudrait qu'en contrepartie d'autres prennent le relais. En particulier les pays qui dégagent des excédents extérieurs importants, comme l'Allemagne mais aussi les Pays-Bas, devraient relancer

leur demande intérieure. On n'en prend pas le chemin : non seulement les instances européennes veulent imposer l'austérité à la Grèce, à l'Espagne, au Portugal et à l'Irlande, ce qui est compréhensible au vu de leur situation, mais elles demandent également à l'Allemagne et à la France d'adopter elles aussi des politiques restrictives.

[…]

On bute là sur une des incertitudes majeures que soulève cette crise pour l'avenir. Non seulement le sauvetage à court terme de la Grèce pose encore des problèmes inextricables en l'état actuel des traités européens, mais en plus il serait nécessaire de changer en profondeur l'architecture de la zone pour surmonter les dysfonctionnements qui ont conduit à la crise. Il faudrait en effet se doter d'un budget européen de taille significative et donner aux institutions communes la capacité de s'endetter. Il faudrait une harmonisation fiscale poussée

La Grèce en pleine crise économique.

qui évite le dumping fiscal et la dégradation tendancielle des comptes publics. Il faudrait enfin une autorité centrale qui soit suffisamment légitime et reconnue pour obliger les États à adopter des politiques économiques conformes à l'intérêt commun de la zone. Or, pour l'instant, malgré la gravité du coup de semonce grec, personne ne semble prêt à une telle refonte de l'architecture de la zone euro. Aussi longtemps qu'il en sera ainsi, les crises de ce type risquent de se renouveler et la question de la survie de l'euro de se poser.

Mettez vos connaissances en pratique

1 Quelle est la principale cause de la crise grecque ?

2 Quelles sont les conséquences de la crise sur l'État grec ?

3 Comment l'euro a-t-il réagi face à la crise économique ?

4 Pourquoi dit-on que l'existence de la monnaie unique a limité la marge de manœuvre des gouvernements en matière de politique économique ?

5 Quels sont les changements que doivent apporter les pays membres de la zone euro pour éviter toute crainte concernant la survie de l'euro ?

Source : *Alternatives Économiques Pratique* n° 043, avril 2010.

Évolution de la pensée économique

LA PARITÉ DES POUVOIRS D'ACHAT

La **parité des pouvoirs d'achat (PPA)** a été développée par l'économiste suédois Karl Gustav Cassel (1866-1945) en tant que théorie de la détermination du taux de change. Aujourd'hui, la PPA sert non seulement à déterminer et à prévoir les taux de change à venir, mais aussi à comparer le pouvoir d'achat relatif des devises entre les pays.

La PPA : une théorie de la détermination du taux de change

Pour bien comprendre les forces du marché que prédit la PPA, simplifions d'abord la théorie en introduisant une proposition connexe : la **loi du prix unique**. Cette loi nous dit que, dans des marchés concurrentiels sans restriction à l'échange, deux biens homogènes vendus dans deux pays différents doivent avoir le même prix lorsque celui-ci est exprimé dans une même devise.

$$\text{Taux de change} = \frac{P^i_{CAN}}{P^i_{US}}$$

où P^i est le prix unique d'un bien quelconque.

Si, par exemple, une bière coûte 2,10 $CAN au Canada et 2,00 $US aux États-Unis et que le taux de change du dollar canadien par rapport au dollar américain est de 1,05, cela signifie que les devises ont la même valeur.

$$\frac{2,10\ \$CAN}{2,00\ \$US} = 1,05$$

Lorsqu'on élargit la loi du prix unique à l'ensemble des biens et des services produits par le Canada et les États-Unis, on obtient la PPA :

$$\text{Taux de change} = \frac{\text{IPC (du Canada)}}{\text{IPC (des États-Unis)}}$$

L'équation ci-dessus signifie que le taux de change du dollar canadien par rapport au dollar américain est égal au rapport des niveaux des prix (IPC) entre ces deux pays. Par définition, le taux de change de la PPA est celui qui assure le même pouvoir d'achat dans les deux pays. Ainsi, une baisse du pouvoir d'achat du dollar canadien (hausse de l'IPC du Canada) sera associée à une dépréciation proportionnelle de la devise canadienne. Symétriquement, cette théorie prédit qu'une baisse de l'IPC du Canada sera suivie d'une appréciation (baisse du taux de change) proportionnelle de la devise canadienne.

Si la PPA ne se vérifie pas toujours dans les faits, c'est parce que le marché des changes est soumis à différentes forces qui font que les prix ne sont pas toujours équivalents d'un pays à l'autre, une fois

Parité des pouvoirs d'achat (PPA) Théorie selon laquelle le taux de change d'équilibre entre deux pays équivaut au rapport des niveaux des prix des deux pays.

Loi du prix unique Loi selon laquelle deux biens homogènes vendus dans deux pays différents doivent avoir le même prix lorsque celui-ci est exprimé dans une même devise.

qu'on prend en compte le taux de change. Par exemple, les devises des pays économiquement plus faibles connaissent des fluctuations plus amples, de sorte qu'elles sont pénalisées par une prime de risque. Celle-ci en atténue la valeur, fait directement augmenter la valeur des biens et des services étrangers et fait paraître les prix locaux moins élevés pour les étrangers.

L'indice Big Mac : une mesure du pouvoir d'achat d'une devise

Vous voulez savoir si le dollar canadien a un bon pouvoir d'achat à l'étranger ? Comparez le prix du Big Mac au Canada et dans le pays visité en tenant compte du taux de change. On estime que c'est un moyen assez simple mais efficace pour mesurer la force d'une monnaie sur le marché international. Depuis 1986, l'hebdomadaire financier anglais *The Economist* se sert du Big Mac, le plus célèbre des hamburgers, pour comparer le coût de la vie dans différents pays du monde. Pourquoi le Big Mac ? Parce qu'il attire environ 46 millions de consommateurs chaque jour. Le Big Mac est donc un des produits les plus universels, qu'on retrouve dans plus de 120 pays. Chaque année, la revue britannique compare le prix du Big Mac à celui appliqué aux États-Unis afin d'évaluer le pouvoir d'achat d'une devise. Le tableau 9.6 indique les prix des hamburgers dans certains pays. Les prix sont d'abord exprimés en devises nationales, puis convertis en dollars américains.

À titre d'exemple, prenons le cas d'un Canadien qui a acheté, au Canada, un Big Mac au prix de 4,17 $CAN, soit 4,00 $US au taux de change courant en vigueur au moment de l'enquête ($\frac{4,17\ \$CAN}{1,04}$). Or, si ce Canadien avait acheté le même Big Mac aux États-Unis, celui-ci lui aurait coûté, en juillet 2010, seulement 3,73 $US. La valeur du dollar canadien était donc plus

élevée que celle du dollar américain en ce qui concerne le pouvoir d'achat. Autrement dit, les Canadiens pouvaient acheter un Big Mac à meilleur prix aux États-Unis, alors que les Américains devaient débourser davantage pour en manger un au Canada.

Par définition, on obtient l'indice Big Mac en divisant le prix d'un Big Mac dans un pays (dans sa monnaie) par le prix d'un Big Mac aux États-Unis. Cette formule n'est en réalité que la loi du prix unique (appliquée au cas du Big Mac). On l'obtient de la façon suivante :

Indice Big Mac =

$$\frac{\text{Prix du Big Mac dans un pays (en monnaie locale)}}{\text{Prix du Big Mac aux États-Unis (en \$US)}}$$

Ainsi, selon l'indice Big Mac, le taux de change du dollar canadien par rapport au dollar américain devrait se situer autour de 1,12 ($\frac{4,17\ \$CAN}{3,73\ \$US}$), alors qu'il se situait à 1,04. En d'autres termes, le dollar canadien est surévalué de 7,7 % ($\frac{1,12-1,04}{1,04} \times 100$) par rapport au dollar américain.

Au départ, l'indice Big Mac était utilisé à des fins pédagogiques, dans le but de rendre plus accessibles des notions complexes comme la parité

des pouvoirs d'achat. Aujourd'hui, cet indice a fait ses preuves et constitue pour les économistes un véritable indicateur qui leur sert à évaluer le coût de la vie dans le monde et à prévoir les fluctuations des devises.

Karl Gustav Cassel (1866-1945), économiste suédois à qui on doit le concept de la parité des pouvoirs d'achat.

| TABLEAU 9.6 | Indice Big Mac : le prix des hamburgers dans le monde. |

Pays	Prix du Big Mac		Taux de change		Écart par rapport au $US (%)
	(en devise locale)	(en $US)	Indice Big Mac (PPA)	(21/07/10)	
États-Unis	3,73 $US	3,73			
Canada	4,17 $CAN	4,00	1,12	1,04	7,7
Europe	3,38 euros	4,33	0,91	0,78	16,7
Grande-Bretagne	2,29 livres	3,48	0,61	0,66	−7,0
Japon	320 yens	3,67	85,79	87,33	−1,8
Suisse	6,50 FS	6,19	1,74	1,05	65,7

Source : « McDonald's », *The Economist*, 22 juillet 2010.

CHAPITRE 9 **En un clin d'œil**

Balance des paiements

Le **compte courant** recouvre les échanges de biens et de services, les revenus de placements et les transferts courants.

Les **comptes de capital et financier** enregistrent les transferts en capital et les flux financiers.

Taux de change et marché des changes

Taux de change
Prix en monnaie nationale d'une unité de devise (ou valeur de la monnaie nationale par rapport à une autre devise).

Dans un **système de taux de change flexible**, le taux de change varie selon les forces du marché.

Dans un **système de taux de change fixe**, le taux de change ne varie pas.

Marché des changes

Sur le **marché au comptant**, les transactions se font à l'intérieur de deux jours ouvrables suivant la négociation d'un contrat.

Sur le **marché à terme**, les transactions sont reportées à une échéance (30, 90 ou 180 jours) et à un cours fixés à l'avance.

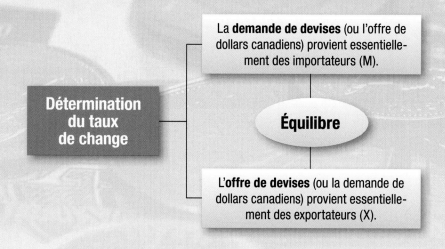

Détermination du taux de change

La **demande de devises** (ou l'offre de dollars canadiens) provient essentiellement des importateurs (M).

Équilibre

L'**offre de devises** (ou la demande de dollars canadiens) provient essentiellement des exportateurs (X).

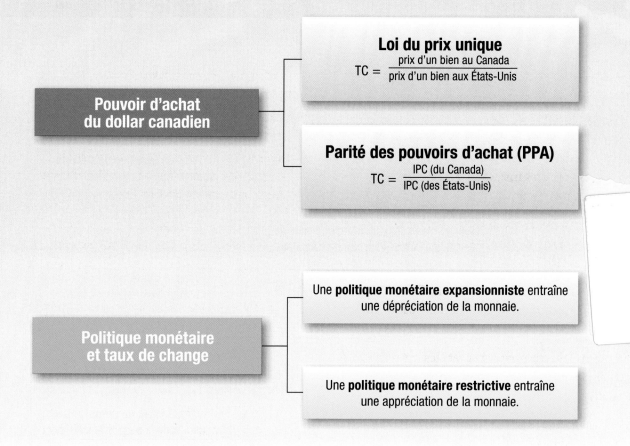

Pouvoir d'achat du dollar canadien

Loi du prix unique

$$TC = \frac{\text{prix d'un bien au Canada}}{\text{prix d'un bien aux États-Unis}}$$

Parité des pouvoirs d'achat (PPA)

$$TC = \frac{\text{IPC (du Canada)}}{\text{IPC (des États-Unis)}}$$

Politique monétaire et taux de change

Une **politique monétaire expansionniste** entraîne une dépréciation de la monnaie.

Une **politique monétaire restrictive** entraîne une appréciation de la monnaie.

Guerre des devises

Politique protectionniste visant à affaiblir une monnaie afin de faciliter les exportations et gagner en compétitivité.

CHAPITRE 9 Testez vos connaissances

QUESTIONS À COURT DÉVELOPPEMENT

1 Quels sont les deux principaux comptes de la balance des paiements ?

2 Un pays peut-il avoir simultanément un déficit de son compte courant et un surplus de ses exportations nettes de biens ?

3 Qu'est-ce que le taux de change ?

4 Quelle est la valeur du dollar canadien par rapport au dollar américain si le taux de change est de 1,05 ?

5 Vrai ou faux ? Une baisse du taux de change signifie que la devise se déprécie.

6 Pourquoi la cotation des devises qu'on retrouve tous les jours dans la rubrique financière des grands quotidiens ne correspond-elle pas à celle qu'utilisent les institutions financières et les bureaux de change ?

7 Qui sont les demandeurs et les offreurs de devises (ou les offreurs et les demandeurs de dollars canadiens) ?

8 Vrai ou faux ? L'achat de vin de la Californie par la SAQ occasionne une dépréciation du dollar canadien.

9 Comment les commerçants et les investisseurs peuvent-ils se protéger contre le risque de change ?

10 Quelle est la relation entre les taux d'intérêt et le taux de change ?

PROBLÈMES

1 Voici certaines données (en milliards de dollars) concernant le compte courant du Canada au 4e trimestre 2008.

a) Complétez le tableau en calculant les valeurs manquantes.

Compte courant	Recettes (+)	Paiements (−)	Solde
Biens et services			
Biens		113,2	2,5
Services	17,4	22,9	
Revenus de placements		20,9	−5,5
Transferts courants	3,3	2,7	
Total			

Source : adapté de Statistique Canada, CANSIM, tableau 376-0003.

b) Que déduisez-vous au sujet du solde du compte courant ?

c) Le Canada est-il un importateur net ou un exportateur net de biens et de services ?

d) Commentez l'affirmation suivante : « Le compte courant du Canada est pratiquement toujours déficitaire. »

2 Classez chacune des transactions suivantes dans la balance des paiements canadienne et dites si elle contribue à un surplus ou à un déficit.

a) La société Bombardier construit une usine en Irlande.

b) Bombardier vend cinq Learjet 45 XR à l'entreprise britannique Gold Air International.

c) Des touristes canadiens dînent dans un restaurant chic de Paris.

d) La SAQ achète des caisses de vin provenant de la Californie.

e) Des Canadiens achètent des actions d'une entreprise allemande.

f) Le gouvernement argentin verse au Canada des intérêts sur sa dette.

3 Si le taux de change du dollar canadien par rapport à l'euro est de 1,40, quel est le loyer, en dollars canadiens, d'un appartement à Marseille qui se loue 1500 euros par mois ?

4 Un ordinateur portatif se vend 1000 \$CAN au Canada et 975 \$US aux États-Unis. Où l'achèteriez-vous si le taux de change du dollar canadien par rapport au dollar américain était de 1,05 ?

5 À la lumière du tableau 9.6, p. 230, déterminez laquelle des devises est la plus forte.

6 Une politique monétaire restrictive est mise en œuvre dans le but de régler un problème d'inflation. Tracez graphiquement les effets de cette politique sur le marché global des biens et des services ainsi que sur le marché des changes.

7 La figure 9.10 présente la variation relative (en %) des principales devises durant la crise économique de 2009.

a) Quelle devise est ressortie comme l'une des principales gagnantes de l'année 2009 ? Justifiez votre réponse.

b) Selon vous, quels sont les principaux facteurs ayant permis à cette devise de traverser la dernière crise sans encombre ?

8 Voici un extrait de *La Presse Affaires* du 9 octobre 2010 :

> « Cette saison, Gary Bettman ne jettera pas seulement un œil à son produit sur la glace. Le commissaire [de la Ligue nationale de hockey] surveillera aussi le cours du huard, la devise de ses six équipes canadiennes qui représentent environ 31 % des revenus aux guichets de la LNH, selon un rapport interne publié par le *Toronto Star* en 2008. Depuis un an, le dollar canadien s'est apprécié de 4 cents pour s'établir à 99 cents US, ce qui signifie une hausse des revenus pour la LNH. »

Pourquoi le Canadien de Montréal et les autres équipes de hockey canadiennes devraient-ils se réjouir d'une appréciation du dollar canadien ?

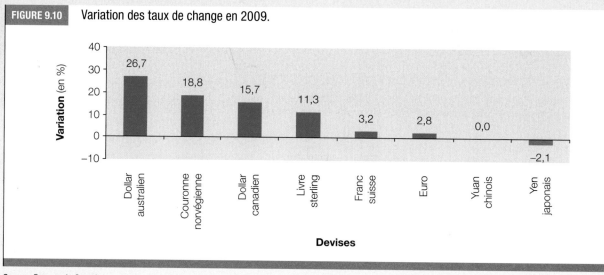

FIGURE 9.10   Variation des taux de change en 2009.

Source : Banque du Canada.

CHAPITRE 9   Question d'intégration

Selon un large consensus de la communauté scientifique, toutes les économies du monde seront confrontées à des degrés divers au réchauffement de la planète au cours des cinquante prochaines années. D'après ce que vous avez vu dans le manuel, y compris dans ce chapitre, comment les économistes devraient-ils étudier ce phénomène ?

CHAPITRE 9 Laboratoires informatiques

Le but des laboratoires informatiques est d'amener l'élève, à partir d'un traitement de données incorporé dans le site de Statistique Canada, à utiliser de façon relativement simple des outils statistiques (tableaux, graphiques, mesures relatives) permettant de décrire et d'expliquer la conjoncture économique canadienne et mondiale. Pour une explication plus détaillée de la marche à suivre, voir l'avant-propos, pages IV à VI.

1. Recueillez des données sur le compte courant du Canada. Vous les trouverez en consultant le site de Statistique Canada (http://www.statcan.qc.ca). Cliquez sur le lien « Comptes économiques » situé en bas de l'écran. Ensuite, choisissez « Balances des paiements internationaux », puis « Tableaux sommaires » et « Balance des paiements internationaux du Canada ». Relevez les recettes et les paiements du compte courant de l'année la plus récente.

   a) Construisez un tableau similaire au tableau 9.1, p. 211.

   b) Le Canada a-t-il enregistré un surplus ou un déficit de sa balance commerciale (de ses échanges de biens et de services) ? de son compte courant ?

2. Afin d'avoir une idée de la relation entre le compte courant et les comptes de capital et financier du Canada, consultez le didacticiel de Statistique Canada (http://estat.statcan.ca) et tracez un chronogramme de ces deux grands éléments de la balance des paiements. Cliquez d'abord sur « Recherche dans CANSIM sur E-STAT », inscrivez le numéro 376-0001, puis cliquez sur « Recherche ». Pour une présentation visuelle de l'évolution du compte courant du Canada depuis 1998, sélectionnez successivement les options suivantes : « Canada », « Soldes », « Compte courant total », « Tous les pays », de « 1998 » à l'année la plus récente,

puis cliquez sur le bouton « Extraire séries chronologiques ». Pour visualiser ensemble le compte courant et les comptes de capital et financier, cliquez sur « Rajouter d'autres séries » situé en bas de l'écran, inscrivez le numéro 376-0002 » et cliquez de nouveau sur « Recherche ». Ensuite, sélectionnez successivement les options suivantes : « Canada », « Total du compte capital et financier, flux nets », « Tous les pays », de « 1998 » à l'année la plus récente, puis cliquez de nouveau sur le bouton « Extraire séries chronologiques ». Enfin, cliquez sur le bouton « Extraire maintenant » pour faire apparaître sur un même graphique les deux séries en question.

   a) Commentez l'affirmation suivante : « En général, on note au Canada un surplus du compte courant et un déficit des comptes de capital et financier. »

   b) Quelle relation existe-t-il entre les deux grands comptes ?

   c) Pourquoi les soldes des deux grands comptes s'annulent-ils ? En d'autres mots, pourquoi les déficits du compte courant se traduisent-ils généralement par des surplus des comptes de capital et financier (et vice versa) ?

3. Consultez le site de Statistique Canada (http://www.statcan.qc.ca) et recueillez des données sur les taux de change. Cliquez sur « Gouvernement » situé en bas de l'écran. Ensuite, choisissez « Autorités monétaires », puis « Tableaux sommaires » et « Taux de change, taux d'intérêt, masse monétaire et prix des actions ».

   a) De façon générale, au cours des dernières années, le dollar canadien s'est-il apprécié ou déprécié par rapport au dollar américain ?

   b) Lesquels des agents économiques sont les plus favorisés par la situation décrite en a) ?

CRÉDITS PHOTOGRAPHIQUES

Couverture

© Christopher Morris / VII / Corbis (haut); Image Source / Corbis 1 (bas); PA-Dominic Lipinski / La Presse Canadienne (droite).

Chapitre 1

P. 1 (haut) SVLuma; (bas) Pi-Lens; p. 3 (haut gauche) Iznashih / Shutterstock.com; (droite) et p. 4 Minerva Studio; p. 7 Bettmann / CORBIS; p. 9 iStockphoto; p. 12 YNA / epa / Corbis; p. 16 (gauche et droite) Photos.com; p. 17 (gauche) Interfoto / Alamy; (droite) ClassicStock / Alamy; p. 18 (gauche) Roger Ressmeyer / Corbis; (droite) Ralf-Finn Hestoft / CORBIS.

Chapitre 2

P. 27 (gauche) Thinkstock; p. 29 Gilles Beauchamp; p. 40 (Sylvain Garneau); p. 42-43 Megapress; p. 44-45 Vincent Laforet / New York Times / Pool / epa / Corbis; p. 46 Reuters / Corbis.

Chapitre 3

P. 57 (haut gauche) Image Source / Corbis1; p. 59 Shutterstock; p. 61 Joan Gravell / Alamy; p. 66-67 La Presse Canadienne / AP Photo / Peter Morrison; p. 70 iStockphoto.

Chapitre 4

P. 77 (gauche) Aaron Ufumel / epa / Corbis; p. 80 La Presse Canadienne / AP Photo / Paul Sakuma; p. 82-83 Porter Gifford / BW / Corbis; p. 85 Dominic Roy; p. 86 Yuri Arcurs.

Chapitre 5

P. 101 (gauche) Crocodile Images / Alamy; p. 103 iStockphoto; p. 105 *British Library of Political and Economic Science*; p. 106-107 Yang Liu / Corbis; p. 118 Albert Harlingue / Roger-Viollet / The Image Works.

Chapitre 6

P. 131 (gauche) Westmacott / Alamy; p. 133 gracieuseté du ministère des Finances du Canada; p. 148 Chris Wattie / Reuters / Corbis; p. 150-151 Franck Robichon / epa / Corbis; p. 152 iStockphoto.

Chapitre 7

P. 161 (gauche) Wayne Eardley / Maxximages; p. 163 iStockphoto; p. 166 La Presse Canadienne / Hillery Smith Garrison; p. 167 La Presse Canadienne / Francis Vachon; p. 170 Chris Wattie / Reuters / Corbis.

Chapitre 8

P. 189 (gauche) La Presse Canadienne / Ryan Remiorz; p. 192 Anaïs Martane / Corbis; p. 194 Marcus Donner / Reuters / Corbis; p. 203 iStockphoto; p. 205 Mary Evans Picture Library.

Chapitre 9

P. 209 (gauche) iStockphoto; p. 217 John Zich / zrImages / Corbis; p. 218 La Presse Canadienne / Paul Chiasson; p. 228 Simela Pantzartzi / epa / Corbis; p. 230 The Royal Library, Danemark.

GLOSSAIRE

Accord de libre-échange nord-américain (ALÉNA) • Accord de libre-échange entre le Canada, les États-Unis et le Mexique, entré en vigueur en 1994.

Accord général sur les tarifs douaniers et le commerce (GATT) • Accord intervenu en 1947 et visant l'abolition graduelle des barrières protectionnistes, grâce à des négociations multilatérales. Il a été remplacé en 1995 par l'Organisation mondiale du commerce (OMC).

Agents économiques • Individus ou groupes d'individus qui prennent des décisions de nature économique.

Appréciation • Augmentation de la valeur d'une monnaie par rapport à une autre, correspondant à une baisse de son prix (cotation à l'incertain) ou à une hausse de son prix (cotation au certain).

Avantage absolu • Avantage que détient un pays lorsqu'il peut produire, avec le même niveau de facteurs de production, un bien en plus grande quantité qu'un autre pays.

Balance commerciale • Composante du compte courant où sont comptabilisés les échanges de biens et de services.

Balance des paiements • Outil comptable qui recense l'ensemble des transactions économiques qu'un pays effectue avec les autres pays.

Biens • Produits qui sont tangibles (une voiture, un livre).

Chômage • Différence entre la population active, ou main-d'œuvre disponible, et l'emploi.

Chômage conjoncturel (ou cyclique) • Chômage résultant d'un ralentissement de l'activité économique.

Chômage frictionnel • Chômage résultant de la mobilité normale de la main-d'œuvre.

Chômage saisonnier • Chômage lié à des facteurs climatiques.

Chômage structurel • Chômage découlant d'une non-concordance entre la demande et l'offre de travail.

Chômeurs • Nombre de personnes qui, au cours de la semaine de référence de l'enquête, sont sans emploi et qui ont cherché activement un emploi au cours des quatre semaines précédentes.

Collusion (ou cartel) • Groupe d'entreprises qui s'entendent pour baisser leur production ou augmenter leur prix.

Compte courant • Compte de la balance des paiements qui recouvre les échanges de biens et de services, les revenus de placements et les transferts courants.

Compte de capital • Compte de la balance des paiements qui enregistre les transferts en capital (actifs des migrants, héritages, remises de dettes) et les échanges portant sur les actifs non financiers non produits (brevets, terrain d'une ambassade).

Compte financier • Compte de la balance des paiements qui enregistre les flux financiers.

Conjoncture économique • Caractéristiques particulières d'un système économique au cours d'une période donnée.

Cotation au certain • Valeur de la monnaie nationale par rapport aux autres devises.

Courbe de Phillips • Courbe qui montre la relation négative entre l'inflation et le chômage.

Coût d'option • Quantité d'un bien (ou service) que l'on doit sacrifier pour obtenir davantage d'un autre bien (ou service).

Crise économique • Situation caractérisée par une forte baisse de l'activité économique, un taux de chômage élevé et une chute des investissements et de la consommation.

Croissance économique • Hausse soutenue de la production globale d'une économie ; elle se mesure par la variation relative en pourcentage du PIB réel.

Cycle économique • Fluctuations du PIB réel composées d'une alternance de phases d'expansion, de ralentissement, de récession et de reprise.

Déficit budgétaire • Excédent des dépenses globales sur les revenus globaux de l'État au cours d'une période donnée.

Déflation • Baisse du niveau moyen des prix observée sur une période donnée.

Demande • Ensemble des quantités d'un produit que les consommateurs sont disposés à acheter à différents prix.

Demande globale • Ensemble des quantités de biens et services que les agents économiques sont disposés à acheter à différents niveaux de prix.

Dépôt à terme • Dépôt pouvant être retiré sans pénalité seulement à la fin du terme prévu.

Dépôt à vue • Dépôt à partir duquel on peut généralement effectuer des retraits sans préavis.

Dépréciation • Baisse de la valeur d'une monnaie par rapport à une autre, correspondant à une hausse de son prix (cotation à l'incertain) ou à une baisse de son prix (cotation au certain).

Dépression • Crise économique accompagnée d'une crise financière.

Désinflation • Baisse du taux d'inflation.

Dette publique • Somme totale des engagements financiers de l'État envers ses créanciers, à un moment donné.

Devise • Monnaie étrangère.

Dilemme du prisonnier • Histoire proposée en 1951 par le mathématicien Albert W. Tucker, dont le propos a permis de remettre en question le principe économique de la main invisible, selon lequel la recherche par chacun de son intérêt personnel conduit à la réalisation de l'intérêt collectif.

Économie de marché • Modèle d'organisation dans lequel la propriété des moyens de production est privée et l'économie est décentralisée.

Économie internationale • Discipline qui étudie les relations économiques entre les nations, définies sur des bases géographiques et politiques.

Économie mixte • Modèle d'organisation dans lequel il y a une double régulation de l'économie par le marché et l'État.

Économie mondiale • Discipline qui traite des relations économiques à l'échelle de la planète ou entre des marchés réunissant des blocs régionaux.

Économie planifiée • Modèle d'organisation dans lequel la propriété des moyens de production est collective et l'économie est centralisée.

Économique • Étude de l'utilisation des ressources rares pour satisfaire des besoins illimités.

Effet d'éviction • Diminution des dépenses de consommation et d'investissement causée par la poussée des taux d'intérêt, résultant d'une expansion fiscale financée par un accroissement des emprunts de l'État.

Effet de revenu • Effet créé quand une variation du prix d'un produit influence le pouvoir d'achat de l'acheteur.

Effet de substitution • Effet créé quand une variation du prix d'un produit influence le coût d'option de ce produit.

État • Ensemble des institutions publiques d'une nation.

Expansion économique • Augmentation du PIB réel sur une période donnée.

Externalités négatives • Nuisances que des agents économiques occasionnent sans avoir à assumer les coûts qu'elles engendrent.

Externalités positives • Bénéfices que produit un agent économique sans en tirer directement profit.

Flux • Valeur (ou quantité) mesurée sur une période donnée.

Fourchette cible • Taux maximal et taux minimal d'inflation fixés par la banque centrale.

Globalisation • Troisième phase de la mondialisation marquée par le développement d'une gestion des ressources à l'échelle planétaire par les acteurs économiques avec la mise en place d'institutions pour les encadrer.

Hyperinflation • Hausse du niveau moyen des prix qui excède 50 % par mois, soit un peu plus de 1,3 % par jour.

Impôt progressif • Taux d'imposition qui croît à mesure que la dernière tranche de revenu augmente.

Impôt sur le revenu • Impôt perçu directement par l'État.

Indicateur de développement humain (IDH) • Indice composite qui mesure l'évolution d'un pays selon trois critères de développement humain : la santé et la longévité, la connaissance, le niveau de vie.

Indice des prix à la consommation (IPC) • Indicateur qui donne la moyenne pondérée des prix des biens et services consommés habituellement par les ménages au cours d'une période donnée.

Indice implicite des prix (IIP) • Indicateur qui donne la moyenne pondérée des prix de l'ensemble des biens et services produits à l'intérieur d'un pays au cours d'une période donnée.

Induction à rebours • Principe selon lequel les jeux séquentiels doivent se résoudre à partir de la fin et en remontant jusqu'au début, comme dans un compte à rebours.

Inflation • Hausse soutenue du niveau moyen des prix observée sur une période donnée.

Intégration économique • Espace économique homogène dans lequel les pays membres éliminent progressivement et continuellement les discriminations dans leurs relations économiques.

Internationalisation • Première phase de la mondialisation marquée par l'augmentation significative des échanges de biens et de services entre les pays.

Investissements de portefeuille • Éléments du compte financier correspondant aux flux d'actions et d'obligations.

Investissements directs • Éléments du compte financier correspondant au financement de la mise sur pied d'unités de production ou de l'action pour prendre le contrôle de telles unités.

Jeu séquentiel • Dans la théorie des jeux, situation où un joueur agit avant l'autre.

Limite des possibilités de production • Courbe qui donne les combinaisons optimales des produits qu'une société peut produire.

Loi de l'offre • Loi qui établit, toutes choses étant égales par ailleurs, que la quantité offerte d'un produit augmente à mesure que le prix augmente, et vice versa.

Loi de la demande • Loi qui établit, toutes choses étant égales par ailleurs, que la quantité demandée d'un produit diminue à mesure que le prix augmente, et vice versa.

Loi des rendements décroissants • Principe selon lequel, lorsqu'une entreprise ajoute à des facteurs fixes une quantité successive d'un facteur variable, la production augmente, mais à un rythme de plus en plus lent.

Loi du prix unique • Loi selon laquelle deux biens homogènes vendus dans deux pays différents doivent avoir le même prix lorsque celui-ci est exprimé dans une même devise.

Macroéconomie • Branche de l'économique qui étudie les comportements collectifs et la relation entre les grandeurs globales. Elle s'intéresse à l'offre et à la demande globales d'un pays.

Main invisible • Principe économique selon lequel chaque individu, en poursuivant son intérêt personnel, conduit à la réalisation de l'intérêt collectif.

Marché • Lieu, fictif ou réel, qui rend possible la réalisation d'échanges entre les demandeurs et les offreurs.

Marché à terme • Marché où les transactions sont reportées à une échéance (habituellement 30 jours, 90 jours ou 180 jours) et à un cours fixés à l'avance.

Marché au comptant • Marché où les transactions de devises se font à l'intérieur des deux jours ouvrables qui suivent la négociation d'un contrat.

Marché commun • Union douanière à laquelle les pays membres ont ajouté la libéralisation de la circulation des personnes et des capitaux.

Marché des biens et services • Lieu où se rencontrent l'offre et la demande de biens et de services.

Marché des capitaux • Lieu où se rencontrent l'offre et la demande de capitaux financiers à court et à long terme.

Marché des changes • Lieu où s'échangent les devises.

Marché du travail • Lieu où se rencontrent l'offre et la demande de travail.

Marxisme • Doctrine philosophique, politique et économique de Karl Marx (1818-1883) qui prône la rupture du système capitaliste et la naissance d'une société sans classes.

Mercantilisme • Doctrine selon laquelle une nation, pour s'enrichir, doit limiter ses importations et développer au maximum ses exportations.

Mesures discrétionnaires • Mesures que l'État prend pour influer sur l'évolution de l'activité économique.

Microéconomie • Branche de l'économique qui étudie les comportements individuels des agents économiques. Elle s'intéresse à l'offre et à la demande d'un bien ou d'un service en particulier.

Modèle • Représentation théorique de la réalité basée sur des hypothèses restrictives.

Modèle d'organisation • Système économique sur lequel repose l'allocation des ressources rares de façon à répondre aux trois questions fondamentales : « Quoi produire ? Comment produire ? Pour qui produire ? »

Mondialisation • Terme général de l'économie internationale qui désigne l'augmentation significative des échanges (de biens, de services, de personnes et de capitaux) entre les pays avec la mise en place d'institutions pour les encadrer.

Monétarisme • École de pensée représentée par Milton Friedman (1912-2006) qui défend une politique de contrôle strict de la croissance de l'offre de monnaie.

Monnaie • Outil inventé par les humains pour faciliter les échanges.

Monnaie fiduciaire • Monnaie dont la valeur repose entièrement sur la confiance des utilisateurs.

Monnaie scripturale • Monnaie qui existe sous forme d'écritures dans les établissements financiers.

Multiplicateur des échanges • Concept utilisé par John Maynard Keynes qui montre comment une variation des dépenses autonomes des agents économiques peut provoquer une variation plus importante du revenu global.

Multiplicateur monétaire • Quantité de monnaie que le système financier peut créer à partir d'un dollar de dépôt. De façon générale, il correspond au montant du dépôt initial divisé par le taux de réserve.

Offre • Ensemble des quantités d'un produit que les entreprises sont disposées à vendre à différents prix.

Offre globale • Ensemble des quantités de biens et services que les entreprises sont disposées à offrir à différents niveaux de prix.

Organe de règlement des différends (ORD) • Tribunal de l'Organisation mondiale du commerce (OMC) mis sur pied pour prévenir les conflits commerciaux et les résoudre le cas échéant.

Organisation de coopération et de développement économiques (OCDE) • Organisation internationale multilatérale créée en 1960 et regroupant 31 pays industrialisés attachés aux principes de la démocratie et de l'économie de marché.

Organisation mondiale du commerce (OMC) • Organisme créé en 1995 pour remplacer l'Accord général sur les tarifs douaniers et le commerce (GATT).

Parité des pouvoirs d'achat (PPA) • Théorie selon laquelle le taux de change d'équilibre entre deux pays équivaut au rapport des niveaux des prix des deux pays.

Personnes occupées • Nombre de personnes qui, au cours de la semaine de référence de l'enquête, travaillent à temps plein ou à temps partiel.

PIB nominal • PIB qui ne tient pas compte de la fluctuation des prix. Il s'exprime en dollars courants, c'est-à-dire en dollars de l'année en cours.

PIB par habitant en parité de pouvoir d'achat • Mesure du PIB qui tient compte de la taille de la population et des écarts de prix et de taux de change des pays comparés.

PIB réel • PIB qui tient compte de l'inflation. Il s'exprime en dollars constants, c'est-à-dire en dollars de l'année de référence.

Plein-emploi (ou taux de chômage naturel) • Taux qui subsiste lorsque le chômage conjoncturel n'existe plus, c'est-à-dire lorsque l'économie fonctionne à son plein potentiel. Il équivaut à la somme du taux de chômage frictionnel et du taux de chômage structurel.

Poids de la dette • Pourcentage de la dette par rapport au PIB.

Politique budgétaire • Ensemble des mesures que l'État prend pour influer sur la conjoncture économique en faisant varier ses dépenses et ses revenus.

Politique expansionniste • Politique mise en œuvre par l'État pour favoriser la croissance économique et la création d'emplois.

Politique monétaire • Ensemble des mesures que la banque centrale prend pour influer sur la conjoncture économique en faisant varier la quantité de monnaie en circulation.

Politique restrictive • Politique mise en œuvre par l'État pour ralentir la croissance économique et enrayer l'inflation.

Population active • Partie de la population civile âgée de 15 ans et plus qui est occupée ou en chômage.

Population inactive • Partie de la population civile âgée de 15 ans et plus qui ne travaille pas et qui ne cherche pas d'emploi.

Prix plafond • Prix maximal fixé au-dessous du prix d'équilibre dans le but de favoriser un groupe précis sur un marché donné.

Prix plancher • Prix minimal fixé au-dessus du prix d'équilibre dans le but de favoriser un groupe précis sur un marché donné.

Produit intérieur brut (PIB) • Indicateur mesurant la valeur de l'ensemble des biens et services finaux produits à l'intérieur des frontières d'un pays au cours d'une période donnée.

Produit national brut (PNB) • Indicateur mesurant la valeur de l'ensemble des biens et services finaux produits par les résidants d'un pays au cours d'une période donnée.

Produits dérivés • Ensemble des instruments financiers permettant de se couvrir contre une variation anticipée des cours d'actifs tels que les actions, les matières premières et les devises. Il existe trois grandes familles de produits dérivés : les contrats à terme d'instruments financiers (*futures*), les contrats d'échange de taux d'intérêt (*swaps*) et les options.

Programme de transfert • Partie des impôts et des taxes perçus que l'État transfère à des individus, à des entreprises ou à d'autres administrations pour assurer une meilleure équité entre les personnes, entre les familles et entre les régions.

Propension marginale à consommer (PmC) • Pente de la droite de consommation mesurant le rapport entre la variation de la consommation et la variation du revenu disponible.

Protectionnisme • Politique qui vise à limiter les importations afin de protéger les industries nationales de la concurrence mondiale. Les tarifs douaniers et les quotas en sont des exemples.

Quota • Mesure qui limite la quantité d'un bien pouvant être importée dans un pays.

Récession • Recul du PIB réel durant au moins deux trimestres consécutifs.

Ressources • Facteurs de production qui servent à produire des biens et des services.

Revenus de placements • Intérêts et dividendes reçus par les résidants pour des investissements effectués à l'étranger ou versés aux étrangers pour des investissements faits dans le pays.

Service de la dette • Partie du budget d'un gouvernement consacrée au remboursement de la dette et des intérêts courus.

Services • Produits qui sont intangibles (un voyage, un cours d'économie).

Solde budgétaire • Différence entre les revenus et les dépenses publiques au cours d'un exercice financier donné. Lorsque les dépenses excèdent les revenus (solde < 0), il y a *déficit budgétaire*. Quand les revenus excèdent les dépenses (solde > 0), il y a *surplus budgétaire*. Finalement, il y a *équilibre budgétaire* lorsque les dépenses correspondent aux revenus (solde = 0).

Stabilisateurs automatiques • Mesures qui changent automatiquement selon la performance de l'économie et qui ont pour effet de la stabiliser.

Stagflation • Conjoncture économique défavorable caractérisée par la coexistence d'un chômage et d'une inflation relativement élevés.

Stock • Valeur (ou quantité) mesurée à un moment précis dans le temps.

Stratégie dominante • Stratégie qui procure à un joueur des gains supérieurs à ceux de toutes les autres stratégies, quelle que soit la stratégie de l'autre joueur.

Structure de marché • Degré de concurrence défini par le nombre d'entreprises et le nombre d'acheteurs sur un marché, qui a une influence déterminante sur le prix et les quantités échangées d'un bien ou d'un service.

Structure économique • Caractéristiques fondamentales d'un système économique.

Subprime • Terme anglais qui s'oppose à *prime rate* (taux de premier rang), taux que les banques chargent aux meilleurs clients. Les *subprime* sont des taux plus élevés consentis à des clients qui n'ont pas assez de garanties pour accéder à un prêt normal, dit «prime».

Système de taux de change fixe • Système dans lequel le taux de change est fixé par les autorités gouvernementales par rapport à un étalon.

Système de taux de change flexible (ou flottant) • Système dans lequel le taux de change varie librement selon les forces du marché.

Tarif douanier • Taxe qu'un gouvernement impose sur un bien importé.

Taux cible du financement à un jour • Taux directeur, c'est-à-dire taux auquel les grands établissements financiers se prêtent des fonds pour une journée.

Taux d'activité • Pourcentage de la population active par rapport à la population âgée de 15 ans et plus.

Taux d'emploi • Pourcentage de la population occupée par rapport à la population âgée de 15 ans et plus.

Taux d'escompte • Taux consenti aux grands établissements financiers lorsqu'ils empruntent à la banque centrale. Ce taux correspond à 0,25 % de plus que le taux cible du financement à un jour.

Taux d'inflation • Variation relative en pourcentage de l'IPC entre deux périodes données.

Taux de change (cotation à l'incertain) • Prix en monnaie nationale d'une unité de devise.

Taux de change à terme • Taux de change fixé à l'avance en vertu d'un contrat d'une durée de 30 jours, 90 jours ou 180 jours.

Taux de change «des particuliers» • Cotation des devises par les établissements financiers et les bureaux de change destinée aux particuliers.

Taux de change interbancaire (ou taux «de gros») • Prix des devises appliqué par les grands intermédiaires du système financier international.

Taux de chômage • Pourcentage des chômeurs par rapport à la population active.

Taux de réserve • Pourcentage des dépôts que les établissements financiers détiennent sous forme de réserves.

Taxes indirectes • Taxes perçues par les entreprises et remises par la suite à l'État.

Théorie • Ensemble de généralisations destiné à expliquer et à prédire, au moyen d'un lien de causalité, des phénomènes.

Théorie des avantages comparatifs • Théorie de David Ricardo selon laquelle les nations sans avantage absolu doivent se spécialiser dans la production du bien pour lequel elles connaissent le moindre désavantage, c'est-à-dire le bien dont le coût d'option est le plus faible.

Théorie des jeux • Branche du savoir qui traite des comportements stratégiques.

Toutes choses étant égales par ailleurs • Expression qui signifie que tous les autres facteurs sont maintenus constants.

Transferts • Éléments du compte courant englobant les pensions, les dons et l'aide internationale.

Transnationalisation • Deuxième phase de la mondialisation marquée par le développement d'une gestion des ressources à l'échelle régionale ou planétaire par certaines grandes entreprises.

Union douanière • Zone de libre-échange pour laquelle les pays membres ont harmonisé les barrières protectionnistes extérieures.

Union économique • Marché commun dont les politiques économiques sont harmonisées.

Union économique et monétaire • Union économique dotée d'une monnaie commune (ou unique), et donc d'une autorité monétaire supranationale.

Union européenne (UE) • Organisation régionale européenne créée par le traité de Maastricht en 1993.

Valeur nominale • Valeur qui ne tient pas compte de l'inflation. Elle s'exprime en dollars courants, c'est-à-dire en dollars de l'année en cours.

Valeur réelle • Valeur corrigée pour tenir compte de l'inflation. Elle s'exprime en dollars constants, c'est-à-dire en dollars de l'année de référence.

Zone de libre-échange • Zone pour laquelle les pays membres ont conclu une libéralisation de la circulation des biens et des services, tout en maintenant les tarifs douaniers et les quotas appliqués au reste du monde.

BIBLIOGRAPHIE

AKTOUF, Omar. *La stratégie de l'autruche. Post-mondialisation, management et rationalité économique*, Montréal, Les Éditions Écosociété, 2002, 370 p.

ALTERNATIVES ÉCONOMIQUES, Hors-série poche n° 43 bis, La crise, avril 2010, 216 p.

ALTERNATIVES ÉCONOMIQUES, Hors-série n° 73, L'histoire de la pensée économique, avril 2007, 64 p.

AMYOTTE, Luc. *Méthodes quantitatives : application à la recherche en sciences humaines*, 2ᵉ éd., Saint-Laurent, ERPI, 2002, 518 p.

ARNOLD, Roger A. *Économie globale*, 2ᵉ éd., Anjou, CEC, 2007, 320 p.

AUBIN, Christian et Philippe NOREL. *Économie internationale : faits, théories et politiques*, Paris, Édition du Seuil, 2000, 373 p.

BAILLARGEON, Jeanne. *Économie globale : une approche multidisciplinaire*, Mont-Royal, Décarie, 1999, 359 p.

BANQUE DU CANADA. *Bulletin hebdomadaire de statistiques financières*, 12 octobre 2007, 20 p.

BANQUE DU CANADA. *Rapport annuel 2006*, février 2007, 78 p.

BANQUE DU CANADA. *75 ans d'histoire en chiffres : 1935-2010 – L'économie canadienne depuis la fondation de la Banque du Canada*, mai 2010, 22 p.

BARRO, Robert J. *La macroéconomie*, Paris, Armand Colin, 1987, 568 p.

BEAUD, Michel et Gilles DOSTALER. *La pensée économique depuis Keynes : historique et dictionnaire des principaux auteurs*, Paris, Édition du Seuil, 1993, 598 p.

BOURET, Renaud et Alain DUMAS. *Économie globale : regard actuel*, 2ᵉ éd., Saint-Laurent, ERPI, 2001, 441 p.

BOURET, Renaud. *Relations économiques internationales*, 4ᵉ éd., Montréal, Chenelière Éducation, 2008, 321 p.

CAHUC, Pierre. *La nouvelle microéconomie*, 2ᵉ éd., Paris, La Découverte, 1998, 121 p.

CANADA, MINISTÈRE DES FINANCES. *Rapport financier annuel du gouvernement du Canada*, exercice 2006-2007, 32 p.

CANADA, MINISTÈRE DES FINANCES. « Tableaux de référence financiers », septembre 2007, 67 p.

CARTAPANIS, André. *Turbulences et spéculations dans l'économie mondiale*, Paris, Economica, 1996, 232 p.

COURNOT, Christian. *Économie globale*, Laval, Éditions Études Vivantes, 1998, 314 p.

DAOUST, Jean-Yves. *Économie globale*, 2ᵉ éd., Mont-Royal, Décarie, 1998, 376 p.

DIOURY, Mohamed. *Environnement économique*, Anjou, CEC, 2003, 356 p.

DIOURY, Mohamed. *Introduction à l'économie mondiale*, Mont-Royal, Décarie, 2003, 292 p.

DIOURY, Mohamed. *La mondialisation : peu de gagnants, beaucoup de perdants*, Mont-Royal, Décarie, 2006, 176 p.

DIXIT, Avinash K. et Barry J.NALEBUFF. *Pensar estratégicamente : Un arma decisiva en los negocios, la politica y la vida diaria*, Barcelone, Antoni Bosch, 1999, 416 p.

DUMAS, André. *L'économie mondiale. Commerce, monnaie, finances*, 3ᵉ éd., Bruxelles, De Boeck, 2006, 213 p.

ÉLIE, Bernard. *Le régime monétaire canadien : institutions, théories et politiques*, 2ᵉ éd., Montréal, Presses de l'Université de Montréal, 2002, 390 p.

FLOUZAT, Denise. *L'euro*, Toulouse, Éditions Milan, 1998, 63 p.

FOROWICZ, Yadwiga. *Économie internationale*, Laval, Groupe Beauchemin, 1995, 402 p.

FORTIN, Pierre. « Salaire minimum au Québec : trop élevé ou trop bas ? », Document de recherche, Département des sciences économiques, Université du Québec à Montréal, 1998, 46 p.

GALBRAITH, John K. *Des amis bien placés : de Roosevelt à aujourd'hui*, Montréal, Boréal, 2000, 246 p.

GAUTHIER, Martine et Louise LESSARD. *Économie globale – Notions et exercices*, Anjou, CEC, 2008, 164 p.

GÉLINAS, Jacques B. *La globalisation du monde : laisser faire ou faire ?*, 3ᵉ éd., Montréal, Écosociété, 2000, 340 p.

GIBBONS, Robert. *Game Theory for Applied Economist*, Princetown, New-Jersey, Princetown University Press, 1992, 263 p.

GREENSPAN, Alan. *Le temps des turbulences*, Paris, Les éditions JC Lattès, 2007, 650 p.

GUERRIEN, Bernard. *Dictionnaire d'analyse économique : microéconomie, macroéconomie, théorie des jeux, etc.*, 3ᵉ éd., Paris, La Découverte, 2002, 568 p.

GUERRIEN, Bernard. *La théorie des jeux*, 3ᵉ éd., Paris, Economica, 2002, 112 p.

HENRIPIN, Jacques. *Les enfants, la pauvreté et la richesse au Canada*, Montréal, Les Éditions Varia, 2000, 192 p.

HOUDU, Michel. *Principes économiques fondamentaux*, Paris, Éllipses-Marketing, 2000, 94 p.

HOWARD, Donna. « La mise en œuvre de la politique monétaire à l'ère STPVG : notions de base », *Revue de la Banque du Canada*, automne 1998, p. 57-66.

JAMES, Elijah M. *Agents économiques : une introduction à la microéconomie*, 3ᵉ éd., Laval, Groupe Beauchemin, 1998, 352 p.

JOANIS, Marcelin et Claude MONTMARQUETTE. « La problématique de la dette publique au Québec : causes, conséquences et solution », Rapport Bourgogne du CIRANO n° RB06, septembre 2005.

KRUGMAN, Paul R. et Maurice OBSTELD. *Économie internationale*, 4ᵉ éd., Bruxelles, De Boeck, 2003, 880 p.

KRUGMAN, Paul R. *La mondialisation n'est pas coupable : vertus et limites du libre-échange*, Paris, La Découverte, 2000, 218 p.

LACASSE, Jocelyne et Raymond MUNGER. *Économie globale*, 2ᵉ éd., Laval, Éditions Études Vivantes, 1992, 472 p.

LACROIX, Robert. «Mondialisation, emploi et chômage», *L'Actualité économique, Revue d'analyse économique*, vol. 73, n° 4, décembre 1997, p. 629-641.

LAMOTTE, Henry et Jean-Philippe VINCENT. *La nouvelle macroéconomie classique*, coll. «Que sais-je?», n° 2713, Paris, PUF, 1993, 127 p.

L'ASSOCIATION DES BANQUIERS CANADIENS. «Comprendre l'économie: coup d'œil sur les principaux facteurs qui influent sur notre économie et, par ricochet, sur notre vie financière», Brochure 1998, 36 p.

LEMELIN, Clément. *L'économiste et l'éducation*, Sainte-Foy, Presses de l'Université du Québec, 1998, 612 p.

LEPAGE, François. *Le dilemme du prisonnier*, Montréal, Boréal, 2008, 160 p.

L'État du monde 2008: annuaire économique et géopolitique mondial, Montréal, La Découverte/Boréal, 2007, 432 p.

LIPSEY, Richard G., Douglas D. PURVIS et Peter O. STEINER. *Macroéconomique*, 2ᵉ éd., Montréal, Gaëtan Morin, 1992, 674 p.

LIPSEY, Richard G., Douglas D. PURVIS et Peter O. STEINER. *Microéconomie*, 2ᵉ éd., Montréal, Gaëtan Morin, 1993, 834 p.

LUNDRIGAN, E. et Sari TOLL. «Le marché du financement à un jour au Canada», *Revue de la Banque du Canada*, hiver 1997-1998, p. 27-42.

MANKIW, Gregory N., Germain BELZILE et Benoît PÉPIN. *Principes de macroéconomie*, Montréal, Modulo, 2009, 520 p.

MANKIW, Gregory N., Germain BELZILE et Benoît PÉPIN. *Principes de microéconomie*, Montréal, Modulo, 2009, 536 p.

MARIS, Bernard. *Antimanuel d'économie (1. les fourmis)*, France, Éditions Bréal, 2003, 360 p.

MARIS, Bernard. *Antimanuel d'économie (2. les cigales)*, France, Éditions Bréal, 2006, 384 p.

MARSHALL, Alfred. *Principes d'économie politique*, Paris, Éditions des archives contemporaines, 1906 (réimpr. 1971), 722 p.

MERO, Laszlo. *Les aléas de la raison: de la théorie des jeux à la psychologie*, Paris, Éditions du Seuil, 2000, 330 p.

MULLER, Jacques, Pascal VANHOVER et Christophe VIPREY. *Économie: manuel et applications*, 2ᵉ éd., Paris, Dunod, 2000, 362 p.

MUNGER, Raymond. *Relations économiques internationales*, Laval, Éditions Études Vivantes, 1991, 361 p.

NASAR, Sylvia. *Un cerveau d'exception: de la schizophrénie au Nobel, la vie singulière de John Forbes Nash*, Paris, Calmann-Lévy, 2001, 548 p.

OCDE. *Perspectives économiques de l'OCDE*, Volume 2010/1, n° 87, mai 2010, 352 p.

OUELLET, Gilles, Dominic ROY et Alain HUOT. *Méthodes quantitatives en sciences humaines*, 3ᵉ éd., Montréal, Modulo, 2009, 304 p.

PARKIN, Michael, Robin BADE et Benoît CARMICHAEL. *Introduction à la macroéconomie moderne*, 4ᵉ éd., Saint-Laurent, ERPI, 2010, 493 p.

PARKIN, Michael, Robin BADE et Patrick GONZALEZ. *Introduction à la microéconomie moderne*, 4ᵉ éd., Saint-Laurent, ERPI, 2010, 610 p.

PAULET, Jean-Pierre. *La mondialisation*, 2ᵉ éd., Paris, Armand Colin, 2002, 96 p.

PETRELLA, Ricardo. *L'éducation, victime de cinq pièges: à propos de la société de la connaissance*, Montréal, Éditions Fides, 2000, 54 p.

PICHÉ, Victor et Céline LE BOURDAIS. *La démographie québécoise: enjeux du XXIᵉ siècle*, collection «Paramètres», Montréal, Les Presses de l'Université de Montréal, 2003, 321 p.

PNUD. *Rapport mondial sur le développement humain 2007/2008. La lutte contre le changement climatique: un impératif de solidarité humaine dans un monde divisé*, Paris, Éditions La Découverte, 2007, 400 p.

QUÉBEC, MINISTÈRE DES FINANCES. «Impact du salaire minimum sur l'emploi», Rapport d'analyse 2001-2002, février 2002, p. 89-106.

ROY, Dominic. *Comportement stratégique en économie. Une introduction à la théorie des jeux*, Montréal, Modulo, 2006, 80 p.

SAMUELSON, Paul A. et William A. NORDHAUS. *Économie*, 16ᵉ éd., Paris, Economica, 2000, 787 p.

SCHILLER, Bradley R. *The Economy Today*, 8ᵉ éd., Columbus, Ohio, McGraw-Hill Higher Education, 2000, 762 p.

SILEM AHMED, A. *Introduction à l'analyse économique: bases méthodologiques et problèmes fondamentaux*, 3ᵉ éd., Paris, Armand Colin, 1997, 190 p.

SMITH, Adam. *Enquête sur la nature et les causes de la richesse des nations*, Paris, Les Presses Universitaires de France, 1995, 1429 p.

STAFFORD, Jean. *Microéconomie du tourisme*, Sainte-Foy, Presses de l'Université du Québec, 1995, 132 p.

STATISTIQUE CANADA. «Guide du secteur public du Canada», Catalogue n° 12-589-X, 2008, 75 p.

STATISTIQUE CANADA. «Guide de l'Enquête sur la population active», Catalogue n° 71-543-GIF, 2007, 86 p.

STATISTIQUE CANADA. «Votre guide d'utilisation de l'indice des prix à la consommation», Catalogue n° 62-557-XPB, décembre 1996, 24 p.

STIGLITZ, Joseph. *Principes d'économie moderne*, 3ᵉ éd., Bruxelles, De Boeck, 2007, 960 p.

TREMBLAY, Rodrigue. *Macroéconomique moderne*, Laval, Éditions Études Vivantes, 1992, 628 p.

UCTUM, Merith et Pierre DEUSY-FOURNIER. «Le dollar et l'euro: la primauté monétaire de l'Europe a-t-elle une place?», *L'Actualité économique, Revue d'analyse économique*, vol. 74, n° 4, décembre 1998, p. 669-694.

VARIAN, Hal R. *Analyse microéconomique*, 3ᵉ éd., Bruxelles, De Boeck, 1995, 509 p.

VARIAN, Hal R. *Introduction à la microéconomie*, 6ᵉ éd., Bruxelles, De Boeck, 2006, 836 p.

VENNE, Michel. *L'annuaire du Québec 2004*, Montréal, Éditions Fides, 2003, 1008 p.

INDEX